D0227119

La Déclaration

L'Histoire d'Anna

www.bloomsbury.com/TheDeclaration

9, rue Victor-Massé – 75009 Paris – www.naive.fr
Loi 49956 du 16 juillet 1949 sur les publications destinées à la jeunesse
Dépôt légal : second semestre 2007
N° d'édition : 84 – NL084
ISBN : 978-2-35021-122-0
Photographie de couverture : Prisca Martaguet
Conception graphique et maquette : les Associés réunis, Paris
Un grand merci à Juliette

Imprimé et relié par Hérissey

Gemma Malley

La Déclaration

L'Histoire d'Anna

Traduit de l'anglais par Nathalie Peronny

naïve

À Dorie Simmons

Chapitre I

11 janvier 2140

Mon nom est Anna.

Mon nom est Anna et je ne devrais pas être là. Je ne devrais pas exister.

Pourtant, j'existe.

Ce n'est pas ma faute si je suis là. Je n'ai jamais demandé à naître. Même si ça n'excuse pas le fait que je sois née. Mais on m'a retrouvée très vite, ce qui est « de bon augure ». En tout cas d'après Mrs Pincent. Elle, c'est la Directrice de Grange Hall. On l'appelle « Madame l'Intendante ». Quant à Grange Hall, c'est l'endroit où je vis. C'est là qu'on apprend aux gens comme moi à se rendre Utiles – ou « comment tirer le meilleur parti du pire », pour reprendre la phrase de Mrs Pincent.

Je n'ai pas d'autre nom. Pas comme Mrs Pincent. Son nom entier est Margaret Pincent. Certains l'appellent « Margaret », d'autres – la majorité –, « Mrs Pincent » ; nous, on dit seulement « Madame l'Intendante ». Depuis quelque temps, je me suis mise à l'appeler « Mrs Pincent », moi aussi, mais jamais en face – je ne suis pas folle.

Les Légaux ont tous deux noms. Parfois plus.

Moi, non. Je suis juste Anna. Les gens comme moi n'ont pas besoin d'avoir deux noms, d'après Mrs Pincent. Un seul suffit.

Elle n'aime pas le nom « Anna », d'ailleurs ; elle m'a même expliqué qu'elle avait essayé de m'en faire changer quand je suis arrivée ici. Mais j'étais une enfant bornée, comme elle dit, je ne répondais qu'à « Anna », alors elle a fini par laisser tomber. Tant mieux – il me plaît, moi, ce nom. Même si ce sont mes parents qui l'ont choisi.

Je hais mes parents. Ils ont violé la Déclaration et se sont conduits en parfaits égoïstes. Aujourd'hui, ils sont en prison. J'ignore où exactement. Aucun de nous ne sait quoi que ce soit à propos de ses parents. Mais ça me va très bien comme ça – je n'aurais rien à leur dire, de toute façon.

Tous ceux et celles qui vivent ici n'ont qu'un seul nom. C'est l'un des critères qui nous distinguent des autres, d'après Mrs Pincent. Pas le plus important, loin de là ; cette question du nom n'est qu'un détail. Sauf que pour moi, ce n'est pas un simple détail. Parfois, j'aimerais avoir un deuxième nom, moi aussi, même hideux... n'importe lequel. J'ai même demandé à Mrs Pincent si je pouvais m'appeler Anna Pincent, un jour, et porter son nom accolé au mien, mais ça l'a mise dans une colère noire : elle m'a balancé un coup sur la tête et m'a privée de repas chauds pendant deux semaines. Mrs Larson, notre Instructrice de Couture, m'a expliqué plus tard que c'était une insulte de la part de quelqu'un comme moi de penser pouvoir porter le nom de Mrs Pincent. Comme si on avait un lien quelconque, elle et moi.

En fait, j'ai comme qui dirait un deuxième nom. Mais vu que tout le monde ici a le même, ça ne compte pas vraiment.

Sur le registre de Mrs Pincent, celui dont elle ne se sépare jamais, je suis marquée comme « Surplus : Anna ».

C'est plus un descriptif qu'un nom, au fond. Parce qu'on est tous des Surplus, à Grange Hall. Surplus. Excédentaires. En trop.

J'ai vraiment beaucoup de chance d'être ici. Ça me permet de racheter les Péchés de mes parents, à condition de travailler très dur et de devenir employable. Il s'agit là d'une occasion exceptionnelle pour les gens comme nous, d'après Mrs Pincent. Dans certains pays, les Surplus sont éradiqués. Abattus comme des animaux.

On ne ferait jamais ça ici, bien sûr. Ici, on aide les Surplus à se rendre Utiles aux autres afin que leur existence soit moins nuisible. C'est pour ça que Grange Hall a été construit en Grande-Bretagne, à cause des demandes en personnel des Légaux, et c'est pour ça qu'on doit travailler dur, très dur : pour mieux prouver notre gratitude.

Mais on ne peut pas construire des Foyers de Surplus aux quatre coins de la planète pour le moindre Surplus ayant eu le malheur de naître. C'est un peu comme un vase rempli à ras bord, dit toujours Mrs Pincent : chaque Surplus peut être la goutte de trop qui fait tout déborder. L'éradication est donc la meilleure solution pour tout le monde ; qui voudrait être la goutte d'eau faisant déborder le vase de Mère Nature ? Voilà pourquoi je hais mes parents. C'est leur faute si je suis là. Ils n'ont pensé qu'à eux, pas aux autres.

Moi, je pense parfois aux enfants qui se font « éradiquer ». Je me demande comment procèdent les autorités, et si ça fait mal. Et aussi où ils trouvent leurs domestiques et leurs serviteurs, dans ces pays-là. Ou leurs hommes à tout faire. Mon amie Sheila dit qu'on éradique aussi les enfants ici, parfois, mais je ne la crois pas. D'après Mrs Pincent, Sheila a une imagination trop débordante et c'est ce qui entraînera sa perte. J'ignore si son imagination est comme le dit Mrs Pincent, mais je crois qu'elle invente des choses, comme le jour de son arrivée ici, quand elle m'a juré que ses parents n'avaient pas signé la Déclaration, qu'elle était une Légale et qu'il y avait un grave malentendu parce que ses parents s'étaient affranchis de la Longévité. Elle n'arrêtait pas de répéter qu'ils viendraient la chercher dès que cette histoire serait réglée.

Ils ne sont jamais venus, bien sûr.

Nous sommes cinq cents à Grange Hall. Je suis l'une des plus anciennes, dans tous les sens du terme. Je vis ici depuis que j'ai deux ans et demi – c'est l'âge que j'avais quand on m'a retrouvée. J'étais cachée dans un grenier... vous vous rendez compte ? Apparemment, les voisins m'ont entendue pleurer. Ils savaient qu'il n'était pas censé y avoir d'enfant dans cette maison, alors ils ont appelé les Autorités. Je leur dois une fière chandelle, comme dit Mrs Pincent. D'après elle, les enfants comprennent d'instinct la vérité ; j'avais dû me mettre à pleurer exprès pour qu'on me retrouve. Quelle autre option avais-je ? Passer le reste de ma vie au fond d'un grenier ?

Je ne me souviens ni de ce grenier ni de mes parents. Je crois qu'il me restait encore quelques souvenirs, au début, mais comment savoir ? C'était peut-être seulement des rêves. À quoi bon enfreindre la Déclaration et avoir un enfant, si c'est pour le cacher dans un grenier ? Je trouve ça complètement idiot.

Je ne me rappelle pas non plus mon arrivée à Grange Hall, mais ça n'a rien d'étonnant. Qui se souvient de ses deux ans et demi ? Je me souviens seulement qu'il faisait très froid ; et aussi que j'ai appelé mes parents en hurlant jusqu'à m'en briser la gorge, parce que j'ignorais encore à quel point ils étaient égoïstes et stupides. Je sais aussi que je faisais toujours tout de travers, quoi que j'entreprenne. Mais c'est tout. Je fais les choses bien, aujourd'hui. J'ai appris le sens des responsabilités, comme dit Mrs Pincent. Bientôt, je deviendrai même un Bon Élément.

Bon Élément : Anna. Oui, c'est bien mieux que Surplus.

La raison pour laquelle je vais bientôt devenir un Bon Élément, c'est que j'apprends vite. Je maîtrise cinquante plats à la perfection, et une quarantaine à un niveau satisfaisant ; je ne suis pas aussi douée avec le poisson qu'avec la viande, mais je suis bonne couturière et je ferai une excellente gouvernante d'intérieur, à en croire mon dernier rapport d'activité. Si j'étais un peu plus soignée et attentive, j'aurais un encore meilleur rapport la fois prochaine. Ce qui signifie que dans six mois, quand je quitterai Grange Hall, je serai peut-être placée dans l'une des meilleures maisons. Dans six mois, j'aurai quinze ans. L'âge de me débrouiller par moi-même, comme dirait Mrs Pincent. J'ai vraiment de la chance d'avoir été si bien formée. Je sais Où-Est-Ma-Place, et les gens des bonnes maisons apprécient ce genre de qualité.

Je ne sais pas trop comment je me sens à l'idée de quitter Grange Hall. Impatiente, sûrement. Mais un peu effrayée aussi. Je ne me suis jamais aventurée plus loin que cette maison, au village, où j'ai fait un stage de trois semaines pour remplacer la servante de la propriétaire, qui était tombée malade. Mrs Kean, notre Instructrice de Cuisine, m'avait accompagnée là-bas un vendredi soir et était venue me chercher trois semaines plus tard. Il faisait nuit, chaque fois, si bien que je n'ai pas vu grand-chose du village.

La maison dans laquelle je travaillais était très belle. Rien à voir avec Grange Hall : les murs étaient peints dans des tons vifs et chaleureux, il y avait une moquette si épaisse qu'on pouvait s'agenouiller dessus sans se faire mal, et même d'énormes canapés dans lesquels on avait envie de s'enfoncer et de s'endormir pour ne jamais plus se réveiller. Mrs Sharpe allumait ses radiateurs, parfois. C'est la personne la plus douce que je connaisse ; un jour, pendant que je faisais le ménage dans sa chambre, elle m'avait proposé de me mettre du rouge à lèvres. J'avais dit non, de peur qu'elle en parle à Mrs Pincent, mais j'avais regretté, plus tard. Mrs Sharpe me parlait presque comme si je n'étais pas un Surplus. Elle disait que c'était agréable d'avoir de nouveau un peu de jeunesse dans la maison.

J'adorais travailler là-bas. Parce que Mrs Sharpe était gentille, mais aussi à cause de toutes ces photos de lieux extraordinaires qui ornaient les murs, chez elle. Sur chacune d'entre elles, on la voyait tout sourire, un verre à la main, ou posant debout devant un monument ou un bâtiment splendide. Elle m'a expliqué que c'étaient ses souvenirs de vacances. Elle partait en voyage à l'étranger au moins trois fois par an. Avant, elle y allait en avion, sauf qu'avec le coût des taxes énergétiques il fallait désormais prendre le train ou le bateau, mais ça ne l'empêchait pas de partir quand même car c'est très important de voir le monde, sinon à quoi bon ? « À quoi bon quoi ? » j'avais failli lui demander, mais on n'est pas censé poser de questions, c'est une vraie marque d'impolitesse. Elle était allée dans quatre cent cinquante pays différents, dont certains plus de deux fois, et je m'étais ressaisie à temps pour ne pas rester plantée la bouche ouverte, de peur de lui montrer que je ne savais pas qu'il y avait autant de pays dans le monde. On ne nous parle jamais des autres pays, à Grange Hall.

Mrs Sharpe doit avoir visité quatre cent cinquante-trois pays, aujourd'hui. Je le sais, parce que ça fait exactement un an que j'ai travaillé chez elle. J'aurais aimé rester sa servante. Elle ne m'a pas frappée une seule fois.

Ça doit être fantastique de voyager. Mrs Sharpe m'a montré une carte du monde, avec l'emplacement de la Grande-Bretagne. Elle m'a parlé des déserts du Moyen-Orient, des massifs montagneux en Inde, et aussi de la mer. Je crois que j'aimerais surtout le désert, parce qu'apparemment on y est toujours tout seul. Difficile d'être un Surplus au milieu du désert ; même si vous savez qui vous êtes, personne n'est là pour vous le rappeler.

Mais je ne verrai sans doute jamais aucun désert de ma vie. D'après Mrs Pincent, ils disparaissent à vue d'œil depuis qu'on sait comment construire par-dessus. Le désert est un luxe que ce monde ne peut plus se permettre, dit-elle – et je devrais plutôt me soucier de la qualité de mon repassage au lieu de rêvasser à des endroits où je ne mettrai jamais les pieds. Là, je pense qu'elle a tort, même si je n'oserai jamais le lui dire en face. Mrs Sharpe m'a expliqué qu'autrefois elle emmenait sa servante avec elle, pour qu'elle s'occupe des valises, des billets... bref, de l'organisation en général. Elle l'avait gardée à son service pendant quarante ans et avait été très triste de devoir s'en séparer ; sa nouvelle servante ne supportait pas la chaleur, et elle ne pouvait plus partir avec elle. Si je me faisais embaucher par une patronne qui voyage beaucoup, je crois que je me moquerais pas mal de savoir s'il fait trop chaud. Le désert est l'endroit le plus chaud sur terre, et pourtant, je suis sûre que je m'y plairais beaucoup.

« Anna ? Anna, viens ici immédiatement ! »

Anna leva les yeux de son journal intime, cadeau de départ de Mrs Sharpe, et le fourra précipitamment dans sa cachette avec son stylo.

« Oui, Madame l'Intendante ! » s'écria-t-elle en sortant de la salle de bains F2 pour s'élancer dans le couloir, écarlate. Depuis combien de temps Mrs Pincent l'appelait-elle ? Comment avait-elle pu ne pas l'entendre ?

À vrai dire, elle n'avait jamais réalisé à quel point écrire pouvait être une activité absorbante. Voilà un an que Mrs Sharpe lui avait offert ce carnet. C'était un petit livre épais tendu de daim rose pâle et aux pages d'un papier si riche, si crémeux, si beau qu'elle n'avait jamais pu se résoudre à l'idée de le gâcher en traçant quelque chose dessus. De temps à autre, elle le ressortait, juste pour le regarder. Elle le palpait, le retournait entre ses doigts, savourant avec un plaisir coupable le toucher velouté du daim avant de le remettre soigneusement à sa place. Mais elle n'avait jamais rien écrit dedans. Jusqu'à aujourd'hui, du moins. Aujourd'hui, prise d'une impulsion subite, elle l'avait sorti de sa cachette, avait saisi un stylo et commencé à écrire, sans réfléchir. Et une fois lancée, impossible pour elle de s'arrêter. Les pensées, les sentiments qui restaient d'habitude enfouis sous le poids de l'inquiétude et de la fatigue avaient brusquement jailli à la surface, comme pour y chercher de l'air.

Bref, c'était bien joli, tout ça. Sauf que si elle se faisait prendre, elle serait battue. Premièrement, elle n'était pas censée accepter de cadeau de qui que ce soit. Et, deuxièmement, les journaux intimes étaient strictement interdits à Grange Hall. Les pensionnaires n'étaient pas là pour lire ou écrire ; ils étaient là pour apprendre et travailler, comme aimait à le répéter Mrs Pincent. Les choses seraient tellement plus simples, d'après la Directrice, si on pouvait se passer d'apprendre aux Surplus à lire et à écrire, car la lecture et l'écriture étaient des activités dangereuses qui vous aidaient à penser – or les Surplus qui pensaient trop devenaient ingérables et bons à rien. Mais les employeurs exigeaient des domestiques un minimum instruits, si bien que Mrs Pincent n'avait pas le choix.

Si Anna était vraiment un Bon Élément, elle se serait débarrassée de son journal – elle le savait. La tentation était un excellent test, comme disait souvent Mrs Pincent, et un test auquel elle avait déjà échoué par deux fois :

d'abord en acceptant ce cadeau, puis en se mettant à écrire aujourd'hui. Un Bon Élément ne succomberait pas si facilement à la tentation, non ? Un vrai Bon Élément n'enfreindrait pas le règlement, un point c'est tout.

Mais Anna, qui n'enfreignait jamais rien et considérait que les règles étaient faites pour être suivies à la lettre, avait fini par tomber sur une tentation irrésistible. Maintenant que les pages du carnet portaient la marque de son écriture, elle savait que la limite avait été franchie. Et pourtant, elle ne pouvait supporter l'idée de perdre son journal, quel qu'en soit le prix à payer.

Elle devrait simplement veiller à ce que personne ne le trouve, se disait-elle en se hâtant vers le bureau de Mrs Pincent. Si son secret restait bien gardé, peut-être pourrait-elle continuer à s'épancher dans son journal et se convaincre qu'elle n'était pas si mauvaise, après tout ; que la petite bulle de paix fragile qu'elle s'était forgée à Grange Hall n'était pas menacée.

Juste avant d'atteindre le bout du couloir, Anna inspecta rapidement sa tenue et aplanit le tissu de son uniforme. Les Surplus devaient avoir l'air propre et soigné en toutes circonstances, et Anna n'avait aucune envie de s'attirer les foudres de Mrs Pincent pour rien. Elle était une Déléguée, désormais. Ce qui signifiait qu'elle avait droit à une seconde ration à la fin du dîner en cas de reste, et à une couverture supplémentaire faisant toute la différence entre une bonne nuit de sommeil et une literie glaciale à vous faire claquer des dents. Non. Pour rien au monde elle ne voulait d'ennuis.

Elle inspira à fond et, s'efforçant de redevenir l'Anna calme et organisée de toujours, tourna au coin pour frapper à la porte de Mrs Pincent.

Le bureau de la Directrice était une pièce froide et sombre au plancher nu, à la peinture murale jaunie, écaillée, et baignée de la lumière blafarde d'un plafonnier semblant faire ressortir toute la poussière statique de l'air. Elle avait beau aller sur ses quinze ans, Anna s'était rendue tant de fois dans ce bureau pour se faire battre ou punir qu'elle ne pouvait réprimer un pincement de terreur chaque fois qu'elle en poussait la porte.

« Ah, te voilà, déclara Mrs Pincent avec irritation. Tâche de ne plus me faire attendre si longtemps, à l'avenir. Je veux que tu prépares un lit à l'étage des garçons. »

Anna hocha la tête.

« Bien, Madame l'Intendante, répondit-elle avec déférence. Est-ce pour un Petit ? »

Les occupants de Grange Hall étaient répartis en trois catégories : Petits, Moyens et Aspirants. Les Petits étaient généralement les nouveaux arrivants, c'est-à-dire ceux âgés de quelques mois à cinq ans. On savait toujours quand un Petit venait d'arriver au Foyer à cause de ses vagissements qui duraient des journées entières, le temps pour lui de s'habituer à son nouvel environnement. Raison pour laquelle le dortoir des Petits était situé au dernier étage, là où ils ne dérangeraient personne. C'était l'idée, du moins ; en pratique, il n'y avait aucun moyen d'échapper complètement aux hurlements des Petits. Ils envahissaient absolument tout, aussi bien leurs pleurs à eux que les souvenirs qu'ils faisaient remonter à la mémoire de chacun ; des années de sanglots flottant dans l'air en permanence tel un fantôme revenant systématiquement hanter les lieux. Peu de Surplus oubliaient vraiment totalement leurs premières semaines, leurs premiers mois, dans le rude environnement de Grange Hall ; peu gardaient un souvenir agréable d'avoir été arrachés aux bras de parents désespérés pour être amenés en pleine nuit dans leur nouvelle demeure stricte et austère. Chaque fois qu'un Petit arrivait, les autres s'efforçaient de se boucher les oreilles et d'ignorer le flot de souvenirs qui, inévitablement, remontait à la surface. Personne n'avait pitié d'eux. C'était plutôt le mépris et la colère qui prédominaient : encore un nouveau Surplus pour leur gâcher l'existence. Les Moyens, eux, allaient de six ans à une douzaine d'années. Certains Surplus étaient déjà des Moyens quand ils arrivaient au Foyer, et ceux-là avaient plus tendance à s'isoler et à se retirer en eux-mêmes qu'à pleurer. Les Moyens s'acclimataient en effet plus vite aux règles ; ils avaient tôt fait de comprendre que les pleurnicheries n'étaient guère tolérées, ici, et que cela ne valait pas la peine de se faire battre. Mais ils avaient beau être plus faciles à gérer que les Petits, ils n'en apportaient pas moins leur lot de problèmes. Du fait de leur arrivée tardive, de leur séjour prolongé auprès de leurs parents, ils avaient souvent une conception néfaste des choses. Certains remettaient en question les cours de Science & Nature ; d'autres, comme Sheila, se raccrochaient secrètement à l'espoir que leurs parents viendraient les chercher. Les Moyens pouvaient se montrer très têtus, parfois, et incapables de comprendre la chance qui leur était offerte.

Anna, elle, était une Aspirante. Aspirante à l'emploi. Le statut d'Aspirant signifiait que votre apprentissage avait commencé pour de bon et que vous étiez censé apprendre le nécessaire pour satisfaire vos futurs employeurs. C'était aussi la phase où on vous testait en abordant des thèmes divers comme la Longévité, les parents ou les Surplus, afin de vérifier si vous saviez Où-Était-Votre-Place et si vous étiez prêt à servir l'Extérieur. Anna était trop maligne pour ça. Pas question pour elle de se comporter comme ces idiots qui sautaient sur la première occasion de vider leur sac et de critiquer la Déclaration. Ceux-là connaissaient leurs deux minutes de gloire, avant d'être expédiés illico en Centre de détention. Au Dur Labeur, comme disait Mrs Pincent. Anna frissonnait rien qu'à y penser. En tout cas, elle savait Où-Était-Sa-Place et n'avait nullement l'intention de remettre en question les séminaires de Science & Nature ou les Autorités. Elle culpabilisait suffisamment d'être née pour ne pas devenir en plus une fauteuse de troubles.

Mais Mrs Pincent fronça les sourcils. « Non, pas chez les Petits, répondit-elle sèchement. Dans le dortoir des Aspirants. » Anna ouvrit des yeux étonnés. Personne n'était jamais arrivé à Grange Hall en tant qu'Aspirant. Il devait y avoir une erreur. À moins que le nouveau n'ait déjà été formé ailleurs...

« Vient-il... d'un autre Foyer ? » demanda-t-elle avant d'avoir pu retenir sa langue. Mrs Pincent n'appréciait guère qu'on pose des questions, sauf pour se faire préciser un ordre.

La Directrice plissa légèrement les yeux. « Ce sera tout, Anna, fit-elle. Veille à ce que le lit soit prêt pour dans une heure. »

Anna acquiesça sans un mot et, tournant les talons, s'efforça de masquer la curiosité qui venait de l'envahir. Un Aspirant. Il devrait avoir au moins... treize ans, oui. Qui était-il ? Où avait-il vécu pendant tout ce temps ? Et pourquoi arrivait-il seulement maintenant ?

Chapitre 2

Peter n'arriva que la semaine suivante. Il fit son entrée au beau milieu du séminaire de Science & Nature, et Anna s'efforça de ne pas le regarder, parce que c'était ce que tout le monde était en train de faire et qu'elle ne voulait surtout pas lui montrer sa curiosité. Il se prendrait aussitôt pour quelqu'un d'important – c'était hors de question.

Elle connaissait en tout cas un détail dont personne n'était au courant : elle savait que le nouveau n'était pas arrivé avec une semaine de retard, mais bien le soir où l'avait annoncé Mrs Pincent. Sauf qu'il était arrivé en pleine nuit, et qu'on avait dû l'emmener ailleurs, parce que son lit était encore intact le lendemain matin.

Il était environ minuit quand elle l'avait entendu arriver, il y a sept jours exactement. Tout le monde dormait à poings fermés, sauf Anna, qui s'était cachée au Niveau 2 pour écrire dans son journal avant de le ranger dans le seul endroit où elle était sûre que personne ne le trouverait jamais. Un silence total régnait dans Grange Hall, hormis le *ploc* occasionnel d'un robinet mal fermé ou les légers pleurs habituels en provenance du dernier étage, et ce silence lui convenait tout à fait, car il signifiait qu'elle était en sécurité, que personne ne viendrait la déranger. En revenant du bureau de Mrs Pincent, Anna s'était promis de jeter son journal, honteuse d'avoir succombé si vite à la tentation. Mais la simple idée de s'en séparer la remplissait d'effroi et de chagrin, et des arguments contraires avaient aussitôt afflué à son esprit – le plus convaincant d'entre tous étant que si elle jetait son carnet, on finirait forcément par le retrouver. Aucune chance qu'une aussi jolie petite chose en daim rose puisse croupir dans une poubelle sans être vue, et quand bien même elle l'emballerait dans du papier journal, quelqu'un finirait par tomber dessus et lirait tout ce qu'elle avait écrit.

Non. Mieux valait le garder à l'abri quelque part, et la salle de bains F2 (F pour Filles) était le seul lieu vraiment sûr. Située au deuxième étage, cette pièce recélait un secret qu'Anna connaissait déjà bien avant l'introduction de son journal intime à Grange Hall : une petite cavité dissimulée derrière l'une des baignoires. Anna en avait découvert l'existence il y a des années, en faisant tomber son savon par terre ; craignant de se faire battre si elle le perdait (les savonnettes étaient censées durer quatre mois, et le gâchis était considéré comme une forme de subversion punie par des peines de travail de nuit), elle avait réussi à se contorsionner jusqu'à faire passer son bras entre le rebord de la baignoire et le mur, et avait senti la savonnette posée en équilibre sur une petite saillie parfaitement invisible, à moins de la chercher délibérément.

Au début, elle n'avait pas vraiment fait attention. Toute contente d'avoir récupéré son savon, elle avait fini de se laver en toute hâte et réintégré le dortoir juste à temps pour le serment du soir. Ce n'est que plus tard qu'elle avait réalisé l'énormité de sa découverte, et cette prise de conscience l'avait rendue à la fois exaltée et pétrie d'appréhension. C'était son secret à elle. Elle ne pouvait pas le prendre et l'emmener avec elle, bien sûr, mais hormis son uniforme de Grange Hall, sa brosse à dents et son gant de toilette, c'était la première fois que quelque chose lui appartenait en propre.

Les Surplus n'avaient pas droit aux objets personnels ; rien ne pouvait décemment leur appartenir dans un monde auquel ils imposaient déjà leur présence, comme disait Mrs Pincent. Et Anna avait beau savoir qu'une cachette secrète ne constituait pas vraiment une possession personnelle, les semaines suivantes, galvanisée par ce premier pas vers la propriété privée, elle s'était mise à collectionner des trophées un peu plus concrets. Telle une pie voleuse, elle s'était emparée d'un fragment de tissu de la jupe d'une des Instructrices, d'une cuillère à café oubliée au Réfectoire central, et les avait soigneusement remisés dans sa cachette, folle de joie à l'idée d'avoir un secret rien qu'à elle. Mais c'était il y a longtemps. Elle avait abandonné ce petit jeu puéril, depuis.

Du moins l'avait-elle cru. Et espéré.

Quoi qu'il en soit, son journal intime était resté à l'abri dans sa cachette. Le soir de l'arrivée du nouveau Surplus, Anna s'était rendue jusqu'à la salle de bains F2 pour une toilette tardive avant d'aller se coucher, juste histoire de vérifier que son carnet était bien là, de le tenir encore une fois entre ses mains et de relire ces phrases qu'elle avait créées, ces mots qui étaient sa marque à elle. La journée avait été longue : séminaires d'apprentissage, exercices pratiques de cuisine, sans parler de ce lit à faire dans le dortoir des Aspirants. Elle avait accompli toutes ses corvées et soigneusement préparé le lit du nouvel arrivant avec un drap et une couverture, complétés d'un gant de toilette, d'une brosse à dents, d'une savonnette et d'un tube de dentifrice neufs posés par-dessus, fidèle en tout point aux instructions de Mrs Pincent.

À présent, assise dans sa baignoire glacée (les Surplus n'avaient pas droit aux bains chauds : interdiction pour eux de gaspiller plus de ressources naturelles que le strict nécessaire), grelottant de froid, voici qu'Anna, la Déléguée, enfonçait précautionneusement son bras le long du mur, sa récompense pour son bon comportement. Anna savait que c'était mal, mais c'était plus fort qu'elle, et elle se sentit vibrer d'excitation en saisissant son journal. La douce sensation de sa couverture rose entre ses doigts, ajoutée à la perspective de l'arrivée d'un nouveau Surplus, lui procurait des bouffées d'adrénaline telles qu'elle en avait la mâchoire serrée et comme des élancements dans le ventre. Un Aspirant provenant de l'Extérieur... il saurait à quoi ressemble le monde, il n'aurait pas été formé au Foyer. Il serait... Anna s'était mise à écrire avec des tremblements d'impatience. À la vérité, elle n'avait aucune idée de la personnalité qu'il pourrait bien avoir (dangereuse et indisciplinée, sans doute), mais elle savait en revanche que son arrivée changerait beaucoup de choses, ici. Comment un événement si énorme pourrait-il n'avoir aucune conséquence sur le reste ?

Pendant que ces pensées bourdonnaient dans sa tête, Anna avait levé les yeux vers l'horloge murale et constaté à regret qu'il était déjà minuit moins cinq. Nombreuses étaient les pièces encore équipées d'horloges à Grange Hall, et ce bien que les Surplus n'aient nul besoin de connaître l'heure. Elles étaient solidement fixées aux murs, comme Anna avait entendu Mrs Pincent l'expliquer à l'un des Instructeurs, et après tout, avait ajouté la Directrice, elles lui évoquaient « des temps meilleurs ». Anna n'avait pas bien compris si elle voulait parler d'une époque révolue, ou si le temps lui-même lui semblait meilleur lorsqu'il s'affichait sur une horloge, mais elle adorait observer le lent déplacement des aiguilles à l'intérieur de ces gros cadrans ronds et avait même convaincu Mrs Dawson, l'une des Instructrices, de lui apprendre à lire l'heure, même si cela lui était inutile. Les Surplus avaient l'heure directement incorporée à leur poignet et la lisaient en mode digital. L'Heure-Incorporée avait été l'une de ces Idées-Neuves pour Surplus développées à une époque où les Foyers étaient encore relativement récents. Le temps n'était pas du côté des Surplus, disait Mrs Pincent ; le temps faisait partie de ces choses qu'ils ne méritaient pas. Les Légaux avaient tout leur temps devant eux, mais les Surplus, eux, n'en étaient que les esclaves, comme le leur rappelait chacune des sonneries stridentes de Grange Hall annonçant les repas, le réveil ou l'extinction des feux.

L'Heure-Incorporée était l'une des dernières Idées-Neuves à avoir vu le jour, avait une fois confié Mrs Kean à Mrs Dawson sans savoir qu'Anna les écoutait. Les Idées-Neuves n'étaient plus aussi nombreuses qu'avant, d'après elle, à cause de ce sentiment d'autosatisfaction général qui régnait chez tout le monde : plus personne ne s'embêtait à inventer de nouveaux concepts, car cela demandait trop de travail. Ce à quoi Mrs Dawson avait hoché la tête en disant « Tant mieux », et Mrs Kean l'avait observée un moment, comme si elle s'apprêtait à répondre quelque chose, mais elle s'était contentée d'acquiescer sans un mot, et la conversation s'était arrêtée là.

L'Heure-Incorporée était incrustée sous la peau, au niveau du poignet, et son mécanisme était entretenu par les mouvements des Surplus afin de ne pas entraîner de gaspillage énergétique supplémentaire. Grâce à cette présence permanente du temps, affirmaient les Autorités, aucun Surplus ne pourrait jamais être en retard ou abandonner ses corvées trop tôt. D'aussi loin qu'elle s'en souvienne, Anna avait toujours vécu avec l'Heure-Incorporée et avait du mal à comprendre pourquoi ce n'était pas le cas de tout le monde. Mais les Légaux, les Instructeurs par exemple, avaient tous une montre pour leur indiquer l'heure – ce qui revenait exactement au même, sauf que l'heure était inscrite *sur* le cadran.

Anna baissa les yeux et réalisa qu'en dépit des efforts des Autorités elle était déjà en retard – même si c'était seulement pour aller se coucher. Elle allait devoir sortir de son bain et tâcher de se calmer pour trouver le sommeil, sans quoi la journée du lendemain serait un calvaire. Elle était rassurée de savoir son journal à l'abri et n'avait aucune raison de penser à ce nouveau Surplus. Aucune raison de se sentir aussi fébrile.

Anna quitta rapidement la baignoire, prit une serviette minuscule sur l'étendoir en face d'elle et s'essuya machinalement, appréciant le contact du coton rêche et sec après l'eau froide et savonneuse de son bain. Et c'est alors qu'elle l'entendit arriver. Les bruits semblaient distants, étouffés, et Anna crut distinguer comme des glapissements de chien blessé, avant de réaliser qu'il s'agissait plus probablement d'une personne bâillonnée. Il arrivait en effet qu'on bâillonne les Surplus, parfois, quand ils se montraient trop bruyants. Les syndicats de Transporteurs avaient d'ailleurs insisté sur ce point, d'après Mrs Pincent ; leurs collègues n'arrivaient plus à faire correctement leur travail dans ces conditions. L'existence des Surplus était déjà assez pénible comme cela, disait-elle, sans en plus provoquer des troubles et traumatiser les Légaux.

Anna avait alors entendu quelque chose se briser et, une poignée de secondes plus tard, un craquement, suivi d'un bruit évoquant la chute d'un objet lourd et mou sur le sol. Puis des voix étouffées. Et au bout d'une minute environ, le silence.

Elle était ressortie de la salle de bains sur la pointe des pieds et avait retenu son souffle quelques instants, l'oreille tendue – peut-être pour guetter l'installation du nouveau Surplus à l'étage, dans le dortoir des Aspirants. Mais elle avait fini par laisser tomber. Il avait dû se rendre au bureau de Mrs Pincent. Elle en saurait plus le lendemain, de toute façon. Pour l'instant, il était temps d'aller dormir.

Mais le lendemain matin, après un petit détour sur le chemin du Réfectoire central pour voir la tête du nouvel arrivant et, pourquoi pas, faire connaissance avec lui, elle avait trouvé son lit intact, comme si personne n'avait dormi dedans. Les autres Aspirants du dortoir avaient haussé les épaules quand elle les avait questionnés à ce sujet ; Mrs Pincent ne leur avait même pas dit qu'on attendait un nouveau, et ils n'allaient pas faire des histoires pour un lit inoccupé. Qui disait lit vide disait couverture supplémentaire, et personne ne s'en plaindrait.

Ne voyant toujours aucun signe du nouveau le lendemain, puis le surlendemain, Anna en avait conclu qu'il avait dû être transféré dans un autre Foyer de Surplus, voire dans un Centre de détention ; on avait peut-être jugé qu'un Aspirant était trop âgé pour intégrer Grange Hall.

Et puis, une semaine plus tard, il avait fait son apparition.

Il était entré, vêtu de la traditionnelle combinaison de travail bleu marine des Surplus – informe, résistante, fonctionnelle –, au moment où Mr Sargent refaisait l'historique de la Longévité pour la cinquantième fois environ. Mr Sargent était leur Instructeur de Science & Nature et il ne se lassait jamais de raconter cette histoire, celle de la découverte du remède contre la vieillesse par les Scientifiques-Naturels. Avant cela, les gens mouraient. Sans arrêt. De maladies horribles. Et ils faisaient peur à voir, aussi.

Anna connaissait l'histoire de la Longévité par cœur mais, à l'instar de Mr Sargent, elle ne s'en lassait jamais non plus. La Longévité permettait aux humains d'accomplir pleinement les ambitions de Mère Nature. La Longévité prouvait que les humains étaient supérieurs sur toute la ligne. Mais supériorité allait de pair avec responsabilité, soulignait Mr Sargent. On ne pouvait pas abuser de la confiance et de la générosité de Mère Nature.

Avant l'apparition de la Longévité, les gens mouraient de choses diverses appelées cancer, crise cardiaque ou sida. Ils avaient également des handicaps, c'est-à-dire quelque chose qui fonctionnait mal et ne pouvait pas être réparé. Si vous perdiez une jambe dans un accident, par exemple, vous deviez passer le reste de votre vie dans une sorte de fauteuil sur roues, parce qu'on ne savait pas comment fabriquer de jambes, à l'époque. Le Renouvellement n'existait pas encore, pas plus que les exercices cérébraux, et tout le monde mourait aux alentours de soixante-dix ans, à l'exception de quelques chanceux qui n'avaient au fond pas tant de chance que ça : ils étaient fatigués tout le temps, n'entendaient plus très bien... à ce compte-là, mieux valait être mort que vif.

Puis les Scientifiques-Naturels avaient découvert le Renouvellement, grâce auquel on pouvait obtenir des cellules flambant neuves pour remplacer les anciennes et rectifier le reste de vos cellules en prime. D'abord, ils avaient guéri le cancer. Puis les maladies cardiaques. Il leur avait fallu un peu plus de temps pour le sida, mais ils en étaient venus à bout aussi, même si cela exigeait plus de cellules neuves.

L'un d'entre eux, le Dr Fern, avait alors fait une autre découverte : il s'était aperçu que le Renouvellement marchait également contre le vieillissement. Il en avait pris lui-même pour servir de cobaye et, d'un seul coup, il avait cessé de vieillir. Sauf qu'au début il n'avait fait part de sa découverte à personne. Et quand il avait fini par le faire, les Autorités (qu'on appelait alors « gouvernement ») avaient officiellement rendu le traitement illégal, à moins d'avoir le sida ou un cancer, à cause de concepts baptisés « Retraite » ou « Fardeau Pour La Société ».

Le Dr Fern avait fini par mourir, n'ayant pas eu le droit de poursuivre le traitement ; mais quelques années plus tard, les Autorités avaient réalisé que grâce à la Longévité, les gens n'auraient plus à s'arrêter de travailler. Si la population ne vieillissait pas et ne tombait jamais malade, cela ferait faire des économies colossales au gouvernement. Quantité de gens suivaient déjà le traitement, du reste, mais dans la plus parfaite illégalité. Des voix s'élevaient de partout pour réclamer la légalisation du traitement de Longévité, si bien qu'en 2030 le Premier ministre avait mandaté une Commission d'enquête. Et en découvrant qu'il n'y avait aucun effet secondaire et que les gens pourraient désormais vivre éternellement, il en avait conclu que c'était un progrès extraordinaire et les plus grandes compagnies pharmaceutiques de Grande-Bretagne s'étaient associées, afin de se lancer dans la production massive de pilules de Longévité pour le monde entier.

Les gens cessèrent de mourir. D'abord en Europe, aux États-Unis et en Chine, puis progressivement partout ailleurs. Certains pays s'y mirent plus tard que les autres, car le traitement était trop coûteux pour eux, mais des terroristes s'étaient attaqués à l'Angleterre afin de protester contre le coût du traitement et, peu après, les prix avaient baissé, permettant à tout le monde d'y avoir accès.

« Et à votre avis, que se passa-t-il ensuite ? » demandait invariablement Mr Sargent à ce moment précis de l'exposé, ses petits yeux brillants cherchant fébrilement un volontaire capable d'expliquer la faille fondamentale du programme.

Neuf fois sur dix, Anna levait la main.

« La Terre est devenue surpeuplée, disait-elle avec gravité. Si personne ne meurt et que chacun continue à faire des enfants, il n'y a plus assez de place pour tout le monde.

– Exactement », commentait Mr Sargent. Et il leur parlait alors de la Déclaration, instaurée en 2065 afin de limiter le nombre d'enfant à un seul par famille. Si les parents tentaient d'en avoir un deuxième, celui-ci était éliminé.

Quelques années plus tard, on avait réalisé qu'un enfant par couple était encore un chiffre trop élevé. En 2080, la

Déclaration avait donc été révisée : il s'agissait d'interdire totalement les naissances, sauf si un des deux parents s'Affranchissait de la Longévité. Chaque pays avait dû signer la Déclaration et une toute nouvelle Brigade des Surplus, ou Rabatteurs, comme on commençait à les surnommer, était désormais chargée de traquer les réfractaires à la loi.

En vous Affranchissant, vous obteniez le droit d'avoir un enfant. « Un enfant par Affranchi » ou « Une vie pour une autre », comme le préconisait la Déclaration. Mais comme cela signifiait également tomber malade et mourir, l'option attirait peu de candidats.

Les Affranchis étaient souvent vus d'un mauvais œil, expliqua Mr Sargent. Qui accepterait de mourir pour le seul plaisir d'avoir un enfant, sans même savoir s'il tournerait bien ou mal ? Il y avait bien sûr des criminels égoïstes qui ne s'Affranchissaient pas et mettaient quand même des enfants au monde pour qu'ils pillent les ressources naturelles et gâchent la vie des Légaux... mais les Surplus présents dans cette pièce ne le savaient que trop bien, n'est-ce pas ? C'était donc la raison d'être de Grange Hall : offrir des perspectives aux Surplus nés de ces criminels ; les aider à comprendre leurs responsabilités, et leur apprendre à se rendre Utiles aux Légaux. Les Surplus n'étaient d'ailleurs pas autorisés à suivre le traitement de

Longévité. « À quoi bon prolonger leur agonie ? » ajouta Mr Sargent.

Et c'est à ce moment-là que Peter fit son entrée. La porte s'ouvrit et Mrs Pincent pénétra dans la classe, Peter juste derrière elle. Anna ignorait encore son nom ; elle comprit juste qu'il s'agissait de lui en le voyant pour la première fois, enfin, franchir la porte du laboratoire de Science & Nature. Et elle comprit du même coup qu'il n'avait pas été transféré ailleurs, finalement.

Tout le monde observait l'inconnu à la dérobée. Anna, qui l'épiait aussi du coin de l'œil mais sans le montrer aux autres, nota qu'il était grand et maigre, qu'il avait la peau très pâle et marquée de taches sombres pouvant aussi bien s'apparenter à des ecchymoses qu'à de la crasse. Mais ce fut son regard qui l'intrigua particulièrement. Il avait les yeux marron, ce qui n'avait rien de palpitant en soi, mais très différents de ceux des autres Surplus : ils survolaient la pièce, se posant quelques instants en un point précis avant de passer rapidement à un autre, comme s'ils cherchaient quelque chose et analysaient les informations au fur et à mesure. Mrs Pincent désapprouvait les regards trop directs ; si vous étiez surpris en train de fixer quelque chose, ou quelqu'un, vous vous faisiez le plus souvent pincer l'oreille. Le résultat, c'est que les Surplus gardaient généralement les yeux rivés au sol. Or le nouveau avait un regard ouvertement inquisiteur et défiant, constata Anna, et cela ne pouvait être qu'une source de problèmes.

« Va t'asseoir là-bas, lui ordonna Mrs Pincent en désignant une place vide. À côté d'Anna. »

Celle-ci s'efforça de regarder droit devant elle pendant qu'il la rejoignait, mais ses yeux furent comme aimantés dans sa direction et elle sentit son cœur battre la chamade en croisant son regard. Le nouveau l'observait fixement, comme s'il n'avait peur de rien, comme s'il ignorait Où-Était-Sa-Place.

Mrs Pincent n'était pas plus tôt repartie, après avoir bien spécifié que personne ne devait prêter attention au nouveau Surplus, qu'il se pencha vers elle, comme si s'adresser à quelqu'un en plein séminaire d'apprentissage était ce qu'il y avait de plus normal au monde. « C'est toi Anna Covey ? murmura-t-il d'une voix si basse qu'elle crut l'avoir rêvée. Je connais tes parents. »

Chapitre 3

Ce nouveau Surplus, avait aussitôt songé Anna, aurait du mal à s'adapter et à comprendre Où-Était-Sa-Place. Et si ça l'amusait de raconter des mensonges et de parler aux gens de leurs parents comme si ce n'étaient pas de sales criminels égoïstes, il apprendrait bien assez vite que ce genre de plaisanterie vous valait généralement un séjour à l'Isolement ou une volée de coups.

Elle l'avait parfaitement ignoré après sa remarque déplacée à propos de ses parents, qui l'avait à la fois irritée et plongée dans l'embarras. Mais chaque fois qu'elle tournait à l'angle d'un couloir, elle tombait sur lui, comme par hasard, en train de la défier du regard, et elle ne savait plus où se mettre, bien que ce soit lui le nouveau, et lui qui aurait dû se sentir gêné.

Elle fut donc fort contrariée lorsque quelques jours plus tard, alors qu'elle se rendait au Stock F2, elle le trouva en train de l'attendre dans le couloir devant la porte du sanatorium, au Niveau 2, là où se trouvaient la plupart des dortoirs des filles.

Les couloirs de Grange Hall étaient immenses, ils parcouraient toute la longueur du bâtiment. Il y avait en tout cinq étages, en comptant le sous-sol : au Niveau 0, les salles de cours, le Réfectoire central et le bureau de Mrs Pincent ; au Niveau 1, les dortoirs des garçons, qui comprenaient dix grandes chambrées de dix à vingt lits chacune (on pouvait faire tenir plus de Moyens que d'Aspirants dans une même chambre, surtout les plus jeunes d'entre eux), et deux salles de bains ; au Niveau 2, même configuration pour les filles ; au Niveau 3, les dortoirs des Petits et des Domestiques, qui étaient des Légaux employés pour les tâches ménagères et le travail de cuisine non assurés par les Surplus et pour veiller sur les Petits, bien que « veiller » soit un terme encore trop doux pour décrire leur travail. Chaque couloir, chaque pièce étaient conçus à l'identique – murs gris pâle, béton gris foncé au sol, néons fluorescents et radiateurs ultra-fins installés du temps où Grange Hall avait une autre vocation ; aujourd'hui, ces radiateurs étaient éteints en permanence, car, comme le disait Mrs Pincent, les Surplus n'avaient pas droit au chauffage central. Les plafonds bas et les fenêtres à triple vitrage, recouvertes chacune d'un long store gris, permettaient de conserver la chaleur tout en bannissant l'Extérieur ; tout au long de la façade, des caméras de vidéosurveillance filmaient l'arrivée du moindre visiteur et faisaient en sorte que personne ne puisse sortir du Foyer sans être vu.

Quand elle tomba nez à nez avec Peter, Anna s'apprêtait à aller ravitailler l'armoire à stock, l'une de ses tâches en tant que Déléguée, et tenait à la main une liste détaillée du nombre de tubes de dentifrice et de savonnettes utilisés par les Surplus de son dortoir. Un tube ou une savonnette de trop, et toutes se verraient condamnées à des heures de travail supplémentaires pour gâchis de ressources essentielles. Mais le dortoir d'Anna ne dépassait jamais le quota ; elle y veillait scrupuleusement.

Elle aperçut Peter et plissa légèrement les yeux en passant devant lui. C'est seulement lorsqu'il prononça son nom qu'elle s'arrêta, à contrecœur.

« Anna, dit-il tout doucement. Anna Covey. »

Elle le foudroya du regard.

« Surplus Anna, rectifia-t-elle. Je te prierai de ne pas utiliser de mots venant de l'Extérieur et de cesser d'affirmer que tu connais mes parents, vu qu'en ce qui me concerne je n'en ai pas. »

Peter la fixa d'un air incrédule et Anna oscilla nerveusement d'un pied sur l'autre, peu habituée à être dévisagée avec une telle insistance.

« Alors, il se passe quoi, ici ? demanda-t-il en désignant l'entrée du sanatorium.

– Examens de santé, répondit Anna d'un ton sec. Tu subiras un contrôle médical intégral et seras vacciné contre toutes les maladies. En plus d'être pesé. Les Surplus ont le devoir de se maintenir en bonne santé afin de ne pas contaminer le monde avec leurs maladies. »

Peter leva les sourcils. « Je croyais que les Surplus n'avaient pas droit aux médicaments. Je croyais qu'on voulait qu'ils meurent le plus vite possible. »

Il parlait d'une voix basse, un peu cassante, et Anna commençait à s'échauffer.

« Bien sûr que les Surplus n'ont pas accès aux médicaments, répliqua-t-elle avec agacement. Les vaccins sont là pour prévenir, pas pour guérir. »

Elle ne pouvait détacher son regard de Peter, de ses yeux sombres et vifs, de son teint pâle et de son menton affirmé... Elle se força à tourner la tête ailleurs.

« Être un Surplus, cela signifie devoir limiter son impact sur la Terre, soupira-t-elle. Personne ne veut notre mort. On veut éviter que nous répandions des maladies ou que nous soyons trop faibles pour pouvoir nous rendre Utiles.

– Et toi, es-tu... *utile* ? » lui demanda Peter.

Anna fronça les sourcils.

« Évidemment. Je serai bientôt un Bon Élément. Les plus Utiles parmi les Surplus. »

Peter acquiesça sans un mot, comme pensif, puis leva

de nouveau les yeux vers Anna. « Vous avez des ordinateurs, ici ? Ou une bibliothèque ? »

Anna le dévisagea. « Des ordinateurs ? » répéta-t-elle avec prudence. Elle savait ce qu'était un ordinateur. Mrs Sharpe allumait le sien deux heures par jour, pour regarder la télévision et lire les journaux, et Mrs Pincent en possédait un elle aussi. Mais Anna n'en avait jamais utilisé. Comment le pourrait-elle, quand tous les appareils électriques inutiles étaient bannis de Grange Hall ? Elle n'aimait pas trop l'idée que ce nouveau Surplus puisse en savoir plus qu'elle. « Nous n'en avons pas besoin, répondit-elle sur la défensive. De toute façon, les ordinateurs consomment trop d'énergie. Tout le monde le sait.

– Bien sûr. Suis-je bête », soupira Peter. Il martela du pied le sol et, de nouveau, Anna ne put s'empêcher de l'observer en détail, si vigoureux et frêle à la fois. Il semblait si sûr de lui, si gonflé d'énergie et de curiosité, qu'Anna se sentait à la fois intriguée et mal à l'aise en sa présence. Les Surplus apprenaient la passivité, l'obéissance, or l'étincelle qui brillait dans les yeux de Peter lui donnait le sentiment d'observer quelque chose d'interdit, comme si elle se laissait entraîner dans un tourbillon en sachant pertinemment que le courant était sans doute trop fort et qu'elle ne savait peut-être même pas nager.

« Il faut que j'y aille, lâcha-t-elle. J'ai le stock à réapprovisionner. »

Elle commença à s'éloigner, mais s'arrêta de nouveau en entendant la voix de Peter.

« Est-ce que... tu te plais, ici, Anna ? » lui demanda-t-il d'une voix douce, teintée d'une pointe de défi.

Anna se retourna, stupéfaite. Comment pouvait-on poser une question pareille ? Elle se mordit la lèvre, sentit le rouge lui monter aux joues en voyant qu'il lui souriait avec un petit scintillement dans le regard, et cette fois le tourbillon l'emporta complètement.

« J'y *suis*, ici, répondit-elle d'une voix sourde. Et toi aussi. Les Surplus ne sont pas ici pour s'y plaire, Peter, mais pour accomplir des tâches. Des tâches utiles. Et plus tôt tu le comprendras, mieux cela vaudra pour tout le monde. »

Anna tourna rapidement les talons et, d'un pas vif, s'éloigna dans le couloir, s'efforçant de gommer ce sourire de son esprit et de se concentrer sur le nombre de tubes de dentifrice pour le mois à venir.

Elle ne revit pas Peter aux séminaires d'apprentissage du lendemain. Les Surplus garçons et filles avaient certaines matières en commun (Science & Nature, Décorum, Lessive & Blanchisserie), mais la majorité des classes étaient non mixtes. Les cours avaient lieu dans de minuscules salles aux bureaux collés les uns contre les autres, et lors des quelques très belles journées d'été il n'était pas rare que les Surplus les plus faibles s'évanouissent sous le coup de la chaleur. Ce jour-là, en revanche, il faisait terriblement froid. Au fil des leçons, Anna n'avait cessé de contracter les muscles de ses jambes sous son bureau, afin de se tenir chaud.

Le soir, au dîner, elle était si frigorifiée et affamée qu'elle ne remarqua même pas la présence de Peter, qui s'était discrètement glissé derrière elle dans la queue pour le potage. C'est seulement au moment de se diriger vers l'une des longues tables étroites du Réfectoire central, son bol fumant entre les mains, qu'elle l'aperçut et comprit qu'il avait l'intention de s'asseoir avec elle.

« Les garçons restent ensemble, d'habitude », asséna-t-elle sèchement en posant son bol sur la table pour porter aussitôt une cuillerée de potage grumeleux à ses lèvres. Elle se sentait fatiguée, irritable, et n'aspirait qu'à manger tranquillement dans son coin ; la compagnie de Peter, avec ses commentaires stupides et ses questions incessantes, était bien la dernière chose dont elle avait envie.

« Mais pas tout le temps ? » demanda-t-il en posant son propre bol et en tirant bruyamment le banc pour s'asseoir.

Anna l'ignora et continua à manger pendant que la table se remplissait.

« C'est répugnant, déclara Peter au bout d'un moment. Qu'est-ce que c'est que ce truc ? Ça a un goût abject. »

Personne ne dit rien. Au bout de longues secondes de silence, Anna reposa sa cuillère à contrecœur.

« C'est bon et très nourrissant, répliqua-t-elle d'un ton las.

– Qu'y a-t-il de bon et de nourrissant là-dedans ? s'indigna Peter. Ce n'est même pas de la viande. C'est de la sciure. »

Anna déglutit. « C'est de la viande reconstituée, expliqua-t-elle. Avec de la farine pour épaissir. Et je trouve ça délicieux.

– Alors tiens, prends ma part », fit Peter en poussant son bol vers elle.

Anna le considéra froidement. « Tu dois manger, Peter. Il est de notre devoir d'être robuste et...

– Robuste et en bonne santé, ouais, l'interrompit-il. Eh bien, je ne serai ni l'un ni l'autre si je mange de ce truc. »

Anna sentit son cœur s'emballer. Tous les autres Surplus de la tablée gardaient la tête résolument baissée, ce qui ne voulait pas dire qu'ils ne suivaient pas la scène. Une seconde ration de potage, c'était du jamais-vu, et Anna ne pouvait s'empêcher de lorgner voracement vers le bol de Peter. Mais si Mrs Pincent venait à apprendre qu'il n'avait pas mangé, il risquait d'être battu pour rébellion.

Osant un regard furtif alentour, Anna saisit le bol de Peter et versa la moitié de son contenu dans le sien avant de le lui rendre.

« Finis le reste, lui intima-t-elle à mi-voix. Tu dois manger quelque chose. »

Peter haussa les épaules. « Il y a pire au monde que d'avoir faim, lui susurra-t-il. Tu ne crois pas, Anna ? »

Elle sentit le poids de son regard insistant et, préférant l'ignorer, s'empressa de finir son potage. Elle voulait s'éloigner de Peter à tout prix. Elle voulait qu'il se taise, qu'il cesse de la dévisager comme si ce qu'il racontait avait un quelconque intérêt pour elle.

Mais loin de capter le message, Peter rapprocha sa tête de la sienne. « Ta mère est un vrai cordon-bleu, Anna. Elle mijote des plats délicieux. Tu veux que je te raconte ? »

Anna plaqua ses mains sur ses oreilles, faisant tomber sans le vouloir sa cuillère par terre. « Non, siffla-t-elle entre ses dents. Elle ne mijote rien du tout et je n'ai plus envie de t'écouter. »

Agacée, elle se pencha pour ramasser sa cuillère. Mais au moment où elle allait l'attraper, un gros godillot s'écrasa sur ses doigts et Anna glapit de douleur.

« T'as perdu quelque chose ? » résonna une voix. Anna grimaça. C'était Surplus Charlie, un autre Aspirant de la taille de Peter mais en plus costaud, à tel point que sa combinaison de travail était trop serrée pour lui.

« Enlève ton pied de là, lui ordonna Anna avec colère en repoussant son mollet de son autre main. Je te dénoncerai...

– Tu t'inclines devant moi, Surplus Anna ? fit Charlie d'une petite voix, un éclat moqueur dans ses yeux verts. On dirait que tu as enfin compris Où-Était-Ta-Place. »

Anna serra les dents et tenta de nouveau de dégager ses doigts, quand elle vit soudain Charlie tituber vers l'arrière et tomber lourdement par terre. En profitant aussitôt pour se relever, elle eut alors la vision de Peter, debout, un pied posé sur la poitrine de Charlie.

« C'est plutôt à *toi* d'apprendre où se trouve ta place, rumina Peter. Et aussi d'apprendre les bonnes manières. »

Il se tourna vers Anna avec un petit sourire. « Que dois-je faire de lui, Anna Covey ? » articula-t-il en silence tandis qu'elle l'observait d'un œil affolé. Les bagarres étaient tolérées dans les dortoirs, mais au Réfectoire central les Surplus n'étaient même pas censés s'adresser la parole ; tous les trois risquaient d'être battus à cause de Peter si l'un des Instructeurs faisait irruption. Le pire, c'était qu'il avait poussé Charlie pour la défendre et qu'Anna se sentait à présent terriblement vulnérable, chose qu'elle s'était toujours efforcée d'éviter.

« Je n'ai pas besoin de protecteur, Surplus Peter,

s'enflamma-t-elle. Et si tu ne lâches pas Surplus Charlie immédiatement, nous finirons tous en Isolement. Ça t'amuse peut-être de croupir là-bas, mais moi pas. »

Peter marqua une légère hésitation, avant de hausser les épaules et d'ôter son pied.

Charlie se releva tant bien que mal et fixa Peter d'un regard lourd de menaces. « Tu vas le regretter, sale pourriture de l'Extérieur », marmonna-t-il.

Il alla se placer dans la file d'attente, et Peter se rassit à côté d'Anna, qui se décala machinalement d'un cran sur le banc. Tout le monde avait les yeux rivés sur eux, et Anna sentit le poids du regard de Peter posé sur elle.

« Je voulais seulement t'aider, rumina-t-il en s'appuyant sur ses coudes.

– Les Surplus ne sont pas là pour s'entraider. Nous sommes là pour aider les Légaux, répondit sèchement Anna. Et je sais me débrouiller toute seule, merci bien.

– O.K., lâcha Peter d'un ton irrité. Alors désolé de t'avoir dérangée. Je voulais juste...

– Quoi ? » le coupa Anna. Elle cilla en direction de Peter, et leurs regards se croisèrent plusieurs secondes avant qu'elle parvienne à s'arracher au sien.

Chapitre 4

Le nouveau Surplus est très difficile. Il se croit trop bien pour être un Surplus, et trop bien pour moi. Mais il a tout faux. Il est complètement stupide, et il ment tout le temps. Il est déjà allé deux fois en Isolement, et franchement, il ferait mieux d'y rester.

Il n'a pas compris Où-Était-Sa-Place, il croit qu'il peut se permettre de me chuchoter des trucs pendant les séminaires. Il prétend ne pas s'appeler Surplus Peter, mais Peter Tomlinson, comme s'il faisait partie des Légaux ou je ne sais quoi. Il m'a aussi soutenu que mon nom était Anna Covey et qu'il connaissait mes parents. Je n'ai jamais rien entendu d'aussi idiot ! Tout le monde sait que les Surplus n'ont qu'un seul nom, ou encore que nos parents sont en prison et qu'ils l'ont bien mérité. Alors quoi ? Il a grandi en prison avec eux ? Ben voyons. C'est un fauteur de troubles, comme je l'ai flairé dès le départ. Et il passe son temps à mentir pour attirer l'attention. Exactement comme Sheila quand elle est arrivée.

Tout ça montre bien ce qui se passe quand on rattrape les

Surplus trop tard. Et à quel point j'ai eu de la chance d'arriver si tôt à Grange Hall. Rien qu'à sa démarche, on croirait un Légal. Comme si le monde lui appartenait. Alors qu'en réalité il n'a aucun droit d'être ici, comme nous autres.

Je me souviens d'un autre garçon qui avait du mal à s'adapter, lui aussi. Il s'appelait Patrick, et il pleurait sans arrêt à son arrivée ici, alors qu'il était déjà presque un Moyen et qu'il aurait dû être un peu plus mature que ça. Il était constamment envoyé en Isolement, ou puni, car quand il ne pleurait pas, il contredisait les Instructeurs, leur disait qu'il voulait rentrer chez lui, que ses parents finiraient par le retrouver et que Mrs Pincent regretterait ce qu'elle avait fait. J'avais bien essayé de lui parler, mais il refusait de m'écouter. D'après Mrs Pincent, certains Surplus auront toujours du mal à s'intégrer et refuseront d'Accepter La Réalité ; Patrick se croyait supérieur aux autres, comme elle disait. Il est resté quelques semaines à Grange Hall, puis on l'a emmené ailleurs. Mrs Pincent a expliqué qu'il avait été transféré dans un Centre de détention où on savait mieux s'occuper de gens comme lui et où il ne perturberait pas notre apprentissage. Si Peter ne fait pas attention, il finira comme lui. Mrs Pincent dit qu'on vous fait travailler très dur tout le temps, dans ces Centres de détention. Et que les garçons n'ont pas droit à une seule couverture, même quand il fait très froid. Patrick a été envoyé là-bas pour son bien, a conclu Mrs Pincent. S'il n'apprenait pas à se conduire en tant que Surplus, il ne trouverait de travail nulle part, et alors que deviendrait-il ?

Hier, Peter a été envoyé en Isolement pour avoir dit à Mr Sargent que c'étaient les vieux qui étaient des Surplus, pas nous. On avait du mal à en croire nos oreilles. Je n'avais jamais vu Mr Sargent aussi furieux. Il n'est pas devenu rouge – il est devenu tout blanc, et une veine s'est mise à palpiter sur son front. J'ai bien cru qu'il allait le corriger, mais à la place, il a préféré appeler Mrs Pincent et Peter a été envoyé en Isolement. Le pire, c'est qu'il m'a fait un clin d'œil quand ils l'ont emmené hors de la classe. Comme si ça l'amusait, d'aller en Isolement.

Il en est ressorti ce soir, mais je ne suis pas sûre qu'il ait vraiment compris la leçon, parce qu'il m'a fait un grand sourire idiot au Réfectoire central, comme si on était copains ou je ne sais quoi. Peter n'est PAS mon copain. Je voudrais que Mrs Pincent le transfère ailleurs, pour que les choses puissent enfin revenir à la normale. Ou, mieux, je voudrais que Mrs Sharpe décide de m'embaucher comme gouvernante, comme ça je voyagerais avec elle à travers le monde et je garderais sa maison propre comme un sou neuf. Je voudrais qu'elle m'emmène loin d'ici.

Anna referma soigneusement son journal et le remit à sa place dans sa cachette derrière la baignoire. Elle le considérait déjà comme un ami proche, un confident. Autrefois, avec les autres Surplus de son dortoir, elles se parlaient souvent entre elles, parfois jusqu'à tard dans la nuit, pour échanger leurs secrets et leurs pensées. Mais

Mrs Pincent l'avait alors nommée Chef de dortoir, ce qui voulait dire qu'elle était censée lui rapporter tous les secrets ou manquements des membres de la chambrée. Ses anciennes copines avaient rapidement cessé de lui parler et elle s'était habituée, depuis, chaque fois qu'elle entrait dans une pièce, à voir les conversations s'arrêter et les petits groupes se disperser. Ça ne l'atteignait pas, se disait-elle fièrement ; mieux valait s'efforcer d'être un bon Surplus. De toute façon, les Surplus n'étaient pas là pour échanger des messes basses. Ils étaient là pour appliquer les ordres et obéir aux Légaux. Anna était bien décidée à devenir le meilleur Surplus de tous les temps. Elle serait si parfaite que cela permettrait presque de racheter le fait qu'elle soit née. Mais elle se sentait très seule sans personne à qui parler, surtout en ce moment, avec Surplus Peter, dont la présence la perturbait beaucoup. Voilà maintenant trois semaines qu'il était arrivé à Grange Hall, et chaque fois qu'elle le croisait dans un couloir, Anna se sentait rougir jusqu'aux oreilles et regardait ailleurs, pour mieux l'épier du coin de l'œil lorsqu'il était passé. Il la mettait mal à l'aise, cherchait sans arrêt à lui parler, alors qu'elle voulait seulement qu'il la laisse tranquille. Anna avait l'impression qu'il l'observait en permanence avec son petit sourire moqueur au coin des lèvres et cela la rendait nerveuse, confuse. Elle ne voulait surtout pas lui montrer qu'elle était consciente de son regard.

Une fois sortie de son bain, après un rapide coup de serviette pour se sécher, Anna jeta un dernier coup d'œil à la baignoire, afin de s'assurer que son journal était bien caché, puis se dirigea vers le dortoir tout en passant mentalement en revue son emploi du temps du lendemain matin. Gestion efficace des fournitures à huit heures trente, Décorum à neuf heures trente et Démonstration d'astiquage sur de la vraie argenterie. Mrs Sharpe en avait une collection immense chez elle – couverts, bougeoirs, cadres et autres – et Anna était sûre d'impressionner tout le monde avec ses grands talents en la matière. « C'est un travail où il faut savoir prendre son temps, lui avait expliqué Mrs Sharpe. Non seulement pour la qualité, mais pour soi-même. Astiquer l'argenterie est une activité thérapeutique. » Anna était tout à fait d'accord. Il n'y avait rien de plus beau qu'une argenterie étincelante, et elle espérait un jour travailler dans une maison où il y en aurait autant que chez Mrs Sharpe.

Tout le monde dormait déjà quand Anna atteignit le dortoir. Discrètement, elle ôta son peignoir et se glissa sous sa maigre couverture, en repliant les coins sous elle pour mieux se tenir chaud, avant de sombrer d'épuisement.

Elle était si exténuée qu'elle faillit ne pas se réveiller quand, une vingtaine de minutes plus tard, elle sentit une légère tape sur son épaule. Mais la sensation était si insistante qu'elle finit par l'arracher à un sommeil sans rêves et à la ramener entre les murs froids et austères du dortoir ; elle ouvrit les paupières, puis se redressa d'un bond, les yeux ronds de stupéfaction. C'était Peter, penché sur son lit.

Elle fronça les sourcils. « Toi... comment, pourquoi... qu'est-ce que tu fais ici ? » siffla-t-elle entre ses dents.

Elle était furieuse et ne se gênait plus pour le lui montrer. Il était bientôt minuit. Elle avait besoin de ses précieuses heures de sommeil. Peter, assis face à elle les traits anxieux, avait déjà enfreint tant de règles depuis son arrivée qu'ils risquaient tous les deux des semaines, voire des mois, de travaux forcés. Les Aspirants ne s'aventuraient jamais du côté du dortoir des Aspirantes.

« Qu'est-ce que tu fais là ? » répéta Anna d'un ton incrédule avant même qu'il ait eu le temps de répondre à ses autres questions, outrée de le voir si délibérément transgresser le règlement, comme s'il planait au-dessus des lois.

Peter posa un doigt sur sa bouche pour lui intimer le silence avant de jeter un regard circulaire de lit en lit. Puis il se pencha de nouveau vers elle et lui prit la main.

« Anna Covey, il faut que je te parle de tes parents, murmura-t-il. Ils te cherchent. Tu dois t'arracher aux griffes de ce monstre de Mrs Pincent. Je suis venu te ramener chez toi, Anna. »

Anna le repoussa. « Tu ne connais pas mes parents, et je n'ai pas de chez-moi, souffla-t-elle. Mes parents sont en prison. Mon nom est Anna tout court. Je suis un Surplus. Toi aussi. Fais-toi une raison et fiche-moi la paix. »

Peter se rembrunit légèrement, mais ne fit pas mine de vouloir partir.

« Tu as une marque de naissance sur le ventre, dit-il tout doucement. Une sorte de papillon. »

Anna se figea net et sentit les poils de sa nuque se dresser. Comment savait-il une chose pareille ? Qui était-il, pourquoi lui disait-il toutes ces choses ?

« Il faut que j'y aille », lâcha Peter avant qu'elle puisse ouvrir la bouche.

Et il s'éclipsa en un clin d'œil, se glissant sans un bruit jusqu'à la porte pour disparaître dans le couloir. Comme un fantôme, songea Anna en se rallongeant dans son lit – soudain en proie à une violente envie de pleurer. Lentement, elle déplaça sa main le long de son ventre pour l'amener jusqu'à la marque rouge située au-dessus de son nombril. Sa fameuse tache de naissance, celle qui lui avait fait honte toute sa vie, et qu'elle s'efforçait de cacher à tout prix pour s'épargner les moqueries et les surnoms qui pleuvaient immanquablement sur elle chaque fois que quelqu'un l'apercevait.

Comment Peter savait-il ? Et qui lui avait dit que sa tache ressemblait à un papillon ? Quand Mrs Pincent l'avait vue pour la première fois, elle l'avait comparée à une mite morte et avait affirmé que c'était là un signe de

Mère Nature pour montrer qu'Anna n'était qu'un insecte nuisible. Les mites dévoraient ce qui appartenait aux autres et exploitaient leurs hôtes. « Pertinente analogie », avait-elle ajouté.

Pourtant, la description de Peter avait réveillé quelque chose en Anna, presque comme un souvenir mais pas tout à fait ; plutôt la vague sensation qu'elle aussi, autrefois, assimilait sa tache à un papillon. Il lui semblait même se remémorer que, toute petite, elle y voyait le signe qu'il lui pousserait un jour des ailes pour s'envoler loin de Grange Hall. Mais Mrs Pincent avait raison : ce n'était pas un papillon, c'était une mite. Rouge. Répugnante. Et elle la détestait.

Comment Peter osait-il la déranger jusqu'ici pour lui rappeler l'existence de sa tache ? De quel droit venait-il s'incruster dans son dortoir pour la provoquer, prétendre savoir des choses qu'il ne savait pas ou traiter Mrs Pincent de monstre ? Peut-être cela faisait-il partie d'un nouveau test sophistiqué, se dit Anna. Peut-être en ce moment même était-il en train de faire son rapport à Mrs Pincent et de chercher d'autres pièges pour la forcer à dire ou faire quelque chose de mal. Elle aurait dû protester que Mrs Pincent n'était pas un monstre, songea-t-elle encore avec angoisse tandis que la sueur perlait à son front, malgré le froid – cependant elle n'avait pas vraiment eu l'occasion de dire quoi que ce soit, n'est-ce pas ?

Mais elle se ressaisit ; c'était une idée stupide. Mrs Pincent n'emploierait jamais quelqu'un comme Peter pour jouer les espions. Elle n'avait aucune confiance en lui ; Anna le voyait rien qu'à sa façon de le fixer constamment du regard.

Alors si ce n'était pas un espion, il devait y avoir une autre explication. Quelqu'un avait dû lui parler de sa tache. Ils étaient sans doute déjà tous en train de se moquer d'elle.

Bah, peu importe. Il pouvait se faire passer pour qui il voulait, elle n'écouterait pas un mot de ce qu'il raconterait. Elle était une Déléguée. Elle n'était pas censée prêter attention à ce genre d'idioties.

Anna se retourna dans son lit, ferma les yeux et s'efforça de se rendormir.

Mais ce fut d'un sommeil agité, traversé tout au long de la nuit par des rêves d'enfants en larmes, de femme hurlant et de petit papillon enfermé dans une prison grise et froide.

Chapitre 5

Grange Hall était un bâtiment de style georgien moderne datant de l'an 2070. Son architecture s'inspirait de celle de Sutton Park, un imposant manoir construit en 1730 dans le Yorkshire et depuis longtemps réduit à l'état de ruines. Il en restait quelques photos, néanmoins, et les Autorités l'admiraient tant qu'elles avaient décrété que tous les édifices gouvernementaux seraient sur son modèle, mais en les construisant avec des pierres grises et non beige crème, sous prétexte que cette teinte résistait mieux au temps, ainsi qu'en rabaissant la hauteur des plafonds. Les plafonds bas permettaient des économies de chauffage central, l'hiver, et compte tenu des taux prohibitifs que les Autorités se voyaient contraintes de maintenir sur le coût de l'énergie, les plafonds hauts représentaient un luxe que peu de gens pouvaient encore se permettre.

À l'origine, Grange Hall abritait le département du Revenu et des Bénéfices, mais rapidement jugés trop étroits, les locaux s'étaient vus désaffectés pendant plusieurs années, jusqu'à l'instauration de la loi Surplus et des tout premiers débats sur les Foyers de recueillement. L'idée était de créer de nouvelles infrastructures destinées à regrouper les Surplus et bénéficiant d'une technologie et d'outils pédagogiques haut de gamme afin de permettre le développement d'une main-d'œuvre obéissante, travailleuse et docile ; Grange Hall fut donc réaménagé à la hâte afin d'héberger le nombre croissant de Surplus ramassés aux quatre coins du pays. Au fil des ans, des plans et des études divers avaient continué à affluer au département de la Longévité et des Surplus (le plus souvent lorsqu'un nouveau responsable prenait la tête du sous-secrétariat aux Surplus) : projets de bâtiments nouveaux, de fusion des trois Foyers de Surplus du territoire britannique en un seul, d'adoption du modèle de déportation européen... Mais chaque fois, ces propositions restaient lettre morte, car qui disait changement disait prises de risque, instabilité, qui disait technologie nouvelle disait dépenses d'énergie supplémentaires, et au final, tout le monde s'en fichait. Le poids de la léthargie l'avait donc emporté et Grange Hall était à présent le plus vieux Foyer de Surplus du pays, avec ses moquettes et ses peintures datant de l'époque où il était un édifice gouvernemental, l'odeur tenace de la paperasserie et de la frustration encore incrustée dans ses murs.

Margaret Pincent détestait les plafonds bas de Grange Hall. Son père lui avait enseigné que la stature influait directement sur la hauteur de plafond. Ceux qui avaient le bras assez long pour se procurer des coupons énergétiques supplémentaires bénéficiaient des plafonds les plus hauts ; tous les autres étaient contraints de se voûter, de s'incliner et de ramper pour se tenir chaud. Le père de Mrs Pincent ne s'inclinait devant personne, comme il aimait à le lui répéter lui-même ; pourquoi devrait-il le faire dans sa propre demeure ?

Son père n'était jamais venu à Grange Hall, bien sûr, et ne s'y était jamais intéressé. Cela n'avait rien d'étonnant ; Mrs Pincent et lui ne s'étaient plus vraiment adressé la parole depuis quatorze ans. Depuis...

Bref, depuis un long moment. Mrs Pincent sentit la colère coutumière lui nouer l'estomac et la nausée l'envahir à l'évocation de certains souvenirs qu'elle s'était toujours efforcée, parfois violemment, d'oublier. L'injustice. La honte.

Mais à quoi bon raviver le passé ? Maintenant que le mal était fait, inutile de pleurer, songea-t-elle avec amertume. Tels étaient les mots exacts prononcés par son père quand la vérité avait fini par éclater. Et quand son mari l'avait quittée, son père lui avait clairement fait comprendre qu'il ne pourrait pas la soutenir financièrement. Ni la soutenir tout court, du reste. Et qu'elle comprendrait qu'il ne souhaitait plus la revoir.

Margaret Pincent avait donc été forcée de se débrouiller par ses propres moyens, et c'est exactement ce qu'elle avait fait. Elle avait trouvé une offre d'emploi pour Grange Hall et, ignorant l'ironie de la situation, s'était portée candidate. Peu de gens semblaient désireux de travailler avec les Surplus ; malgré son manque flagrant de qualifications et d'enthousiasme, on lui avait tout de suite offert le poste. Et elle ne l'avait plus quitté depuis, œuvrant activement à briser toute tentative d'élan de l'âme chez les Surplus confiés à sa charge, et convaincue qu'il était de son devoir de traiter ces enfants le plus durement possible sans les rendre improductifs pour autant. Elle ne dirigeait pas un camp de vacances. Elle n'était pas là pour jouer les mères par procuration. Ces enfants ne méritaient guère le droit de fouler le sol de cette planète ; mais puisqu'ils étaient là, autant les faire travailler. Ils allaient devoir racheter le simple fait d'être nés et porter en permanence le poids de leur culpabilité. Tel était le serment que Margaret Pincent s'était fait à elle-même et qu'elle avait jusqu'à présent respecté à la lettre.

Jusqu'à présent, c'est-à-dire jusqu'à l'arrivée de Peter. Elle commençait déjà à déceler les signes qu'elle redoutait depuis le jour où elle avait accepté le poste d'Intendante générale. Cet air de défiance. Ce refus d'obéissance. Ce manque de respect... Mrs Pincent exécrait bien des choses mais, par-dessus tout, elle détestait qu'on lui manque de respect.

Voilà ce qui se produisait quand on ne raflait pas les Surplus assez tôt, pensa-t-elle avec colère. Pour les Rabatteurs, c'était sans doute un triomphe que d'avoir retrouvé un Surplus à un âge si avancé, alors que ses parents le pensaient sans doute déjà hors d'atteinte. Une vaste campagne publicitaire était certainement organisée en ce moment même afin de célébrer cette victoire. Oui, mais elle ? Comment Grange Hall était-il censé former quelqu'un ayant vécu si longtemps à l'Extérieur ? Et on ne lui avait rien dit, bien entendu. Un simple coup de téléphone quelques heures avant pour l'informer qu'il était en route, sans plus. Pour *l'informer* – non pour lui demander son avis, et encore moins ses conseils. Elle devait préparer un lit, l'avait-on informée. C'était un cas particulier exigeant un traitement spécial, avait-on précisé. Il avait vécu un long moment à l'Extérieur. On l'avait trouvé au milieu de nulle part, et personne ne savait d'où il venait. *Nous tenons à l'avoir à l'œil.*

« Pourquoi donc ? avait failli rétorquer Margaret Pincent. Pourquoi l'avez-vous retrouvé si tard ? Où vivait-il ? »

Mais elle n'en avait rien fait, naturellement. Et quand bien même elle aurait posé la question, elle n'aurait eu droit qu'au silence pour seule réponse. Après tout ce temps, ils ne lui faisaient toujours pas confiance. Pas vraiment. Et cela signifiait qu'elle non plus n'accordait sa confiance à personne. Jamais.

Néanmoins, sa priorité actuelle était de se concentrer sur ce nouveau Surplus, afin de prouver qu'elle pouvait le canaliser. Le problème, c'est qu'il ne réagissait pas comme les autres. Il y en avait toujours un ou deux pour se croire à part, pour s'imaginer qu'ils pouvaient passer au-dessus d'elle et contourner le système à leur guise. Toujours une poignée de Surplus pour se croire meilleurs que les autres.

Mais il existait certaines techniques garanties pour gérer ce genre de cas. Châtiments corporels. Humiliations. Les briser au point de leur faire haïr leurs parents pour les avoir fait naître dans ce monde effroyable. La clé, c'était de les amener à la haine de leurs parents.

Ce garçon, Patrick, avait été le dernier en date à poser problème. Mais sa colère n'avait été qu'une bravade : il n'avait pas tardé à s'écrouler dès qu'on l'avait mis sérieusement au travail. Amusant de penser qu'Anna, la plus obéissante du lot, rêvait de se rendre là où elle, Margaret Pincent, avait justement envoyé Patrick jouer les forçats. Rien de tel qu'un chantier en plein désert pour vous remettre un Surplus rebelle dans le droit chemin. Non pas que les Autorités eussent été au courant, bien sûr. La vente de Surplus comme esclaves n'était pas très bien vue par l'État, de même que le trafic de pilules de Longévité sur le marché noir ne rentrait pas vraiment dans les attributions de son poste. Mais s'ils la payaient un peu mieux, elle n'aurait pas à arrondir elle-même ses fins de mois de temps à autre. Et du reste, l'absence de ce garçon était passée totalement inaperçue. Son dossier avait disparu et personne n'avait posé de question.

Il arrivait que le système se trompe, évidemment. Ç'avait été le cas récemment avec un Surplus du nom de Sheila, en fait fille de deux Affranchis. Ces idiots s'étaient absentés une semaine, laissant l'enfant aux soins de ses grands-parents. Les voisins l'avaient entendue pleurer et, convaincus qu'il s'agissait d'un Surplus, avaient appelé les Rabatteurs pour toucher la prime. Les parents avaient fait appel, naturellement, mais Mrs Pincent avait tenu bon. Les grands-parents n'avaient pas de licence ; techniquement, les Rabatteurs étaient dans leur droit en leur confisquant Sheila. Techniquement, lors de son séjour chez ses grands-parents, Sheila était devenue un Surplus.

Le fait est qu'on ne pouvait décemment pas restituer chaque enfant après la moindre petite erreur ; ce serait la porte ouverte à tous les abus. Et si Sheila avait été rendue à ses parents, cela aurait alerté les autres Surplus. Cela leur aurait donné espoir. Et l'espoir était la dernière chose à encourager chez les Surplus. Non, elle avait fait son devoir. Cinq fois les parents de Sheila étaient revenus la voir – pas à Grange Hall, mais dans son bureau londonien ; pour des raisons de sécurité, nul n'était autorisé à s'approcher de moins d'un kilomètre et demi du Foyer. Cinq fois la mère avait fondu en larmes devant elle, s'agrippant à ses chevilles pour la supplier de lui rendre sa fille – des scènes fâcheuses, assurément. Fort pénibles.

Mais Mrs Pincent n'avait pas cédé. Pour quoi faire ? Sheila était à un âge intéressant. Elle deviendrait un Bon Élément, cela ne faisait aucun doute – ou mieux encore, si Mrs Pincent parvenait à ses fins. Sheila, comme tous les Surplus filles et, dans une moindre mesure, les garçons, possédait une qualité dont ses parents n'avaient pas conscience. Des cellules souches jeunes. Une fontaine de Jouvence contenue dans le moindre atome de son organisme, et que s'arrachaient les laboratoires du monde entier. Mais allez expliquer ça aux parents, surtout les Affranchis. D'autres, au moins, sauraient lui témoigner leur reconnaissance. Le Renouvellement était une bête affamée ; il fallait l'alimenter en permanence.

Quant à Peter, c'était une autre histoire. Ce sale petit morveux arrogant. À son arrivée, il semblait très content de lui. Il l'avait regardée droit dans les yeux avec un air vaguement moqueur, comme pour lui dire : « Je sais tout. Je connais la vérité sur vous. » Mais elle se faisait des idées. C'était forcément dans sa tête : comment un Surplus pourrait-il être au courant de quoi que ce soit ? Il était malin, voilà tout. Il avait décelé une faiblesse et l'utilisait à son avantage.

Pourtant, vue de l'esprit ou non, elle l'avait aussitôt pris en grippe. Pire, elle craignait maintenant de le laisser quitter le Foyer tant qu'il ne se départirait pas de ce je-ne-sais-quoi dans le regard. Dans ces conditions, l'expédier au milieu du désert semblait trop risqué ; et s'il savait quelque chose, si improbable que cela puisse être ? Quant à égarer son dossier, ça ne lui serait vraiment pas facile. *Ils l'avaient à l'œil.*

Cette situation était insupportable. Margaret Pincent allait devoir s'occuper de ce garçon elle-même. Et s'il la considérait comme une faible, il risquait d'être très surpris ; au cas où une première semaine de châtiments corporels et de régime draconien ne lui suffirait pas, il existait d'autres méthodes plus intéressantes. Privation de sommeil. Isolement accru. Le laisser croupir tout seul dans sa cellule jusqu'à ce que la solitude soit si insupportable qu'il l'appelle en hurlant son nom.

Elle réfléchit un instant, et un sourire se dessina sur ses lèvres. Peut-être devrait-elle d'abord essayer de le prendre par la gentillesse. Il n'y avait pas de meilleure tactique pour broyer un Surplus : lui faire croire que vous l'aimiez, avant de trahir si totalement sa confiance qu'il ne pourrait plus jamais se fier à un être humain. Oui, conclut-elle avec un hochement de tête satisfait, elle briserait Peter. Et lorsqu'elle aurait achevé de le réduire en miettes, elle s'en débarrasserait. Les Autorités seraient bien obligées de faire avec. Ce ne serait pas une grande perte : même brisé, ce garçon ne représenterait jamais la moindre utilité pour personne.

Anna regardait fixement son bol. Elle n'avait aucune envie de revoir Peter, ni même d'être au courant de sa présence. Pourtant, lorsqu'un rapide coup d'œil au Réfectoire central lui révéla que Peter, bizarrement, n'était pas là, elle se sentit presque déçue, car cela voulait dire qu'il ne verrait pas à quel point elle l'ignorait copieusement. Elle lâcha un soupir, irritée de constater que même l'absence de Peter parvenait à la troubler, finit son porridge et se leva.

Mais au moment où elle s'apprêtait à rendre son bol et son gobelet en plastique, Peter apparut sur le seuil, son grand corps maigre dépassant celui de Mrs Pincent qui se tenait à ses côtés. Le regard de cette dernière croisa celui d'Anna, et elle lui fit signe d'approcher.

« Je souhaite que tu t'occupes de Peter, lui annonça-t-elle d'un ton détaché. Il nous a rejoints tardivement et a sans doute beaucoup de mal à s'adapter parmi nous. Je voudrais que tu le prennes sous ton aile, que tu lui serves de guide. Et assure-toi qu'il bénéficie d'une couverture supplémentaire. Bien, tu dois avoir une faim de loup, ajouta-t-elle à l'attention de Peter. Anna, veux-tu veiller à ce que Peter ait un petit déjeuner avant le début des séminaires d'apprentissage ? »

Anna sentit sa poitrine se serrer mais resta impassible, se contentant d'un simple hochement de tête. Une couverture supplémentaire ? C'était du jamais-vu, sauf pour les Délégués. Quant au langage presque chaleureux de Mrs Pincent – « le prendre sous ton aile », « lui servir de guide » –, il semblait étrange, incongru. Mais Anna savait qu'il valait mieux garder ses réflexions pour elle. Du moins tant que Mrs Pincent serait encore dans les parages.

Dès qu'elle aurait tourné les talons, en revanche, ce serait une autre histoire. La Directrice n'avait pas plus tôt disparu dans le couloir qu'Anna se tourna vers Peter.

« J'ignore ce que tu as fait, cracha-t-elle avec dédain, mais on dirait que Mrs Pincent t'adore. Tu trouves toujours que c'est un monstre ? »

Peter haussa les épaules et grelotta malgré lui, ce qui eut pour effet d'adoucir un peu Anna.

« Je vais te chercher ton petit déjeuner, reprit-elle avec circonspection. Et je veux bien te servir de guide. Mais plus de mensonges. Plus d'intrusions nocturnes dans mon dortoir. Je suis Déléguée. Si tu veux que je t'aide, tu vas devoir apprendre Où-Est-Ta-Place. »

Peter acquiesça d'un air sage. « Merci, lui glissa-t-il dans un souffle. Merci à toi, Anna Covey. »

Anna eut un soupir excédé. La journée allait être longue.

Chapitre 6

Peter apprenait vite. Il comprit rapidement l'agencement de Grange Hall, et quand Anna lui fit répéter son itinéraire quotidien, elle fut très impressionnée de voir qu'il l'avait mémorisé en une journée. Difficile de savoir s'il se concentrait autant dans les séminaires d'apprentissage réservés aux garçons, mais dans ceux auxquels ils assistaient ensemble, il se montrait poli et consciencieux. Mis à part sa manie de l'appeler « Anna Covey », il se comportait comme n'importe quel autre Surplus. Il avait même tenu tout un séminaire de Science & Nature sans prononcer un mot, même si, à la sortie, lorsque Anna et lui s'étaient retrouvés seuls, il avait explosé.

« Ce ne sont que des mensonges. Un tissu de mensonges ! avait-il sifflé tout en regardant autour de lui pour vérifier que personne ne l'écoutait. Anna, il faut que tu me croies. Ce n'est pas ce que voulait mère nature... »

Anna avait secoué la tête. « Tu crois ça parce que tes parents ont voulu le beurre et l'argent du beurre, répliqua-t-elle d'un ton ferme. Ce n'est pas contre Mr Sargent que tu devrais t'emporter, mais contre eux. Ce sont eux qui ont violé la Déclaration. Eux qui t'ont amené jusqu'ici. »

Il avait réfuté en bloc, naturellement. Comme toujours. Dans les couloirs, au Réfectoire central, chaque fois qu'ils pouvaient parler sans être entendus, Peter s'en prenait à Grange Hall, aux Instructeurs... bref, à tout, pour ce qu'Anna pouvait en juger. La plupart du temps, elle lui demandait de se taire, de se montrer plus respectueux envers Mère Nature et les Autorités, mais parfois sa curiosité l'emportait, et alors elle se retrouvait à lui poser des questions furtives sur sa vie avant Grange Hall, tout en faisant semblant de ne pas s'y intéresser plus que ça. La vérité, c'était que Peter lui ouvrait une fenêtre à travers laquelle elle pouvait entrevoir le monde du dehors, et la tentation d'y jeter un coup œil était souvent bien trop forte.

Il habitait à Londres, lui avait-il raconté, dans le quartier de Bloomsbury, où vivaient autrefois des écrivains célèbres. Ce détail avait attiré l'attention d'Anna, qui continuait à se cacher dans la Salle de Bains F2 le plus souvent possible pour noircir les pages de son journal, en savourant ces instants pendant lesquels elle se figurait le monde qui l'entourait et se déchargeait de ses frustrations. La maison de Peter comprenait un appartement en sous-sol où il avait passé le plus clair de son enfance. Il avait appris à lire, à écrire, à se servir d'un ordinateur et à Développer Son Sens Critique. Il avait lu des livres et des journaux, et s'était vu encouragé à Avoir Des Opinions Personnelles. L'idée même de pouvoir lire des livres autres que les manuels pour apprendre à se rendre Utile semblait follement excitante aux yeux d'Anna, qui n'avait jusqu'ici été autorisée qu'à lire des ouvrages agréés traitant de la Longévité ou des Travaux Domestiques, ou encore de gros pavés fastidieux comme *La Honte Surplus* ou *La Dette des Surplus envers Mère Nature*, c'est-à-dire des textes vantant les mérites de la Longévité et détaillant longuement le Problème Surplus et l'Approche Humaine Éclairée qui permettait aux Surplus de travailler afin de laver la Souillure de leur Existence. Anna avait lu et relu ces livres, s'était régalée de ces mots magnifiques, de ces arguments clairs et bien structurés qui l'avaient convaincue, elle, au-delà de tous les discours de Mrs Pincent, que sa vie était un fardeau et qu'elle n'était là que pour travailler dur dans l'espoir de devenir un Bon Élément et de racheter le Péché de son Existence.

Peter, lui, ignorait tout de ces livres. Mais il comblait largement cette lacune par sa connaissance de l'Extérieur et de choses qu'Anna n'avait jamais rêvé pouvoir seulement voir ou toucher de ses mains. Une fois par an, lui racontait-il, on le faisait clandestinement sortir de chez lui pour l'emmener à la campagne, où se trouvait une étendue de terre si vaste qu'il pouvait courir aussi loin qu'il le voulait sans craindre d'être vu ou entendu. Il profitait de ces brefs séjours pour crier, hurler à pleins poumons, sachant que le restant de l'année ne serait pour lui que chuchotis et mouvements furtifs.

Peter parlait peu de ses parents – voire pas du tout, d'ailleurs –, mais il lui dit quand même que tous les adultes de sa connaissance faisaient partie du Réseau souterrain créé afin de lutter contre les Autorités et de s'opposer à la Déclaration. À leur sortie de prison, les parents d'Anna avaient rejoint le Réseau souterrain et Peter était parti vivre avec eux. Ils voulaient tout savoir sur les Surplus, apparemment.

Anna ne croyait pas vraiment à ce qu'il racontait. Elle se sentait très peu concernée par sa haine du système ou par ces histoires à propos de ses pseudo-parents. Mais elle chérissait le plaisir coupable qu'elle éprouvait à l'écouter parler de sa vie à l'Extérieur, et aimait particulièrement l'idée de courir librement dans un champ en riant et en criant à tue-tête. Elle avait le sentiment que ça lui plairait beaucoup.

C'est l'un de ces récits de sa vie à l'Extérieur que Peter était justement en train de lui chuchoter un soir, un mois après son arrivée à Grange Hall, alors qu'ils venaient de finir de nettoyer le Réfectoire central après le dîner et s'étaient assis, seuls à une table, pour essuyer les couverts.

À mesure qu'ils saisissaient les fourchettes en Inox et les couteaux élimés un par un pour les frotter méthodiquement dans de vieux torchons, Peter lui parla des feux de jardin, à la campagne, faits avec du petit bois ramassé en toute illégalité, des marshmallows grillés et de ce qu'on appelait des « parties de cartes ». Il lui parla aussi de Virginia Woolf, une écrivain qui vivait à Bloomsbury il y a très, très longtemps et avait publié son premier roman en 1915. Elle écrivait tout le temps, raconta Peter, mais même l'écriture ne suffisait pas à la rendre heureuse et elle avait fini par se suicider.

Anna l'écouta en silence, tout en s'efforçant de gratter la graisse coagulée sur la lame du couteau qu'elle tenait à la main – laver la vaisselle dans de l'eau sale avait généralement pour seul effet d'ôter les gros morceaux d'aliments coincés entre les dents des couverts, et les produits d'entretien n'étaient guère considérés par Mrs Pincent comme une dépense nécessaire ou abordable. Si Virginia Woolf était une Légale, pourquoi aurait-elle eu envie de mourir ? se demanda Anna. Virginia Woolf pouvait sûrement faire tout le bruit qu'elle voulait et n'avait le poids d'aucune culpabilité à porter en permanence sur ses épaules. Anna se renfrogna et vit que Peter l'observait.

Cette manière qu'il avait de vous fixer droit dans les yeux, sans vergogne, la perturbait toujours autant.

« Quoi ? lui demanda-t-elle. Tu ne devrais pas dévisager les gens comme ça, tu sais. C'est impoli. »

Peter lui décocha un grand sourire, comme si la question de la politesse lui importait peu, et redevint sérieux.

« Tu détestes vraiment tes parents ? »

Anna répondit sans même réfléchir. « Bien sûr. Tout est leur faute.

– Quoi donc ? »

Elle lâcha un soupir. Ce garçon pouvait se montrer vraiment bouché, parfois. « Ma présence ici. Ma responsabilité. Mon rachat de leurs Péchés envers Mère Nature. Tu auras beau dire tout ce que tu voudras, la Déclaration n'a pas été instaurée par hasard et mes parents ont abusé de la bienveillance de Mère Nature. Ça me dégoûte.

– Alors tu crois vraiment qu'ils ont tort et que les Autorités ont raison ? »

Anna acquiesça. « Bien sûr que oui, dit-elle comme une évidence. C'est la vérité. Même si tu les connais, ça m'est égal. Ils méritent de retourner en prison et d'y rester jusqu'à la fin de leurs jours. Maintenant, fiche-moi la paix avec ça. »

Peter l'observa longuement et enserra ses poignets.

« Tes parents t'aiment, lui dit-il tout bas. Tu n'es un Surplus pour personne. Tu es Anna Covey, et tu n'aurais jamais dû te retrouver enfermée ici. C'est ta Mrs Pincent que tu devrais haïr. C'est elle qui t'a fait un lavage de cerveau. Elle qui t'a battue et privée de nourriture, comme elle a essayé de le faire pour moi. Et comme elle réessaiera à coup sûr quand elle verra que ça n'a pas marché. Nous devons fuir d'ici. Nous devons rentrer à Londres. »

Anna le regardait avec des yeux ronds, la bouche pincée par la colère. « "Lavage de cerveau !" cracha-t-elle. Ça ne veut rien dire, ça n'existe même pas dans le vocabulaire. »

Peter eut un rictus sarcastique. « Pas dans le vocabulaire enseigné à Grange Hall, j'imagine. Mais ce mot existe, Anna. Il veut dire "endoctriner" – faire croire des choses qui ne sont pas vraies, comme, par exemple, que tu ne mérites pas de vivre à l'Extérieur et que tu as de la chance de te trouver dans cette prison. »

Anna eut un mouvement de recul, les yeux embués de larmes. Elle adorait découvrir des mots inconnus, d'habitude, les choyer comme des trésors nouveaux et excitants qu'elle pouvait employer à sa guise – dans son journal ou au gré de la conversation – et dont elle savourait chaque fois l'originalité et la beauté. Mais il n'y avait rien de beau dans « lavage de cerveau ». Décrasser un cerveau. Le mettre à nu.

« Si quelqu'un a besoin de se faire nettoyer le cerveau,

persifla-t-elle, c'est toi. Tu ne sais rien. Tu n'es qu'un menteur, Peter.

– Non, répondit-il aussitôt en serrant sa main dans la sienne. Ce n'est pas moi le menteur, Anna. Toi et moi pouvons nous évader d'ici. Ensemble. Il y a tout un monde autour de nous, Anna, un monde à explorer et à parcourir. Et une maison qui nous attend, à Londres. »

Il la fixait intensément et Anna se sentit ployer sous la force de son regard, comme si elle avait envie d'y croire, ne serait-ce qu'une seconde, mais elle finit par dégager sa main. Elle refusait de l'écouter. Chaque paragraphe de *La Honte Surplus* démontait ces arguments et démontrait longuement, détails à l'appui, en quoi il se trompait.

« Je ne veux pas aller à Londres, s'enflamma-t-elle. De toute façon, tu racontes n'importe quoi. Mes parents ne m'aiment pas. S'ils m'aimaient, ils ne m'auraient pas mise au monde. Et c'est Mrs Pincent en personne qui m'a demandé de m'occuper de toi. Je ne sais pas pourquoi tu la détestes à ce point. Elle nous bat seulement pour notre bien, pour nous faire accéder à la Vérité... »

Anna sentit que sa voix tremblait d'émotion ; elle s'efforça de se ressaisir, s'essuya les yeux d'un geste excédé.

« J'aurais préféré que Mrs Pincent demande à quelqu'un d'autre de s'occuper de toi, lâcha-t-elle enfin d'une voix sourde. J'aimerais que tu me laisses tranquille. »

Les yeux de Peter lançaient des éclairs. « Je ne crois pas que tu le penses vraiment, Anna Covey, mais si c'est ce que tu veux, je ne t'embêterai plus, dit-il d'un ton solennel. Mais tu te trompes au sujet de tes parents, et tu te trompes au sujet de Grange Hall et de Mrs Pincent. Je vais trouver le moyen de sortir d'ici, et tu dois m'accompagner. Nous ne sommes pas en sécurité. »

Anna le toisa avec mépris. « Bien sûr que si, répliqua-t-elle. Bien plus qu'en voulant nous évader à l'Extérieur, où on enverrait les Rabatteurs à nos trousses pour nous expédier aux travaux forcés. Ton problème, c'est que tu te crois supérieur aux autres Surplus et au règlement. Eh bien, tu as tort. Et j'en ai marre de t'entendre parler de mes parents et de tout le reste. Je ne veux plus entendre un mot. Et ne t'imagine pas que je vais continuer à te servir de guide. »

Peter haussa les épaules mais garda ses yeux sombres plongés dans ceux d'Anna, qui se tortilla maladroitement sur son banc. « Parfait, comme tu voudras, asséna-t-il d'un ton désinvolte. Reste ici, deviens une parfaite petite bonniche. Laisse Mrs Pincent et ses acolytes te dire quoi faire, quoi penser – ou plutôt ne pas penser. Je m'en fous. Après tout, je me suis juste fait rafler exprès pour te retrouver et te ramener chez tes parents, mais ne t'inquiète pas pour moi. Je suis sûr que tu seras très heureuse, Anna Covey.

– Arrête de m'appeler comme ça ! s'écria Anna en plaquant ses mains sur ses oreilles. Et je ne t'ai jamais demandé de venir...

– Non, bien sûr que non. Tu as raison », répondit lentement Peter. Il se détourna d'elle et croisa les bras en un geste défensif. « Tu sais, ça n'a pas été facile de retrouver ta trace jusqu'à Grange Hall. Et je savais que ce serait dur pour moi d'être ici. Mais je ne m'attendais pas à me heurter à *toi*. Je pensais que tu serais heureuse de me connaître.

– Je suis contente de te connaître, s'empressa de répondre Anna. Mais tu te trompes sur toute la ligne. Tu es bien mieux ici, crois-moi. Tu ne veux pas être mon ami et rester ? »

Peter fit non de la tête et Anna roula des yeux excédés.

« Écoute, je risque gros en parlant de ces choses-là avec toi, dit-elle en se raidissant. Le fait est que Mrs Pincent semble s'être prise d'affection pour toi. Tu pourrais te plaire, ici, au lieu de passer ta vie à te cacher.

– Je peux t'assurer que Mrs Pincent n'a pas une once d'affection pour moi, riposta Peter avec sarcasme. Ni pour aucun d'entre nous. Un individu capable de cogner quelqu'un comme elle l'a fait sur moi n'éprouve pas de sentiments. »

Anna baissa le menton. En vérité, elle n'était pas loin de penser la même chose.

« On ne se fait pas battre quand on respecte les règles, insista-t-elle calmement.

– Tu crois vraiment à ces inepties, hein ? soupira Peter. Tu avales absolument tout ce qui sort de la bouche de cette femme. Eh bien, pas moi. Anna, nous avons autant le droit de vivre sur cette planète que toutes les Mrs Pincent du monde. Notre présence est même plus légitime que la leur. Ce sont eux qui s'imposent en prolongeant leur vie éternellement et qui nous font porter le chapeau. »

Les yeux de Peter luisaient de colère, et Anna sentit les siens s'élargir de terreur. Les propos qu'il venait de tenir étaient sacrilèges. Si quiconque l'entendait, il était bon pour le fouet. Et elle aussi, pour l'avoir écouté parler.

« Écoute-moi, reprit-il. Je vais déguerpir d'ici. Si tu ne veux pas venir avec moi, ça te regarde. Mais je ne vais pas t'attendre cent sept ans. Tu dois faire un choix, Anna Covey. À toi de décider si tu veux mener une vie d'esclave ou pas. »

Anna le contempla sans un mot, puis se leva – et s'aperçut qu'elle avait les jambes flageolantes. Comment Peter osait-il la traiter d'esclave ? S'appuyant d'une main sur la table, elle prit une profonde inspiration et se força à le regarder droit dans les yeux.

« J'ai déjà choisi, siffla-t-elle. C'est toi qui as le crâne bourré d'inepties, Peter. Je suis une Déléguée. Une *Déléguée.* Dans six mois, je deviendrai un Bon Élément. Tu peux gâcher ta vie, mais pas la mienne. Essaie donc de t'échapper si ça t'amuse. Je ne veux rien avoir à faire là-dedans. Ni avec toi, d'ailleurs. »

Et, sur ces mots, elle tourna les talons et s'éloigna, laissant Peter assis seul dans l'immensité du Réfectoire central. Sans réfléchir, elle poussa la porte, franchit la cour couverte qui séparait le réfectoire du bâtiment principal, puis pressa encore le pas vers l'escalier. Ce n'est qu'arrivée au Niveau 2 qu'elle comprit où ses pas la menaient et elle se mit à courir, courir jusqu'à la Salle de Bains F2. Une fois à l'intérieur, après s'être assurée qu'il n'y avait personne, elle referma soigneusement la porte et laissa enfin libre cours à ses larmes, glissant lentement à terre, en proie à de violents sanglots.

« Je ne suis pas Anna Covey, se dit-elle à elle-même d'une voix entrecoupée de pleurs. Je ne suis pas Anna Covey. Je suis Surplus Anna. Oui, je sais qui je suis. Je voudrais que tout redevienne normal. Je voudrais que tout redevienne comme avant. »

Chapitre 7

3 mars 2140

Peter dit que je suis une esclave et que je devrais défendre mes droits. Il me rend folle de rage. Je ne suis pas une esclave. Je suis un bon Surplus. Ce n'est pas comme si j'avais choisi – les choses sont arrivées comme ça, un point, c'est tout, et je ne vois pas pourquoi Peter cherche à me culpabiliser.

Il prétend être mon ami, et la minute d'après, il me tient des propos si choquants que j'ai l'impression de suffoquer, avec toutes ces choses qu'il raconte à propos de l'Extérieur, et à cause de lui je me mets à imaginer à quoi ça peut ressembler, alors qu'en fait ça n'a aucune importance vu que je suis un Surplus et que je ne connaîtrai jamais rien de tout ça.

S'il était vraiment mon ami, me dirait-il tous ces trucs monstrueux et stupides ?

Peter n'a pas peur, contrairement à nous autres. Et ça le rend dangereux. J'ai le sentiment de faire quelque chose de dangereux chaque fois je suis avec lui parce que je ne sais jamais ce qu'il va inventer, et quoi qu'il dise, il ne pourrait jamais le répéter devant Mrs Pincent. Mais il raconte aussi des choses agréables, parfois, ou bien il me regarde et soudain ça n'a plus rien de dangereux du tout et c'est même excitant, bien qu'au fond ça soit sans doute la même chose. Et chaque fois je culpabilise en me disant que ça prouve que je ne suis pas vraiment un Bon Élément, juste un Surplus comme les autres, et que j'aurai beau travailler et faire des efforts, je finirai toujours par me laisser aller à m'intéresser à des choses auxquelles je ne devrais pas m'intéresser et à faire des choses que je ne devrais pas faire. Je ne devrais pas être en train d'écrire. Je ne devrais pas avoir de journal intime. Je ne vaux peut-être pas mieux que Peter, finalement. C'est peut-être moi qui suis dangereuse.

Il existait plusieurs façons de séparer les garçons des filles, à Grange Hall. D'abord par l'emplacement des dortoirs, situés à des niveaux différents ; ensuite par la répartition de leur emploi du temps – la moitié au moins des séminaires d'apprentissage quotidiens étaient non mixtes, et centrés sur les aptitudes et les qualifications spécifiques à chaque sexe telles qu'attendues par les futurs employeurs ; enfin par la façon dont chacun des membres des deux sexes appréhendait sa réclusion, leurs méthodes respectives pour rendre l'existence plus supportable et les perspectives d'avenir moins lugubres.

Les filles, à une ou deux exceptions près, occupaient leurs journées en rivalisant à qui se montrerait la plus méritante, ou qui saurait le mieux prouver sa valeur réelle envers Mère Nature. Et même si en surface elles semblaient liées par une relative camaraderie, même s'il leur arrivait parfois, dans le plus grand secret, de se confier les unes aux autres ou de se chuchoter des choses interdites à propos de l'Extérieur, du fait de naître comme Légal, d'avoir toute sa vie devant soi étalée comme un beau tapis moelleux gorgé de promesses et de bonheur, en réalité, l'amitié qui les unissait était bien maigre. La pitié, la sympathie, l'empathie étaient un luxe que les Surplus filles ne pouvaient guère se permettre ; éprouver l'un ou l'autre de ces sentiments envers une de leurs semblables ne ferait que souligner leurs propres échecs, leur propre destin. Au lieu de cela, les filles vivaient donc côte à côte sans jamais baisser totalement la garde, réprimant systématiquement ou presque tout élan, tout questionnement, et s'épiant constamment l'une l'autre pour surprendre la moindre infraction, même lors de leurs quelques instants volés de détente ou de récréation. Dans l'heure qui précédait l'extinction des feux, quand toutes les corvées de la journée avaient été correctement accomplies et que les filles du dortoir avaient droit à un peu de temps libre – ce qui n'arrivait pas souvent –, elles jouaient toujours au même jeu. Ça s'appelait La Légale et La Surplus : une fille était désignée comme « Légale » attitrée pour toute la durée de la partie, et une autre comme sa Surplus. La « Légale » pouvait tout ordonner à sa Surplus, depuis lécher le sol jusqu'à manger des excréments. Plus la « Légale » faisait preuve d'inventivité dans ses méthodes d'humiliation, plus les autres applaudissaient et riaient, jusqu'à ce qu'on annonce l'extinction des feux et que la Surplus désignée puisse enfin échapper à sa tortionnaire.

Les garçons, eux, ne laissaient pas leur esprit s'aventurer trop avant vers l'avenir, ni s'appesantir sur la courte vie de servitude qui allait être la leur. Ils préféraient exorciser leur frustration en s'adonnant à des activités plus physiques. Les règles du jeu étaient les mêmes que celles des filles – un contre un, les autres Surplus se contentant de former le groupe de spectateurs –, sauf que chez les garçons la victime et son oppresseur n'étaient pas choisis au hasard par un système de roulement ; c'était toujours le ou les mêmes qui se retrouvaient persécutés par les mêmes bourreaux, tandis que les autres se repaissaient du spectacle, savourant chaque coup porté, s'imaginant le sentiment de puissance qui devait accompagner la domination totale de l'autre. Le jeu se poursuivait jusqu'à ce que les Surplus spectateurs, ne pouvant plus se contenir, se jettent à leur tour dans l'arène pour rosser la victime ou quiconque leur semblait plus faible qu'eux. Ils éprouvaient alors la sensation, pour un bref instant du moins, d'être invincibles, comme s'ils étaient devenus autre chose que des Surplus ; le sang qui cognait dans leurs veines annihilait tout ce qui existait en dehors du dortoir, passé, présent, avenir.

Mrs Pincent et les Instructeurs étaient au courant de ces jeux, mais intervenaient rarement. De fait, Anna avait vu Mrs Pincent déclarer un jour en souriant qu'à travers ces jeux les Surplus accomplissaient son travail à sa place : les filles apprenaient à se soumettre entièrement à leurs employeurs Légaux, tandis que les garçons départageaient les plus forts des plus faibles et reportaient leur agressivité l'un sur l'autre, évitant ainsi de l'imposer à un Légal. Les Surplus garçons étaient souvent employés par groupes de deux ou trois, avec un élément faible associé à deux éléments forts, ce qui permettait de reproduire cette dynamique jusqu'à ce que, devenus adultes, ils n'éprouvent plus ce désir viscéral de se battre ou de se dominer entre eux. On avait bien procédé à des essais de traitements hormonaux, il y avait quelques années, afin de diminuer leurs pulsions agressives mais cela avait surtout eu pour effet d'amoindrir leur force brute, et l'expérience avait été abandonnée.

Anna ne participait plus aux jeux de son dortoir. Elle était une Déléguée, à présent, et bien trop mature pour ce genre d'enfantillages. Mais en réalité, son statut de Déléguée n'était pas la vraie raison pour laquelle elle détournait les yeux chaque fois qu'un autre Surplus se voyait contraint d'endurer les nouvelles tortures fébrilement conçues par la « Légale » officielle de la partie. La véritable raison pour laquelle Anna ne supportait plus de voir la tortionnaire ou sa proie en action était que, depuis quelque temps, elle avait perdu tout goût pour l'acte d'infliger la douleur ; elle éprouvait un vif malaise à l'idée de voir quelqu'un se faire humilier ou de brimer elle-même un autre Surplus ; elle ne savourait plus ni la brutalité ni l'anesthésie de soi qui allaient avec l'exercice de la persécution. Avant, les petits cris de délice qui accompagnaient toujours l'annonce du prochain châtiment ignoble infligé à la victime la remplissaient d'exaltation, de soulagement ; car quelles que soient les horreurs qui l'attendaient dans sa vie, rien ne pourrait jamais être aussi abominable, rien de ce qu'elle endurerait ne pourrait la broyer autant que ce que la « Légale » faisait subir à son esclave d'un soir. Mais récemment, Anna avait commencé à réaliser que le cauchemar de son existence ne tenait pas aux coups ou aux brimades qu'elle était susceptible de donner, mais dans l'horreur dont ils étaient porteurs – dont Anna elle-même était porteuse. Un Surplus. Une indésirable. Un fardeau en sursis. Et qu'aucune somme de souffrance, aucune forme d'anesthésie ne changerait jamais rien à son sort. Ni même ne l'allégerait un tant soit peu.

Ce soir-là, en revenant de la Salle de Bains F2, Anna

s'aperçut que la partie battait déjà son plein, avec Sheila dans le rôle de la Surplus et Tania dans celui du bourreau. Rien qu'à cette vision, elle sentit son estomac se nouer d'appréhension. Tania avait deux ans de moins qu'Anna, et un de plus que Sheila. Elle vivait pratiquement à Grange Hall depuis sa naissance. C'était une grande fille à l'ossature épaisse, aux cheveux foncés et au regard encore plus sombre. Elle dépassait largement sa victime, dont la frêle silhouette semblait menacer d'être emportée à la moindre bourrasque.

Sheila avait les cheveux d'un roux très pâle, assorti aux taches de rousseur qui constellaient son teint laiteux, presque bleuté. Ajouté à son gabarit fragile et à ses yeux bleus humides, cela faisait d'elle la cible idéale pour les vexations et les insultes ; sa farouche détermination et son refus de céder aux exigences de ses tourmenteuses n'avaient fait qu'attiser leur cruauté. Il y a encore quelques mois – avant qu'Anna, à contrecœur, la prenne plus ou moins sous son aile, motivée surtout par le fait que Sheila s'était mise à la suivre partout, l'impliquant de fait dans toutes ses histoires –, Sheila était le souffre-douleur préféré de Grange Hall.

Anna traversa le dortoir en regardant résolument ailleurs, réprimant toute tentation de voir ce qui se passait et tâchant de se convaincre qu'elle n'était pas concernée. Mais au moment d'atteindre son lit, elle entendit enfler les cris et les railleries en provenance de l'autre côté du dortoir et, non sans répugnance, se retourna. Puis fronça les sourcils. À sa grande surprise, Sheila n'était pas allongée face contre terre, la tête écrasée sous le pied de Tania ou en train de se livrer à une quelconque corvée humiliante. Non, elle se tenait simplement debout à côté du lit de Tania, le visage inondé de larmes, secouant la tête et tremblant de tout son corps.

Anna tourna le dos au spectacle, mais les hurlements des autres Surplus devinrent si assourdissants qu'elle finit par faire de nouveau volte-face. Sheila se tenait toujours devant Tania, cette fois les joues marquées de grosses plaques rouges résultant sans doute d'une solide paire de gifles. Ce détail mis à part, elle ne semblait pas avoir essuyé d'autres coups.

Tout en se mordant la lèvre, Anna s'avança vers le petit groupe. Tania toisait Sheila d'un air menaçant en répétant d'une voix grave : « Dis-le. Dis-le. Dis-le », tandis que sa victime, ses deux petits poings serrés, secouait obstinément la tête.

Anna observa la scène encore un instant avant de déclarer : « Bien, il est l'heure d'aller se coucher. Vous pouvez arrêter de jouer. »

Quelques Surplus la dévisagèrent avec une lueur étrange dans le regard et Tania, sans quitter Sheila des yeux, fit non de la tête. « Elle n'a pas fait ce que je lui ai demandé. Le jeu ne peut pas s'achever tant qu'elle n'aura pas obéi. »

Anna se tourna vers elle. « Allons, l'encouragea-t-elle, fais ce qu'elle te dit et nous pourrons toutes aller dormir.

– Non. Pas question. » Sheila venait de s'exprimer d'un ton sourd mais déterminé, et Anna sentit une grosse boule se former au fond de son estomac. Il ne fallait jamais dire non. Telle était la règle. Le but du jeu était d'obéir aux ordres de la « Légale ». Personne ne se défilait. Pourquoi Sheila se montrait-elle aussi têtue ?

« Ce n'est qu'un jeu. Tu dois faire ce qu'elle te demande », dit Anna. Elle sentait l'électricité dans l'air autour d'elle tandis que les autres Surplus observaient la scène sans en perdre une miette.

« Je refuse, répondit simplement Sheila. Pas question. »

Anna se tourna vers Tania. « Que lui as-tu ordonné de faire ? voulut-elle savoir. Parce que si cela implique de sortir du dortoir ou de dire quelque chose à Mrs Pincent, tu sais que c'est interdit. »

Tania esquissa un rictus glacial. « Je lui ai juste demandé de prononcer une phrase. Et elle refuse de le faire. Alors tant qu'elle n'aura pas obéi, le jeu n'est pas terminé. O.K. ?

– Prononcer une phrase ? répéta Anna d'un ton hésitant. C'est tout ? »

Elle se tourna de nouveau vers Sheila. « Allez, Sheila. Dis ta phrase. Quelle qu'elle soit. »

Sheila secoua la tête. Son visage était livide de rage, ou de peur – Anna avait du mal à faire la distinction.

« Que lui as-tu ordonné de dire ? demanda-t-elle encore à Tania.

– Je veux qu'elle déclare qu'elle hait ses parents. Que ce sont deux pourritures criminelles et qu'ils méritent de mourir, répondit Tania avec triomphe.

– Jamais, dit tout doucement Sheila. Tu peux me faire tout ce que tu veux, jamais je ne dirai une chose pareille.

– Tu dois m'obéir ! s'enflamma Tania. Je suis ton maître. Tu dois faire ce que je t'ordonne, sans quoi nous allons toutes te frapper. Et si tu t'obstines encore après ça, j'irai signaler à Mrs Pincent que tu n'as pas compris Où-Était-Ta-Place. »

En voyant Sheila tenir vaillamment tête à Tania, son petit dos raidi et ses cils ourlés de grosses larmes salées, Anna se surprit à penser à Peter, et ses paroles revinrent soudain résonner à ses oreilles : « Tes parents t'aiment, Anna Covey. Ils t'aiment. »

Mais elle se ressaisit. « Sheila, tu dois obéir, insista-t-elle d'un ton las. C'est la vérité, après tout. »

Sheila plissa les yeux et secoua farouchement la tête. « C'est faux, marmonna-t-elle. Et je ne le dirai pas. »

Tania devint cramoisie. « Elle se pliera à ma volonté,

éructa-t-elle. Je suis son maître. Elle fera ce que je lui dis !

– Tu n'es pas mon maître, répliqua brusquement Sheila. Ni toi ni personne. Je ne suis pas un Surplus. Mes parents m'aiment et je suis une Légale et je te déteste. Je vous déteste toutes. »

Un instant bouche bée, Tania finit par lever la main pour la gifler de nouveau avec violence, puis la poussa à terre et entreprit de la bourrer de coups de pied.

« On ne parle pas à son maître de cette façon, vociféra-t-elle. Je vais t'apprendre le respect. Tu es un Surplus, Sheila. Tu m'entends ? Sale vermine ! Tu ne mérites pas de respirer le même air que moi. Tu ne mérites pas de te tenir dans la même pièce que moi. Tu n'es qu'un parasite, Sheila, une moins-que-rien ! » Tania regarda autour d'elle, les pupilles étincelantes de rage. « Vous êtes toutes des moins-que-rien, explosa-t-elle, des ratées, toutes autant que vous êtes ! »

À ces mots, Charlotte, une petite Aspirante trapue et voisine de lit d'Anna, s'interposa avec force.

« S'il y a une ratée, ici, c'est toi, déclara-t-elle, les bras croisés, en toisant Tania avec menace. Tu ne sais pas faire la cuisine. Tu es une ratée inutile, personne ne voudra jamais t'employer et tu finiras éradiquée, parce qu'il n'y a rien d'autre à faire de toi.

– Je sais faire la cuisine, rétorqua Tania en se redressant de toute sa hauteur et en se désintéressant de Sheila pour fusiller Charlotte d'un regard noir. Et je sais mieux coudre que toi. Personne ne t'emploiera *toi*, parce que tu es trop laide pour travailler dans une belle maison. Personne ne voudrait t'avoir sous les yeux toute la journée, même si tu apprends le Décorum et si tu réussis à te rendre invisible. Tu resteras toujours aussi hideuse. »

Anna baissa les yeux vers le sol et vit que Sheila rampait tout doucement pour s'éloigner de Tania, les traits crispés en une légère grimace de douleur, mais l'expression toujours aussi farouche. Charlotte, elle, ne reculait devant personne. Au contraire. Elle chargea Tania, l'agrippa par les cheveux et l'obligea à s'agenouiller.

« Sale... petit... Surplus ! » cracha-t-elle en la giflant. Tania se tortilla sur le côté et parvint à asséner un coup de pied à Charlotte, qui lâcha prise avec un glapissement. Mais avant que Tania ait eu le temps de se relever, Sheila, surgissant de nulle part, se rua vers elle pour la marteler de coups de poing.

« Ça suffit ! s'écria Anna. Le jeu est terminé. Tout le monde au lit !

– Je refuse d'aller me coucher, s'exclama Charlotte. Je n'ai aucune envie de dormir ! »

Le visage d'Anna se durcit. « Surplus Charlotte, menaça-t-elle, n'oublie pas Où-Est-Ta-Place. J'ai dit “Tout le monde au lit”, et tu dois m'écouter. »

Tania repoussa violemment Sheila et se releva. « Et qu'est-ce qui se passe si on refuse ? demanda-t-elle avec morgue. Alors quoi ?

– Alors vous serez punies, répondit froidement Anna. Je suis votre Déléguée.

– "Je suis votre Déléguée" », répéta Tania d'une voix moqueuse. Une poignée de Surplus s'esclaffa. « Eh bien, les Déléguées doivent apprendre Où-Est-Leur-Place, elles aussi. » Elle parcourut l'assemblée du regard pour y trouver un appui. « Le temps est peut-être venu pour toi de jouer le jeu, Anna. Le temps est peut-être venu pour toi de laisser tomber tes petits airs supérieurs et de te rappeler qui tu es. Ce que tu es. Un Surplus, comme nous autres. »

Anna ne se laissa pas démonter. « Je sais que je suis un Surplus, répliqua-t-elle avec colère. Je sais Où-Est-Ma-Place. Je crois que c'est toi qui as du mal à t'en souvenir.

– Ah oui ? Tu as sans doute raison. *Ma place* n'est peut-être pas dans ce dortoir, qui sait. *Ma place* est peut-être dans un autre dortoir. Ou dans le couloir. Ou à l'Extérieur. Si ça se trouve, *ma place* est dans un tout autre endroit qu'ici. Et alors ? »

Après une dernière œillade étincelante de défi, Tania tourna brusquement les talons, se dirigea vers la porte du dortoir, l'ouvrit et fit signe aux autres de la suivre ; Charlotte lui emboîta le pas avec prudence, et Anna tira Sheila par le bras.

« Toi, tu restes ici, lui ordonna-t-elle. Tu ne bouges pas. »

Lentement, Anna sortit sur le seuil pour voir ce qui se passait. Tania et Charlotte bondissaient dans le couloir en cognant aux portes des dortoirs et en hurlant : « Sachez Où-Est-Votre-Place, Surplus, sachez Où-Est-Votre-Place ! » Quelques portes s'ouvrirent, et des Surplus filles passèrent craintivement la tête à l'extérieur, pour se voir aussitôt traînées de force par l'une des deux rebelles.

Anna claqua bruyamment la porte de son propre dortoir pour faire cesser l'agitation.

« Vous allez revenir ici et vous mettre au lit, cria-t-elle. Maintenant ! »

Tania éclata de rire. « Sinon quoi, Surplus Anna ? Tu nous dénonceras ? Tu iras courir dans les jupes de Mrs Pincent ?

– Sinon je te corrigerai moi-même, répondit Anna d'un ton glacial. Tu es un Surplus, Tania. Tu dois te comporter comme tel, respecter le règlement et obéir. Tu n'as pas le droit d'exister, Surplus Tania, et si tu ne changes pas d'attitude...

– Alors quoi ? » demanda Tania. Une lueur folle dansait dans ses yeux ; elle semblait jubiler d'excitation.

« Tu seras envoyée en Isolement. »

Le silence s'abattit brusquement dans le couloir et Tania blêmit en découvrant la silhouette de Mrs Pincent.

« Et battue, ajouta la Directrice en s'avançant vers Anna, le visage parfaitement impassible. Anna, j'ai entendu ta proposition de corriger Tania toi-même. Je t'en saurais gré. »

Anna considéra Mrs Pincent d'un air indécis. On ne lui avait jamais demandé de frapper un Surplus. Les Surplus n'étaient pas censés lever la main sur qui que ce soit en dehors des strictes limites de leurs jeux.

« Immédiatement, insista Mrs Pincent. Afin que tout le monde voit ce qui arrive aux Surplus quand ils se croient au-dessus des règles, quand ils se croient permis d'agir comme bon leur semble et d'insulter Mère Nature et l'humanité qui, dans sa grande générosité, tolère pourtant leur existence. »

Anna fit un pas hésitant en direction de Tania, qui la regardait avec appréhension.

« Frappe-la, ordonna Mrs Pincent en s'avançant. Fais-lui prendre conscience de ses fautes. Aide-la à tirer la leçon de ses erreurs et à comprendre ce que signifie son statut de Surplus. Fais-lui comprendre qu'elle n'est qu'un fardeau indésirable ; que chacun de ses pas le long de ces couloirs est un pas volé. Fais-lui comprendre qu'elle est inutile, que personne ne la pleurera si elle meurt et que, débarrassé de sa présence violatrice, le monde s'en portera même un peu mieux. Fais-lui comprendre tout cela, Anna. »

La voix de Mrs Pincent était grave, lourde de menaces, et Anna ne put réprimer un frisson. Tania devait comprendre, se dit-elle. Tania devait apprendre, pour son bien. Pour leur bien à toutes.

Lentement, elle leva la main et gifla Tania en pleine face. Tania la considéra sans rien dire, puis glissa un rapide coup d'œil en direction de Mrs Pincent ; alors elle adressa un sourire à Anna, un rictus moqueur chargé de haine et de mépris.

Anna soutint son regard quelques secondes avant de lever la main pour la frapper une seconde fois. Elle sentait la frustration et la colère bouillir en elle ; elle voulait se décharger de sa rage. Mais un blocage l'en empêchait. Elle avait beau vouloir apprendre à Tania Où-Était-Sa-Place, elle ne parvenait pas à la frapper. Et cette prise de conscience l'effraya, surtout lorsqu'elle vit le sourire de Tania s'élargir.

« Eh bien, frappe-moi, persifla-t-elle. Vas-y ! Ou peut-être n'es-tu pas aussi forte que tu le croyais, Surplus Anna ? »

Sans quitter Tania du regard, Anna réitéra son geste, mais se sentit paralysée de nouveau.

« Merci, Anna, finit par déclarer Mrs Pincent. Surplus Tania passera le reste de la nuit en Isolement, de même que Surplus Charlotte, après être toutes les deux passées dans mon bureau. Les autres seront privées de petit déjeuner demain matin et auront des corvées supplémentaires tous les soirs jusqu'à la fin de la semaine. »

En un éclair, l'insolence qui brillait dans les yeux de Tania fit place à la peur ; Anna la regarda se faire emmener avec Charlotte, tandis que le couloir se dépeuplait à toute vitesse.

« Allez vous brosser les dents. Ensuite je veux voir toutes les lumières éteintes », lança-t-elle, comme en pilotage automatique, en regagnant son dortoir tout en s'efforçant de comprendre d'où venait le malaise qu'elle éprouvait et pourquoi elle avait été incapable de punir Tania. « Les Surplus ont besoin d'une dentition saine, poursuivit-elle, répétant les paroles qu'elle avait entendues tant de fois de la bouche de Mrs Pincent. Personne ne paiera jamais de frais dentaires pour un Surplus. »

Lentement, elle traversa le dortoir pour aller voir Sheila, recroquevillée sur son lit, les genoux repliés contre sa poitrine.

« Va te laver les dents, Surplus Sheila, lui dit-elle avant de jeter un regard circulaire au dortoir. Plus de jeux jusqu'à nouvel ordre. Est-ce bien clair pour tout le monde ? Nous sommes toutes des Surplus, ici. Peut-être devrions-nous nous en souvenir pendant quelques semaines. »

Les autres haussèrent les épaules, acquiescèrent et partirent en rangs ordonnés vers les salles de bains pour se brosser les dents. Anna fit de même, et se retrouva côte à côte avec Sheila devant le lavabo.

« Tu sais, Anna, je ne suis pas un Surplus, lui chuchota-t-elle presque sans bruit, grimaçant de douleur au simple fait de bouger les muscles de son visage. Un jour, ils s'en rendront compte et je serai libre. Alors j'embaucherai Surplus Tania comme femme de ménage et je la punirai tous les jours. Et toi aussi, je t'embaucherai, Anna, sauf que je ne te punirai jamais. Sauf si tu le mérites, évidemment. »

Et sur ces mots, les yeux rivés droit devant elle, Sheila commença à se brosser les dents.

Chapitre 8

Le lendemain matin, Tania et Charlotte revinrent d'Isolement à temps pour le début des séminaires d'apprentissage du matin. Elles n'adressèrent aucun signe à leurs camarades Surplus. D'éloquentes marques rougeâtres leur zébraient les joues et les mains, et Anna se dit qu'elles devaient en avoir bien plus encore cachées sous la toile de leur uniforme. Leurs yeux trahissaient les signes d'une nuit sans sommeil : cernes, paupières tombantes.

Anna, qui se sentait elle-même fatiguée (et affamée par le manque de petit déjeuner), ne put s'empêcher de remarquer l'absence de Peter. Non pas que ce détail revête une quelconque importance à ses yeux. Par bien des aspects, c'était un soulagement : il l'avait mise hors d'elle à force de la narguer avec ses parents, bien plus qu'elle ne l'aurait cru possible. Elle n'aurait guère été surprise d'apprendre qu'il avait lui aussi passé la nuit en Isolement pour mauvaise conduite. En fait, elle s'attendait plus ou moins à le voir arriver avec Charlotte et Tania.

Mais point de Peter. Personne ne vint frapper à la porte ; personne n'a le droit d'interrompre le début du séminaire à la dernière minute.

Une fois épuisé le sujet de l'apparence physique de Charlotte et Tania, assorti du récit du jeu de la veille au soir, les Surplus présents se mirent à commenter à voix basse l'absence de Peter avec force coups de coude et regards furtifs en direction de son bureau, resté vide à côté d'Anna. Mais cette dernière était bien trop fière pour se mêler aux potins. Elle regardait résolument droit devant elle, s'efforçant d'ignorer les grognements de son estomac et d'écouter attentivement Mrs Dawson leur expliquer pourquoi les Surplus se devaient de maîtriser l'art de se rendre Invisibles – c'est-à-dire d'être toujours disponible sans faire sentir sa présence. Au fond, songea Anna, c'était sans doute une bonne chose que Peter ne soit pas là. Mrs Dawson arborait un air inflexible, et Peter ne manquait jamais l'occasion de mal se conduire pendant son cours, une punition ou une autre lui échouant immanquablement à la fin de l'heure.

Loin du petit gabarit de Mrs Pincent, Mrs Dawson était plutôt du genre imposant – près d'un mètre quatre-vingt-dix de haut, avec des boudins de graisse qui s'agitaient quand elle se déplaçait. Ses cheveux, pourtant retenus en chignon comme ceux de Mrs Pincent, parvenaient régulièrement à s'arracher à l'emprise de leurs épingles, si bien qu'elle passait son temps à ôter des mèches folles de son visage.

Anna aimait bien Mrs Dawson, et elle était déterminée à avoir de bonnes notes dans sa classe. Le Décorum était une matière cruciale pour les Surplus. D'après Mrs Pincent, les Légaux considéraient le Décorum comme l'un des atouts les plus attractifs chez les Surplus, tous sexes confondus.

« Le but est de faire oublier jusqu'à votre existence même, déclara Mrs Dawson d'une voix ferme. Vous devez savoir vous fondre dans le décor pour vaquer à vos corvées, mais être là quand on a besoin de vous. C'est un grand talent, que vous n'apprendrez à maîtriser qu'en vous entraînant... »

Anna acquiesça avec sérieux et s'imagina dans la maison de Mrs Sharpe, surgissant de l'ombre lorsque sa patronne aurait besoin d'elle, pour s'effacer dès qu'elle aurait terminé. Le parfait Surplus. Un vrai Bon Élément.

« Et comment ne jamais faire sentir sa présence ? Tania ? »

Anna coula un rapide coup d'œil en direction de Tania, qui regardait fixement devant elle.

« Toujours garder les yeux baissés, répondit-elle d'une voix un peu tremblante, toute trace de sa défiance de la veille à présent envolée.

– Et... ? insista Mrs Dawson.

– Ne jamais parler ni donner son opinion, poursuivit Tania. Ne pas penser, ne pas lire, ni faire quoi que ce soit qui puisse nous distraire.

– C'est exact, commenta Mrs Dawson en la contemplant d'un regard pensif. Et toi, Charlotte ? As-tu quelque chose à ajouter ? »

Charlotte, qui affichait un œil au beurre noir et une mine défaite, se mordit la lèvre. « Tâcher d'anticiper les exigences de nos employeurs Légaux, dit-elle avec hésitation. Toujours penser à ce dont ils pourraient avoir besoin, ou à ce qu'ils pourraient attendre de nous... »

Mrs Dawson opina du chef. « C'est juste, Charlotte. Toujours anticiper ce que pourraient désirer les Légaux. Et tes envies et tes besoins à toi, Charlotte ? »

Celle-ci baissa la tête. « Nous sommes des Surplus, marmonna-t-elle simplement. Nous n'avons ni envies ni besoins. Nous n'avons pas le droit de vouloir quoi que ce soit. Nous sommes là pour servir.

– Bien, approuva Mrs Dawson. Voyons cela en pratique, voulez-vous ? L'un après l'autre, je veux que vous traversiez la classe devant moi. En silence, pour que je n'entende pas un bruit. Anna, tu commences. »

Les Surplus se rassemblèrent tous d'un même côté. Anna traversa la salle le plus discrètement possible, suivie par Sheila et Tania, toutes les trois récompensées par des hochements de tête approbateurs de Mrs Dawson. Vint ensuite le tour de Surplus Harry, qui s'avança en relevant soigneusement les pieds, le front plissé par la concentration. Harry était une grande perche aux cheveux frisés, doté de pieds immenses et d'une silhouette quasi famélique. Il était arrivé à Grange Hall la même année qu'Anna, mais ressemblait plus aux Surplus arrivés à un âge tardif – il était taciturne, souvent ailleurs et, autant que pouvait en juger Anna, n'était bon dans aucune matière.

« Je t'entends, asséna sèchement Mrs Dawson. Fais demi-tour et recommence. »

Un peu rougissant, Harry retourna à son point de départ et s'élança à nouveau en regardant fixement ses grands pieds, comme pour les empêcher d'émettre le moindre son.

« Non ! s'écria Mrs Dawson après qu'il eut à peine fait deux pas. Recommence, maladroit ! »

Harry fit marche arrière et essuya son front perlant de sueur avant de repartir, cette fois en s'obligeant à poser ses orteils en premier, tout en épiant Mrs Dawson d'un œil craintif. À la moitié du parcours, l'Instructrice ouvrit la bouche comme si elle s'apprêtait à dire quelque chose. Harry écarquilla les yeux, anticipant déjà la critique, et ce faisant perdit l'équilibre ; il trébucha, voulut se rattraper à un pupitre et l'entraîna dans sa chute.

Mrs Dawson se dressa d'un bond.

« Debout ! vociféra-t-elle. Lève-toi, espèce de bon à rien de Surplus ! »

Harry se releva tout en se confondant en excuses, mais Mrs Dawson resta sourde à ses suppliques. Elle lui saisit les mains, les plaqua sur une chaise et, empoignant la badine qu'elle gardait toujours à proximité, la lui écrasa d'un coup violent sur les doigts. « Maladroit, hurla-t-elle, tu apprendras à faire attention ! Maintenant, recommence ! »

Le visage livide sous l'effet du choc et de la douleur, Harry rejoignit le groupe de Surplus qui attendaient leur tour. L'un de ses doigts était tordu dans le mauvais sens, et Harry semblait totalement désorienté au moment de s'élancer à travers la salle pour la quatrième fois. Il n'effectua qu'un quart du trajet avant de trébucher de nouveau, son corps tout entier crispé par la peur dans l'attente de l'inévitable châtiment.

Mrs Dawson le contempla avec dégoût. « Tu seras privé de dîner, ce soir, et tu t'entraîneras toute la nuit à traverser cette pièce. Si à l'heure du petit déjeuner tu ne parviens toujours pas à marcher en silence, tu ne mangeras rien de la journée et tu passeras la nuit suivante à t'entraîner jusqu'à ce que tu y arrives. C'est compris ? »

Harry hocha la tête et, les yeux cloués au sol, soutenant sa main ensanglantée, il repartit d'un pas chancelant vers le coin où se tenaient Anna, Sheila et Tania, tandis que Surplus Charlie prenait son tour.

« Elle s'en est prise à toi parce que Surplus Peter n'est pas là », glissa ce dernier à Harry en les rejoignant après avoir réalisé un sans-faute. Il posa sur Anna un regard lourd de sens. « Et Peter paiera, lui aussi. »

Anna se détourna. Elle s'en fichait. Tout ce qui lui importait, c'était de devenir un Bon Élément ; elle était bien décidée à ne se soucier de rien d'autre. Et même si sa lèvre tremblait légèrement, même si la peur et le doute l'étreignaient brusquement au point qu'elle avait l'impression de tomber en chute libre, elle était sûre que cela finirait par passer. Tout finissait toujours par passer, à Grange Hall. Mrs Pincent y veillait scrupuleusement.

Pendant le reste de la journée, Anna se consacra à ses séminaires d'apprentissage et à ses corvées avec un zèle qui aurait fait la fierté de Mrs Pincent. Elle récura le sol de son dortoir, et une partie du couloir pour faire bonne mesure. Elle arriva tôt au Réfectoire central afin d'aider aux préparatifs du dîner, et ne leva même pas les yeux au ciel en se voyant confier la découpe de la viande. En tant que Déléguée, elle aurait tout à fait eu le droit de charger un Surplus subalterne de ce travail. C'était une basse besogne, rendue plus pénible encore par le fait que les couteaux de cuisine avaient tous la lame si émoussée qu'ils égratignaient à peine la surface de la viande caoutchouteuse et remplie de nerfs qu'on leur donnait à manger une fois par semaine, des restes récupérés au Maxi-Marché local où les Légaux faisaient leurs courses. Mais Anna s'acquitta de sa mission avec soin, désossant et découpant la viande en s'efforçant de se rendre le plus invisible possible, les yeux baissés et le pas discret. Et pendant qu'elle travaillait, elle se concentra sur chacun de ses gestes en se répétant son serment du soir :

Je jure de payer ma dette, d'obéir,
Et d'être digne des Légaux pour les servir.
Je fais vœu de porter la Honte des Surplus
Et de racheter ma Faute envers Mère Nature.
Je fais vœu d'écouter, non de parler ;
De combler mes faiblesses et de me perfectionner.
Je jure de travailler dur et de respecter
La volonté de l'État si mon nom est appelé.

C'était le serment prononcé chaque soir avant l'extinction des feux. Il permettait aux Surplus de se rappeler Où-Était-Leur-Place, comme disait Mrs Pincent. Non pas que les Surplus puissent avoir d'autre but dans l'existence ; cela aurait signifié qu'ils avaient une raison de vivre, or ils n'en avaient aucune. Mais ce serment leur rappelait ce qu'ils étaient censés faire de leur vie et comment payer leur dette envers Mère Nature et l'État qui veillait sur eux au lieu de les renvoyer d'où ils venaient, comme ils le méritaient.

Anna avait toujours eu du mal à saisir ce concept ; où pourrait-on bien les renvoyer ? Mais elle n'osait jamais poser la question, de peur que Mrs Pincent ne décide de lui en faire la démonstration.

Légèrement contrariée à cette pensée, Anna se leva pour mettre la viande à bouillir dans la grande marmite. Mais, au même instant, elle sentit quelqu'un s'approcher derrière elle et fit volte-face, pour se retrouver nez à nez avec Surplus Charlie, qui se tenait à moins de cinquante centimètres d'elle. Surplus Charlie était un Délégué, lui aussi, mais là où l'autorité d'Anna s'exerçait par des paroles fermes, une foi indéfectible dans le règlement et une proximité très discutée avec Mrs Pincent, celle de Charlie émanait surtout de sa taille. Il n'était pas particulièrement grand pour ses quinze ans mais il compensait largement ce défaut par une carrure imposante, due, pour une part, à sa musculature naturelle, et, pour l'autre, à son habitude de réquisitionner les rations de ses voisins de table –, qui lui cédaient volontiers leur pain ou leur potage en dépit de la douleur qui rongeait leur estomac vide, sous peine de s'exposer à un sort bien pire que la faim. Charlie était capable de persécuter un garçon jusqu'à ce qu'il perde totalement le contrôle de sa vessie, ou de fomenter des châtiments si atroces que l'Isolement semblait un abri rassurant en comparaison.

Ce jour-là, il avait le visage particulièrement enflé, détail qu'Anna avait remarqué pendant le cours de Décorum sans vraiment y prêter attention. Il n'était pas rare que les Surplus arborent toutes sortes de contusions ou d'entailles – résultats de punitions, de bagarres ou de jeux. Personne ne demandait pourquoi untel avait la joue rouge ou unetelle la main pansée dans un bandage de fortune et, sauf en cas de blessure sérieuse, personne ne cherchait jamais à se faire – ou à vous faire – soigner. En de très rares occasions, on faisait appel à un médecin. Cela s'était seulement produit deux fois depuis l'arrivée d'Anna à Grange Hall, la première pour un garçon qui s'était fracturé la jambe pendant un jeu, et la seconde pour un nouveau Surplus fille qui avait trop de température. Tous les Surplus redoutaient la maladie. En l'absence de traitement de Longévité, ils étaient vulnérables au moindre mal, au moindre virus, mais peu acceptaient d'avouer leurs symptômes, à moins que cela ne soit strictement nécessaire ; la maladie était un signe de faiblesse, Mrs Pincent avait été très claire sur ce point. C'était la preuve que Mère Nature vous considérait comme un élément inutile et souhaitait vous Éliminer Plus Tôt.

C'est ce qui s'était passé avec le nouveau Surplus fille.

Elle avait attrapé quelque chose appelé « fièvre », et elle en était morte. Mauvais patrimoine génétique, avait expliqué Mrs Pincent à Anna quelques semaines plus tard. C'était Dans L'Ordre Des Choses.

Anna observa Charlie à la dérobée. Il avait la lèvre ensanglantée et l'œil gauche à peine visible, caché derrière la pommette enflée qui semblait presque le protéger. Bizarre, songea Anna non sans une certaine nervosité ; Charlie avait l'air encore plus menaçant quand il était blessé.

« Maintenant, au moins, je saurai à qui me plaindre si la viande est immangeable, fit-il d'un ton railleur.

– Qu'est-ce que tu me veux, Surplus Charlie ? Tu n'as rien à faire en cuisine », répliqua Anna en réprimant un mouvement de recul à sa simple vue. Elle se retourna vers la marmite pour continuer à y plonger les morceaux de viande, mais sentit avec malaise le poids de son regard posé sur elle.

« Ton petit copain, dit Charlie d'une voix grave, où est-il ? »

Anna fronça les sourcils, hésita. « Je ne vois pas de quoi tu parles, dit-elle d'un ton égal. Je n'ai pas d'ami, Charlie. »

Il se rapprocha d'un pas, si bien qu'Anna sentait son souffle contre sa nuque. « Surplus Peter, insista-t-il froidement. Où est-il ? »

Anna interrompit son geste. Charlie occupait le même dortoir que Peter. Si lui ne savait pas où le trouver, alors qui d'autre ?

Prudemment, elle lui fit face. « Pourquoi veux-tu savoir où est Peter ? » lui demanda-t-elle.

Charlie eut un sourire narquois. « J'en étais sûr. Alors il a accouru vers toi pour pleurnicher, hein ? » Il secoua lentement la tête. « Tu sais que ce Surplus file un mauvais coton, pas vrai, Anna ? Tu sais qu'il n'a que ce qu'il mérite. Et toi aussi. »

Anna serra le manche du couteau qu'elle tenait à la main.

« Je ne comprends rien à ce que tu racontes », répondit-elle en se forçant à regarder Charlie dans les yeux pour lui montrer qu'il ne l'impressionnait pas. Il ne représentait aucune menace pour elle, se dit-elle. Elle était une Déléguée ; pas un Surplus chétif tout juste bon à jouer les souffre-douleur.

Charlie haussa les épaules. « S'il est venu vers toi, ça ne fait aucune différence. Il l'avait bien cherché. Besoin d'apprendre un peu le respect. Mrs Pincent comprend tout, tu sais, Anna. Elle sait que Peter a eu ce qu'il méritait, alors inutile de lui raconter le contraire. Tu crois être son Surplus préféré, mais tu te fourres le doigt dans l'œil. Elle a pitié de toi. »

Anna sentit la colère lui vriller le ventre. « Personne n'a pitié de moi, Surplus Charlie », marmonna-t-elle.

Charlie eut un rictus mauvais et se pencha encore plus près. « Tout le monde a pitié de toi, Surplus Anna. Surtout Peter, précisa-t-il d'une voix grave, chargée de menaces. Pourquoi crois-tu qu'il essaie de te protéger ? Parce qu'il te trouve pitoyable, voilà pourquoi. »

Anna ouvrit des yeux ronds. « Me protéger ? répéta-t-elle. Je ne comprends pas de quoi tu parles.

– Je parle de ça, fit Charlie d'un ton agressif en ouvrant sa combinaison de travail pour révéler son torse orné d'une grosse ecchymose noir verdâtre. Ce type est un psychopathe. Et tout ça parce que j'ai dit que le plus grand des services à te rendre serait de mettre fin à ta misérable existence de Surplus. Et je le dis comme je le pense. »

Anna sentait l'haleine de Charlie balayer son front. Elle leva le menton pour bien lui montrer qu'elle n'avait pas peur.

« Où qu'il soit, poursuivit Charlie, je le retrouverai. Je l'ai cogné parce qu'il l'avait cherché, et je n'hésiterai pas à recommencer. Je le tuerai, s'il le faut. Mrs Pincent s'en fichera pas mal. Et je ferai en sorte que ça ressemble à un accident, t'inquiète pas pour ça. »

Avant qu'Anna ait eu le temps de répliquer, Charlie s'éclipsa, ratant de justesse une Domestique venue vérifier le travail en cuisine.

« Active-toi un peu ! vociféra-t-elle avec colère en découvrant le contenu de la marmite encore cru. Espèce de sale paresseuse de Surplus !

– Oui, répondit Anna d'un ton neutre malgré les idées qui s'entrechoquaient à l'intérieur de sa tête. Désolée, je vais me dépêcher. »

Elle ajouta de l'eau, plus un gros sachet de bouillon soluble pour épaissir la sauce, et se mit à remuer la mixture, mais le serment du soir lui était complètement sorti de la tête, à présent – remplacé par la pensée de Peter. Il était en danger. Elle devait absolument le prévenir, le mettre en garde contre Charlie. Elle savait que c'était strictement interdit ; que cela signifierait enfreindre chacune des règles qu'elle avait si ardemment fait respecter toute sa vie. Mais elle savait aussi qu'elle n'avait pas le choix. Elle avait beau le nier de toutes ses forces, Peter était son ami. Et c'est ainsi qu'Anna, qui ne s'était jusqu'ici jamais abaissée à écouter la voix de son cœur, se retrouva involontairement, inexorablement, sous son emprise.

À une heure du matin, Anna, les yeux grands ouverts, réfléchissait à ce qu'elle s'apprêtait à faire en calculant le temps nécessaire pour se rendre jusqu'en Isolement afin d'y vérifier la présence de Peter, la probabilité de réveiller l'un des Surplus de son dortoir ou, pire encore, de se faire arrêter dans un couloir. Il n'y avait plus de caméras dans les couloirs de Grange Hall – celles installées à l'origine s'étaient révélées trop coûteuses à l'entretien, et il n'y avait pas de budget pour en racheter d'autres. Mais Mrs Pincent n'avait nul besoin de caméras pour maintenir les Surplus au lit, la nuit ; elle s'appuyait plutôt sur une arme infaillible, cette bonne vieille peur, préférant arpenter elle-même les couloirs quand elle ne trouvait pas le sommeil, ce qui lui arrivait souvent. Si Anna se faisait intercepter hors de son lit, elle serait battue ; si elle était surprise en train de descendre en Isolement... elle n'arrivait même pas à s'imaginer un châtiment assez sévère.

Avec mille précautions, elle se redressa et jeta un regard circulaire au minuscule dortoir comble ayant autrefois servi de bureau au Directeur des opérations du département du Revenu et des Bénéfices. La pièce comprenait en tout dix lits, avec très peu d'espace entre eux, constitués d'un sommier métallique et d'un matelas fin. Neuf de ces lits étaient occupés par un Surplus endormi, les cheveux éparpillés sur son oreiller et les poings serrés en petites boules compactes, image reproduite en série derrière chacune des portes du couloir dans les autres dortoirs.

S'efforçant de ne surtout pas penser à ce qu'elle faisait, Anna se glissa hors de son lit et grimaça en posant son pied nu sur le sol dur et froid.

Tout doucement, et en mettant à profit ses cours de

Décorum, elle se faufila sans un bruit jusqu'à la porte et sortit dans le couloir. Grange Hall était étrangement silencieux – même les Petits semblaient plongés en plein sommeil. Une bouffée d'angoisse la submergea. Elle se sentait si exposée, si vulnérable, seule dans le noir, ses orteils recroquevillés contre le sol glacé. Avec cinq cents occupants et trente employés, les Surplus avaient rarement l'occasion d'être seuls à Grange Hall ; se retrouver ainsi livrée à soi-même était à la fois terrifiant et exaltant.

Après avoir franchi quelques portes, descendu des escaliers et s'être engouffrée dans le froid couloir sombre et humide qui traversait le sous-sol du bâtiment, Anna arriva enfin à proximité du quartier d'Isolement. Tremblante, elle serra ses épaules entre ses mains.

« Tu n'as pas intérêt à m'avoir fait venir ici pour rien, Surplus Peter », marmotta-t-elle en tournant à l'angle du couloir.

Mais elle se figea net et se plaqua aussitôt en arrière contre le mur. Là, devant la première des trois cellules, se tenait Mrs Pincent, accompagnée de deux hommes dont l'un portait Peter, franchissant le seuil de l'immense porte métallique.

Anna fronça les sourcils et tenta de comprendre ce qui se passait. Peter serait-il malade ? D'où le ramenaient-ils ?

Son cœur martelait l'intérieur de sa poitrine ; retenant son souffle, elle risqua un coup d'œil derrière l'arête du mur pour entrevoir la scène. Elle était sûre que personne ne l'avait vue, mais si Mrs Pincent et les deux inconnus avaient l'intention de remonter au rez-de-chaussée par l'Escalier 3, elle était bel et bien coincée. Il n'y avait absolument nulle part où se cacher – le couloir gris et nu ne comportait qu'une série de portes verrouillées dissimulant des placards à réserves ou d'autres secrets, et elle n'aurait aucune chance de semer ses poursuivants ; ils n'étaient qu'à quelques mètres à peine.

Mais à son vif soulagement, une fois que les hommes eurent déposé Peter dans sa cellule et refermé la porte, ils tournèrent les talons et suivirent Mrs Pincent de l'autre côté.

« Je vous paierai en haut, résonna la voix de Mrs Pincent comme le trio s'éloignait. Et si vous touchez un mot de cette histoire à qui que ce soit, les Autorités seront averties de vos petits trafics sous le manteau... est-ce bien clair ? »

Anna entendit les hommes marmonner en guise de réponse, patienta jusqu'à ce que le bruit de leurs pas eût complètement disparu, puis quitta sa cachette pour s'élancer vers la cellule de Peter.

« Peter, chuchota-t-elle, Peter, tu m'entends ? C'est Anna. »

Chapitre 9

Il fallut à Anna cinq bonnes minutes de chuchotements insistants et de coups discrets à la porte avant d'obtenir une réponse de Peter ; et encore, ce fut sous la forme d'un gémissement.

« Peter !? »

Il y eut un silence, puis un bruit de mouvement à l'intérieur, comme si Peter se rapprochait de la porte ; Anna se sentit à la fois pétrifiée et soulagée.

« Anna ? »

Sa voix semblait étouffée, presque ensommeillée.

« Oui. Je... venais juste m'assurer que tu allais bien. Je ne savais pas où tu étais passé, et Surplus Charlie... Je voulais juste vérifier que tu te trouvais bien ici », expliqua Anna en bégayant. Elle grelottait violemment et regrettait de ne pas avoir emporté sa couverture.

« Anna. C'est toi... »

Elle fronça aussitôt les sourcils. « Tu te sens bien ?

murmura-t-elle. Tu m'as l'air bizarre. Est-ce que Charlie t'a vraiment fait du mal ? »

Elle entendit Peter bâiller.

« Ma tête, dit-il. Je me sens... Ils m'ont donné un truc. Une injection. J'ai la tête qui tourne. Je suis là depuis combien de temps ? »

Anna se renfrogna. « Tu n'as pas reçu d'injection, Peter. Surplus Charlie t'a frappé en pleine tête. Il me l'a dit. Mais pourquoi es-tu en Isolement ? C'est Mrs Pincent qui t'a... ?

– J'en sais rien, répondit Peter d'une voix molle. Je me souviens de la bagarre... Mais Mrs Pincent est venue me tirer du lit, plus tard, et elle m'a amené ici. Pendant la nuit. Ils m'ont fait une piqûre... Quelle heure est-il ? »

Anna jeta un coup d'œil à son poignet.

« Une heure et demie, dit-elle, réalisant soudain avec horreur le peu d'heures de sommeil qui lui restait. Écoute, je ne peux pas rester, lâcha-t-elle dans un souffle. Je voulais juste te mettre en garde contre Charlie. Il veut te tuer, c'est ce qu'il m'a dit. Je ne savais pas où te trouver, alors...

– Je peux m'occuper de Charlie », répliqua Peter. Sa voix commençait à redevenir normale. « Mais, Anna, reste avec moi. Encore un peu... Ça m'a tant manqué de ne pas pouvoir discuter avec toi. »

Anna se mordilla la lèvre et sentit le rouge lui monter aux joues. Le sol était humide et glacial sous ses plantes de pieds, mais elle s'assit quand même devant la porte.

« Tu n'as pas à me défendre, tu sais, déclara-t-elle avec embarras. Tu ne peux pas laisser Surplus Charlie te persécuter. Je sais me débrouiller seule. Tu as déjà assez de problèmes comme ça.

– Je me fous d'avoir des problèmes...

– Tu ne peux pas dire ça ! protesta Anna. Quand tu sortiras d'ici... tu devras apprendre à te tenir.

– Si j'en sors », répliqua Peter d'une voix sombre.

Anna exhala un soupir. « Bien sûr que tu vas sortir d'ici, Peter. On t'a mis là pour que Ça Te Serve De Leçon, voilà tout.

– Et quel genre de leçon ? rétorqua Peter, irrité. Ne pas naître ? Ne pas avoir d'opinion ? Ne pas dire à Charlie qu'il n'est qu'un rustre et une grosse brute ? »

Les yeux d'Anna s'écarquillèrent. « Tu lui as vraiment dit ça ?

– Parfaitement. Et lui et cinq de ses copains se sont servis de ma tête comme d'un ballon de foot. J'imagine que c'est la raison pour laquelle je suis ici. Ils ont dû aller se plaindre à Mrs Pincent en disant que j'avais déclenché la bagarre ou je ne sais quoi.

– Charlie n'a jamais parlé d'une entrevue avec Mrs Pincent, répondit Anna. Lui non plus ne savait pas où te trouver.

– Comment ça ?

– Aucun de nous n'en avait la moindre idée. Enfin, je

n'étais pas absolument sûre que tu aies vraiment atterri ici. C'est pour ça que je... je...

– ... que tu es venue me chercher ? » compléta-t-il d'un ton malicieux, presque enjôleur.

Anna s'empourpra violemment.

« Je... voulais seulement savoir où tu étais », bredouilla-t-elle précipitamment. Elle s'éclaircit la gorge. « Alors qu'est-ce qui s'est passé ? Quand t'a-t-on amené ici ? »

Il y eut un silence, puis Peter reprit la parole d'une voix grave. « Je n'en sais rien... Ils sont venus me chercher la nuit dernière. Très tard, en tout cas, parce que je dormais déjà. Mrs Pincent m'a harcelé de questions, en me frappant chaque fois que je refusais de répondre. Ensuite, ils m'ont amené ici, puis sont revenus me chercher – tout à l'heure, dans la soirée, j'imagine. Elle s'est remise à me questionner, mais l'un des hommes a sorti une seringue et je ne me souviens plus trop de rien jusqu'au moment où ils m'ont remis dans la cellule. »

Anna plissa le front. Ça ne ressemblait à aucune des punitions qu'elle connaissait.

D'expérience, elle savait que Mrs Pincent avait plusieurs méthodes pour Infliger Une Bonne Leçon. Il y avait d'abord les châtiments corporels – habituellement à l'aide d'une ceinture, parfois d'une règle ou, plus rarement, à mains nues ; il y avait ensuite les privations diverses, plats chauds, repas entiers ou couvertures, selon l'infraction commise ; il y avait aussi les corvées supplémentaires, souvent tard le soir ; et il y avait l'Isolement.

« Quelles questions ? voulut savoir Anna. Est-ce qu'elle te demandait pourquoi tu étais un mauvais Surplus ? Parce que dans ce cas-là, il faut répondre : "Parce que j'étais stupide et ça ne se reproduira plus."

– Non, il ne s'agissait pas de ça. Elle n'arrêtait pas de me demander ce que je savais. Qui j'étais. Pourquoi j'étais là. Ils voulaient savoir où j'habitais avant. Je crois qu'ils voulaient que je leur parle de tes parents. Mais je n'ai rien dit. Je suis trop malin pour ta Mrs Pincent.

– Ce n'est pas ma Mrs Pincent, répondit Anna sur la défensive. Et pourquoi voudrait-elle des renseignements sur mes parents ? »

Anna avait prononcé ces mots non sans une certaine maladresse. Elle avait du mal à employer l'expression « mes parents », et plus encore à envisager la réalité de leur existence et leur rôle dans la rencontre entre Peter et Mrs Pincent.

Elle entendit quelque chose cogner contre la porte.

« Oui, répondit Peter. Tes parents.

– Qu'est-ce que c'était que ce bruit ? Et pourquoi Mrs Pincent s'intéresserait-elle à mes parents ? Pourquoi irait-elle penser une seconde que tu les connais ? Ce sont des criminels...

– Ce ne sont pas des criminels. Tes parents t'aiment, Anna. Et ils font partie du Réseau souterrain. »

Le même bruit sourd résonna de nouveau.

« Peter, chut... qu'est-ce que c'est ? fit Anna, nerveuse. Tu vas réveiller quelqu'un.

– Nous sommes deux étages en dessous des autres, Anna Covey. Je ne vais réveiller personne. J'ai besoin de me cogner la tête pour me réveiller. Ils ont dû me refiler quelque chose. »

Anna secoua la tête tandis que la réponse logique s'imposait à elle. « Les Surplus n'ont pas droit aux médicaments, asséna-t-elle avec fermeté. Tout le monde le sait. C'est inscrit dans la Déclaration. Et cesse de m'appeler "Anna Covey".

– C'est ton nom. Anna Covey. Un joli nom, je trouve. Et que les Surplus aient droit aux médicaments ou pas, je sais que ces types m'ont fait une piqûre. J'ai encore la marque sur le bras. »

Un peu à court d'arguments, Anna souleva un de ses pieds – ils lui faisaient désormais l'effet de deux blocs de glace – et le tint entre ses mains pour tâcher d'en raviver la circulation.

« Il faut que j'aille dormir, Peter, dit-elle tout doucement. Je venais juste voir si tout allait bien, et ça en a l'air. Évite de faire l'idiot, d'accord ? Mrs Pincent te fera sortir bientôt, j'en suis sûre. »

Elle attendit sa réponse. En vain.

« Peter ? J'ai dit que j'allais me coucher. Je...

– Je ne crois pas qu'elle me fera sortir, déclara soudain Peter. Anna, elle veut m'éradiquer. Je l'ai entendue, quand on était dans le couloir. Elle a demandé à un des deux types s'il s'y connaissait en techniques d'éradication... »

Anna secoua la tête, incrédule. « Ne sois pas stupide, Peter. Charlie est le seul à proférer des menaces. Et d'ailleurs, tu dormais quand ils t'ont ramené. Tu as rêvé, voilà tout. Tu sortiras sûrement demain. Et si ce n'est pas le cas, alors je reviendrai peut-être demain soir, juste pour m'assurer que tout va bien... »

Elle regretta aussitôt d'avoir prononcé ces paroles, mais avant qu'elle ait eu le temps de se reprendre, Peter répondit : « Oui, reviens, s'il te plaît », et sa voix lui parut incroyablement triste et vulnérable.

« Je ferai de mon mieux, promit-elle. Mais tu ne dois plus te battre avec Charlie. Si tu ressors... je veux dire, quand tu sortiras.

– Merci, Anna... tu es ma meilleure amie. »

Anna rougit.

« Tu es mon ami, toi aussi, dit-elle avec hésitation, sentant ces mots provoquer une impression curieuse dans sa bouche.

– Alors... évade-toi avec moi.

– Ne sois pas ridicule. Personne ne va s'évader. Pourquoi ne pas te donner du courage en pensant à ta sortie d'Isolement ?

– À vrai dire, je suis mieux ici, marmonna Peter. L'Isolement est le premier pas vers l'évasion. »

Il marqua une pause avant de reprendre la parole, cette fois d'un ton plus animé. « Anna, écoute-moi. J'ai vu les plans de Grange Hall. Il y a un passage secret vers l'Extérieur. Il débouche près du village. Je pourrais partir maintenant, si je voulais – je vois même la grille qui cache l'entrée du tunnel. Mais pas sans toi. Tu dois fuir avec moi, Anna Covey. »

La voix de Peter redevenait pâteuse à mesure qu'il parlait, mais elle semblait très proche, aussi, et Anna réalisa qu'il avait dû se coller contre la porte et qu'il se trouvait donc à quelques centimètres à peine. L'espace d'un instant, elle se laissa aller à s'imaginer en train de quitter Grange Hall avec Peter, laissant Mrs Pincent et Tania et Charlie derrière elle et courant pieds nus dans l'herbe vers un lieu magique, à l'abri... Mais alors même que ces pensées traversaient son esprit, elle sut déjà qu'il s'agissait d'un rêve inaccessible – inaccessible et dangereux, pour couronner le tout.

Un jour, par un après-midi d'hiver, alors qu'Anna était censée récurer les gros fours de la cuisine, Mrs Pincent l'avait surprise à regarder dehors derrière le store. Il neigeait, et le paysage alentour se couvrait rapidement d'un ravissant tapis blanc, même les hauts murs épais qui séparaient Grange Hall de l'Extérieur, où vivaient les Légaux. À travers les grilles, Anna avait vu les gens resserrer leur manteau autour d'eux et les avait observés d'un œil envieux, songeant à quel point ce devait être merveilleux de sentir le vent et la neige sur son visage. Les Surplus n'étaient guère autorisés à sortir, sauf cas de force majeure ; Mrs Pincent disait toujours qu'ils étaient plus facilement gérables à l'intérieur. Anna avait pressé son nez contre la vitre froide pour admirer le tourbillon des flocons, fascinée de les voir voleter dans sa direction et ondoyer devant la fenêtre avant de rejoindre leurs semblables pour former un épais duvet de blancheur délicieuse et immaculée recouvrant la grisaille et la saleté. Elle était en train de s'imaginer la sensation que cela devait faire de toucher quelque chose d'aussi magique, de le tenir au creux de ses mains et de le sentir fondre entre ses doigts, quand Mrs Pincent l'avait aperçue et rageusement arrachée à la fenêtre.

« Il ne neige pas pour toi ! avait-elle vociféré en traînant Anna par les cheveux jusqu'à son bureau avant de la jeter par terre pour aller chercher sa ceinture. Comment oses-tu gaspiller un moment de ton existence à regarder quelque chose de beau alors que tu devrais être au travail ? Rien de ce qui est bon dans ce monde n'existe pour toi ! » Abandonnant ses velléités de ceinture, elle avait commencé à gifler directement Anna à mains nues. « Apprends à rester À-Ta-Place, Anna. À-Ta-Vraie-Place ! Tu n'es rien. Tu ne mérites rien. Tu ne sentiras jamais la neige entre tes mains ou le soleil sur ta peau. Tu es indésirable sur cette terre, et plus vite tu l'accepteras, mieux ce sera pour nous tous.

– Je l'ai déjà accepté, avait gémi Anna en fermant les yeux pour mieux supporter la douleur. Je suis désolée, Mrs Pincent. J'ai succombé à la tentation. Ça ne se reproduira plus. Je sais Où-Est-Ma-Place. Je n'en mérite aucune. Je ne suis rien… »

Bannissant ce souvenir de sa mémoire, Anna scruta la surface de la porte métallique qui retenait Peter prisonnier. « Ne parle pas d'évasion, dit-elle avec agitation. Pourquoi ne pas accepter la réalité une bonne fois pour toutes ? Pourquoi ne peux-tu pas être mon ami, ici, à Grange Hall ?

– Parce que nous n'avons plus beaucoup de temps, répondit Peter d'une voix déclinante. Nous n'avons pas l'éternité devant nous, Anna. Contrairement à eux. Nous devons sortir d'ici avant qu'il soit trop tard. »

Les yeux toujours rivés sur le froid métal de la porte, Anna fit non de la tête, sans un mot. Trop tard pour quoi ? voulut-elle lui demander. À quoi bon se soucier du temps qui vous reste quand chaque instant de votre vie est déjà volé ?

Mais elle n'en fit rien. Elle se releva, pressa brièvement sa main contre la porte, puis força ses jambes transies à la ramener sans un bruit jusqu'aux tristes murs gris de son dortoir.

Le lendemain, au réveil, sa visite nocturne apparaissait à Anna comme un rêve, voire la vision irréelle d'un événement vécu par quelqu'un d'autre. Rien de tel que le contact de l'air frisquet du matin et la conscience de n'avoir que cinq minutes pour s'habiller et se présenter au petit déjeuner pour vous remettre les idées en place, songea Anna en enfilant sa combinaison de travail et ses longues chaussettes réglementaires qui lui arrivaient aux genoux. Rien de tel que la peur des coups pour se débarrasser de ses pensées dangereuses et y voir toute la supercherie qu'elles contenaient. Anna se sentait à présent coupable, honteuse et terrifiée à l'idée que quelqu'un l'ait vue se rendre au quartier d'Isolement en pleine nuit. Elle ne pouvait pas croire à sa propre hardiesse, pas croire qu'elle avait promis à Peter de revenir le lendemain soir.

Sans un mot, elle fit descendre son groupe d'Aspirantes jusqu'au Réfectoire central pour le petit déjeuner, en file indienne comme d'habitude. Comme elles approchaient de la salle à manger, Anna les fit s'arrêter pour les passer rapidement en revue, indiquant à l'une de remonter ses chaussettes, à l'autre d'arranger ses cheveux. Quand vint le tour de l'uniforme de Sheila, elle fronça les sourcils.

Sheila ne s'était jamais vraiment accommodée à Grange Hall, ni aux principes de la vie en institution. Et elle ne semblait bonne dans aucune matière – tout ce que Sheila entreprenait, que ce soit en cuisine, en ménage ou en raccommodage, semblait systématiquement aller de travers, et elle contemplait chaque fois son travail d'un air impuissant comme si elle ne comprenait pas elle-même pourquoi elle se retrouvait avec une tarte gondolée, un sol obstinément maculé de taches graisseuses ou un point de couture raté. Anna avait bien essayé de lui apprendre, au début, en lui faisant recommencer jusqu'à ce qu'elle y arrive, mais depuis quelque temps elle se contentait de la couvrir, incapable de supporter son air égaré et ses ecchymoses.

Pourtant, ce matin-là, Anna n'était pas d'humeur à tolérer l'incompétence de Sheila. C'était pour elle l'occasion parfaite de réaffirmer son autorité – sur les Surplus dont elle avait la charge, mais aussi sur elle-même. Un bouton pendait à la combinaison de travail de la jeune fille. Or tout le monde savait qu'il fallait toujours veiller à garder son uniforme dans un état impeccable.

« Tu as un bouton qui pend, dit-elle d'un ton sec. Va le recoudre. Tu ne peux pas te rendre au Réfectoire central dans cette tenue.

– Désolée, Anna, je ne l'avais pas remarqué », répondit Sheila à mi-voix. Les bleus sur son visage étaient désormais d'un violet foncé, et leur seule vision rendait Anna singulièrement mal à l'aise. « Puis-je manger d'abord et le recoudre ensuite ? »

Anna croisa son regard et, un bref instant, songea à accepter sa requête ; le petit déjeuner était le plus gros repas de la journée, avec ces énormes cuves de porridge alignées le long du mur permettant à chacun de se resservir au moins une fois. Sheila était déjà trop maigre ; un repas en moins, et ses joues creuses deviendraient quasiment inexistantes.

Mais Anna se ressaisit ; plissant les yeux, elle regarda l'Aspirante de haut.

« Non, maintenant, rétorqua-t-elle. Si tu loupes le petit déjeuner, c'est ta faute. Je ne te laisserai pas ternir la réputation de mon dortoir. »

Sheila l'observa sans un mot avant de tourner les talons et de remonter l'escalier, laissant Anna en proie à une plaisante sensation de contrôle. L'ordre était une bonne chose, se dit-elle avec fermeté. Les règles étaient faites pour être respectées.

Mais Anna avait beau se convaincre qu'elle allait bien, la vérité était tout autre. Une fois attablée devant son bol, elle porta sa cuillère à sa bouche mais fut incapable d'avaler quoi que ce soit. Le porridge lui semblait sec comme de la sciure. Après avoir failli rendre sa première bouchée, elle décida de renoncer à manger.

C'était la fatigue, conclut-elle. Rien de plus.

« Bien, dépêchez-vous. N'oublie pas que c'est votre tour de nettoyer le réfectoire, ce matin. Je veux que tout soit propre avant le début des séminaires d'apprentissage. »

Levant les yeux, elle aperçut Mrs Pincent penchée au-dessus de sa table et s'empressa de hocher la tête.

« Non, Madame l'Intendante, je n'ai pas oublié, dit-elle. Nous allons nous y mettre dès maintenant. Vous pouvez compter sur moi, ajouta-t-elle inutilement, arrachant à Mrs Pincent un haussement de sourcil.

– Eh bien, oui, je l'espère », fit cette dernière d'un ton austère avant de repartir en faisant claquer les talons de ses escarpins sur le carrelage du réfectoire.

Anna tourna la tête et aperçut Sheila, qui se tenait nerveusement dans l'encadrement de la porte. Le coup de sifflet final venait d'être donné, ce qui signifiait que le repas était terminé pour tout le monde. Et soudain, c'en fut trop pour Anna.

« Sheila, viens par ici, nous sommes de nettoyage ce matin », lui ordonna-t-elle d'une voix forte sans la quitter des yeux. Sheila acquiesça docilement, tout en jetant des coups d'œil furtifs vers l'autre extrémité de la salle où les cuves de porridge étaient déjà ramenées en cuisine.

Rapide comme l'éclair, Anna saisit son bol, qui était encore plein, et s'avança vers elle.

« Tiens, lui dit-elle tout bas en vérifiant que personne ne l'observait avant de le lui tendre. Avale ça vite fait et n'en parle à personne. O.K. ? »

Le visage de Sheila s'illumina, et elle s'empara du récipient avec gratitude. « Merci, Anna, glissa-t-elle d'une toute petite voix. Et pardon pour le bouton. »

Anna eut un bref hochement de tête et s'éloigna en se remémorant les paroles de Mrs Pincent au sujet des excuses. Ne jamais demander pardon à un autre Surplus, lui avait inlassablement répété l'Intendante quand Anna était devenue une Déléguée : le « pardon » implique un contrat, un degré d'exigence auquel on a failli et les Surplus ne bénéficient pas de ce luxe. Les Surplus ne sont pas censés demander pourquoi ni comment – ils obéissent aux ordres, un point, c'est tout. Parfois, Mrs Pincent marquait une pause et plissait très légèrement le front. La vie est on ne peut plus simple, quand on est Surplus, ajoutait-elle, d'un ton presque jovial. Il n'y a strictement rien à penser.

Chapitre 10

Plus tard, dans la matinée, Anna se rendit à son cours de Lessive & Blanchisserie, qui consistait ce jour-là à repasser tous les vêtements récoltés par le Foyer auprès des particuliers du village – ceux qui n'avaient pas de personnel de maison. Les bénéfices de Grange Hall n'avaient cessé d'augmenter au fil des ans, comme le soulignait toujours Mrs Pincent avec fierté. Le Foyer offrait un service de blanchisserie régulier à plus d'une cinquantaine de particuliers et à deux hôtels de la région, et l'excellente qualité de ses prestations était réputée – Anna entendait souvent Mrs Pincent s'en vanter, surtout auprès des représentants des Autorités.

Anna aimait beaucoup s'occuper du linge. Cela lui permettait d'admirer les draps fins et les beaux vêtements des gens du village : pulls en laine moelleux, chemisiers en soie légers comme des nuages et jolies robes de coton dans lesquelles elle s'imaginait parfois, virevoltant comme si la vie n'était qu'une merveilleuse succession de vacances.

Mais cette fois, ce n'était pas le cas. Ce jour-là, elle n'aspirait qu'à frotter – frotter pour ôter la crasse, frotter pour laver son esprit impur, frotter pour faire disparaître toute pensée de Peter et de leur rendez-vous nocturne. Elle avait même proposé de s'occuper des sous-vêtements, dont personne ne voulait d'habitude. C'étaient des accessoires rigides et compliqués, garnis de fils de fer (appelés « baleines », paraît-il) et impossibles à nettoyer correctement.

Anna n'avait jamais compris comment quiconque pouvait s'infliger le port de sous-vêtements si inconfortables ; en tout cas, jusqu'à ce qu'elle entre au service de Mrs Sharpe.

« La Longévité n'offre aucun remède contre la gravité, hélas », avait un jour expliqué cette dernière face à la moue de dégoût d'Anna, qui venait de soulever un engin particulièrement terrifiant appelé « gaine de maintien ». « Tant qu'on n'aura pas découvert un traitement capable de régénérer à la fois la peau et l'organisme, il faudra continuer à se gainer pour maintenir tout bien en place et éviter l'affaissement général. »

Anna avait acquiescé sans comprendre. Mais quelques jours plus tard, sa patronne l'avait appelée dans la salle de bains pour lui demander une serviette. Quand Anna était entrée et avait vu Mrs Sharpe dans le plus simple appareil, elle avait failli en hoqueter de stupeur – n'eût-ce été ses années d'apprentissage lui ayant appris à ne jamais regarder quelqu'un directement ou à ne pas réagir autrement que par un hochement de tête ou, si nécessaire, une courbette.

La vérité, c'était qu'Anna n'avait jamais vu un corps comme celui-là. Habillée normalement, Mrs Sharpe était vraiment très jolie avec sa peau dorée, ses cheveux blond platine et son ombre à paupières bleutée, mais son corps nu était si... flasque ! C'était le seul mot qu'Anna avait trouvé pour le décrire. Sa peau pendouillait misérablement autour de sa charpente, comme si elle était gorgée d'eau ou avait tout simplement perdu la volonté de rester ferme plus longtemps.

Anna avait gardé la tête baissée, mais Mrs Sharpe avait dû surprendre ses coups d'œil en coin parce qu'elle lui avait adressé un petit sourire triste.

« Je ne peux pas me résoudre à passer sous le bistouri, avait-elle soupiré en haussant les épaules tandis qu'Anna rougissait comme une pivoine d'avoir tant manqué de discrétion. C'est ridicule, je sais, alors que je pourrais tout me faire remettre en place en un rien de temps ! Mais parfois les choses se passent mal sur la table d'opération. Et maintenant que je sais que je vais vivre pour toujours, j'ai une peur folle de la mort. N'est-ce pas insensé ? »

Miss Humphries était responsable du séminaire de Lessive & Blanchisserie. Elle vérifiait immanquablement chaque drap, chaque chemisier et chaque serviette avant que le linge propre soit renvoyé, car Mrs Pincent exigeait que le moindre article soit repassé à la perfection avant d'être restitué à son propriétaire.

Anna était en binôme avec Peter depuis quelques semaines, mais ce jour-là, Miss Humphries l'avait associée à Sheila, ce qui, d'avance, signifiait qu'Anna devrait assurer le gros du travail elle-même si elle souhaitait atteindre les critères d'excellence exigés. Anna se demanda comment Sheila se débrouillerait, une fois à l'Extérieur ; saurait-elle un jour se montrer Utile à l'emploi ? Mais elle chassa cette pensée de son esprit. Sheila n'était pas sa responsabilité personnelle, se souvint-elle. Sheila était assez grande pour se prendre en charge.

Sans un mot, Anna et Sheila se lancèrent dans le repassage d'un immense drap de lit, le pliant au fur et à mesure en rectangles bien nets. Elles passèrent ensuite à un deuxième drap, puis à un troisième, une housse de couette, trois chemises et toute une série de sous-vêtements, jusqu'à ce que leur tas tout entier eût été transformé en une pile impeccable et parfumée.

« Ça m'a pas l'air bien propre, tout ça. »

Anna leva les yeux et découvrit Tania, plantée devant Sheila, en train de scruter leur pile de linge. Elle lui coula un regard d'avertissement, mais Tania rejeta une mèche de cheveux en arrière. « Pas de panique, dit-elle avec un sourire mielleux. Je ne vais rien faire. Mais, Sheila, je suis sûre que tes parents seraient très fiers de voir que leur sale petit Surplus inutile apprend à faire ses corvées, pas vrai ? »

Sheila se leva d'un bond, mais, même quand elle était debout, le sommet de son crâne atteignait à peine l'arête du nez de Tania.

« Moi au moins, mes parents ne m'ont pas abandonnée, persifla-t-elle. Je suis une Légale. Les Rabatteurs m'ont enlevée. Mais tes parents ne voulaient pas de toi, Tania, je me trompe ? Ils t'ont jetée à la naissance. Je parie que tu étais un bébé très laid. Je parie que tes parents ne pouvaient même pas supporter de te regarder. Et moi non plus. »

Le visage de Tania s'empourpra et Anna s'empressa d'intervenir. « Ça suffit, dit-elle avec colère. Tania, retourne travailler. »

Miss Humphries venait déjà dans leur direction ; Tania s'éloigna à contrecœur, non sans tirer au passage une mèche des cheveux roux de Sheila, lui arrachant des larmes de douleur.

« Pourquoi fais-tu ça ? lui demanda Anna en secouant la tête. Tu dois apprendre à l'ignorer, Sheila, sinon elle ne cessera jamais de s'en prendre à toi. »

Mais Sheila lui sourit avec bienveillance. « Ça ne me dérange pas, répondit-elle. Et puis je n'ai dit que la vérité. Tania a bien été amenée ici par ses parents, n'est-ce pas ? Personne au monde ne voulait d'elle. Contrairement à nous, Anna. Nos parents nous ont voulues. Cela fait de nous des êtres à part. »

Anna contempla Sheila avec stupéfaction. Comment parvenait-elle à retourner les faits aussi facilement ? D'après Mrs Pincent, les parents qui abandonnaient leur Surplus étaient des gens honorables ; Anna elle-même regrettait que ses parents aient été égoïstes au point de la cacher dans un grenier.

« Aucun Surplus n'est un être à part, souffla-t-elle avec agacement en s'assurant que personne ne les écoutait. Sheila, cesse de proférer ce genre de blasphème. »

Mais Sheila se contenta d'esquisser un sourire mystérieux.

Elles n'échangèrent plus un mot jusqu'à la fin du cours, et c'est seulement au moment de quitter la salle que Sheila se tourna vers Anna d'un air de conspirateur.

« Regarde », dit-elle en sortant quelque chose de sa poche – quelque chose de rose et de froufroutant, qu'Anna reconnut avec un sursaut. C'était une culotte. Mais pas du genre de celles que portaient les Surplus. Celle-ci était en soie toute douce, Anna se souvenait de l'avoir admirée pendant qu'elles la repassaient ensemble. Et voilà qu'elle avait atterri dans la poche de Sheila.

« Remets-la en place, siffla-t-elle. Tout de suite. Ou je te dénonce à Miss Humphries. Tu seras battue, Sheila. Vite, avant qu'elle s'en aperçoive... »

Mais Sheila secoua la tête avec défiance. « Je suis une Légale, pas un Surplus. Je devrais avoir droit à ce genre de chose, Anna. Et elle me plaît. Je n'ai pas envie de la rendre. »

Anna écarquilla les yeux, stupéfaite. « Sheila, répéta-t-elle d'un ton ferme. Remets ça à sa place, immédiatement.

– Quoi, alors il n'y a que toi qui peux avoir des secrets, maintenant ? »

Anna lui jeta un regard oblique. « Comment ça ? fit-elle en baissant la voix. De quoi est-ce que tu parles ?

– Je me suis levée la nuit dernière. Tu n'étais pas dans ton lit. Alors où étais-tu ? »

Anna se sentit pâlir. « C'est dans ta tête, rétorqua-t-elle. Tu as dû rêver. »

Sheila haussa les épaules. « Peut-être est-ce toi qui es en train de rêver, Anna. Peut-être que je n'ai rien dans ma poche. »

Anna la contempla avec des yeux ronds, mais avant qu'elle ait eu le temps de répondre, Miss Humphries arriva à leur table et passa méticuleusement en revue leur pile de linge. Anna ouvrit la bouche pour dénoncer Sheila, mais fut incapable de parler. Elle se contenta de la regarder fixement tandis que des gouttes de sueur perlaient à son front.

« Bien. Très bon travail, vous deux. Vous pouvez partir. »

Anna l'observa, confuse. « ... Partir ? » répéta-t-elle d'un ton hésitant.

Miss Humphries fronça les sourcils. « Oui, Anna, vous pouvez quitter la classe. »

Sheila la tirait par la manche, mais Anna se sentait comme clouée au sol, persuadée que si elle faisait le moindre mouvement, les foudres de Mère Nature en personne s'abattraient sur elle.

« Viens, Anna, fit Sheila avec un petit sourire. On va être en retard pour le déjeuner.

– Oui, tu as raison », répondit mollement Anna, non sans jeter un dernier coup d'œil en direction de Miss Humphries pour s'assurer qu'il ne s'agissait pas d'une feinte, que leur Instructrice n'allait pas brusquement éclater de rire parce qu'elles croyaient s'en être tirées comme ça, ou encore sortir une canne et les frapper sur les mains pour les punir d'être de sales petites voleuses, comme Mrs Pincent l'avait fait il y a des années de cela, la fois où Anna avait chipé une pomme abandonnée dans la cuisine pendant sa corvée de ménage.

Mais ce n'était pas une feinte. Miss Humphries était passée au binôme d'à côté pour inspecter son travail, et personne ne les regarda quitter la salle.

Ensemble, elles prirent le chemin du Réfectoire central. Sheila ne semblait pas le moins du monde inquiète ni tourmentée par son crime odieux. Anna, elle, se sentait assez nerveuse pour deux. Au moment de fourrer un petit pain et un morceau de fromage dans sa poche pour Peter, elle se demanda si elle n'était pas elle-même en train de s'enfoncer de plus en plus. Elle se demanda aussi si Mrs Pincent avait raison à propos des Surplus – qu'ils étaient intrinsèquement mauvais, programmés génétiquement pour être des parasites et ruiner le monde. Mais tout à coup, un Surplus Moyen apparut à ses côtés.

« Mrs Pincent veut te voir dans son bureau à vingt heures », lui dit-il, à bout de souffle.

Le cœur battant, Anna pivota vers lui. « Elle t'a dit pourquoi ? »

Le Moyen fit non de la tête. Ça n'avait rien de très étonnant ; après tout, les Surplus n'avaient nul besoin d'explications, seulement d'ordres. De toute façon, Anna savait déjà pourquoi. Mrs Pincent était au courant. Mrs Pincent savait toujours tout.

À vingt heures précises, Anna frappa au bureau de Mrs Pincent et, sur son ordre, ouvrit la porte. Respirant à fond pour apaiser les tiraillements de peur de son estomac et tenter de camoufler le sentiment de culpabilité qui l'avait habitée toute la journée, elle entra, s'arrêta sans un mot devant le grand bureau de Mrs Pincent et attendit que cette dernière prenne la parole.

Ce bureau représentait bien des choses pour Anna – confessionnal, chambre de torture, ou même cachot –, mais c'était une pièce qu'elle connaissait, qui lui était familière, voire étrangement rassurante. Mrs Pincent était toujours prompte à punir mais ne manquait jamais de justifier son geste, après coup. Alors qu'Anna gisait pantelante à terre ou soutenant son visage d'une main, Mrs Pincent lui souriait et disait qu'elle espérait que ce châtiment lui permettrait de faire des progrès pour devenir un bon Surplus et l'avait aidée à comprendre qui elle était. Et Anna faisait oui de la tête en pensant très fort à ce qu'elle avait fait, pour s'assurer qu'elle ne recommencerait plus jamais.

« Anna, dit enfin Mrs Pincent en posant sur elle ce regard acéré qu'elle avait connu et redouté toute sa vie, parle-moi de Peter. »

Anna releva la tête, alarmée, et la rabaissa aussitôt en signe de déférence. À travers sa poche, le petit pain et le fromage qu'elle avait volés au Réfectoire central semblaient lui brûler la jambe.

« ... Peter ? » répéta-t-elle. Elle déglutit péniblement, s'efforçant déjà de trouver les mots, d'expliquer son escapade nocturne.

« Je veux savoir ce qu'il t'a dit. Je veux savoir d'où il vient et pourquoi il est ici, poursuivit calmement Mrs Pincent.

– Pourquoi il est ici ? » répéta encore, nerveusement, Anna. Était-ce une question piège ? « Parce qu'il est un Surplus. Parce que les Rabatteurs l'ont retrouvé. Parce que...

– Je sais tout cela, l'interrompit Mrs Pincent d'une voix pleine de mépris. Ce que je veux comprendre, c'est *pourquoi* on l'a retrouvé. Pourquoi maintenant. Et je veux savoir ce qu'il raconte depuis son arrivée ici. »

Anna fixa le plancher avec angoisse. Mrs Pincent était-elle au courant du projet d'évasion de Peter ?

« Anna, reprit Mrs Pincent, cette fois d'un ton plus doux et amical, dis-moi tout ce que tu sais. C'est pour son bien, tu comprends ? »

Anna leva furtivement les yeux et vit que Mrs Pincent l'observait avec bienveillance. La jeune fille s'éclaircit la voix mais buta sur les mots. « Il... Il...

– Eh bien ? fit Mrs Pincent, qui serrait si fort les poings sur son bureau que les articulations de ses mains étaient blanches. Je t'écoute ! »

Anna sentit désespérément sa gorge se nouer. Elle ne pouvait pas lui dire. Pour la première fois de sa vie, elle ne pouvait pas révéler à Mrs Pincent ce qu'elle voulait savoir.

« Il s'est fait prendre dans l'Essex, déclara-t-elle enfin. Il a dit que ses parents ne lui avaient jamais parlé de la Déclaration et qu'il en avait assez de se cacher tout le temps. »

Son cœur cognait à toute allure ; elle parvint tant bien que mal à garder un air normal en enfonçant ses ongles dans ses paumes de plus en plus rouges et moites.

« Et quoi d'autre ? cracha Mrs Pincent. Il a dû t'en dire plus ! »

Anna eut le sentiment d'être aspirée définitivement dans des sables mouvants. « Qu'il avait du mal à s'adapter, répondit-elle. Du mal à apprendre les règles. J'ai essayé de le guider. J'ai fait de mon mieux... »

Mrs Pincent opina du chef sèchement.

« A-t-il fait quelque chose de mal ? » demanda Anna en s'empourprant aussitôt – les questions directes étaient une offense à la discipline, surtout lorsqu'elles s'adressaient à Mrs Pincent en personne. « Je veux dire, pour être envoyé en Isolement, bafouilla-t-elle. Enfin, si c'est bien là qu'il se trouve... »

Plus elle parlait, plus elle sentait sa poitrine se comprimer sous l'effet de la peur. Non pas peur pour elle, mais peur de la vérité. Au cas où ce serait trop dur à entendre. Au cas où Peter ne reviendrait plus jamais.

Mais au lieu de l'invectiver pour son insolence, ou de lui répondre que Peter méritait de croupir en Isolement, Mrs Pincent plissa le front et se leva.

« Anna, Peter a besoin d'un peu de temps pour réfléchir à son rôle dans ce monde », dit-elle avec pénétration.

Anna acquiesça. Mrs Pincent contourna son grand bureau en acajou pour venir se placer devant elle, la lumière du plafonnier créant une sorte de halo poussiéreux au-dessus de sa tête.

« Anna, cela va sans doute paraître difficile à comprendre pour un bon Surplus comme toi, doté du sens des responsabilités », dit-elle en croisant les bras. Ce geste lui conférant soudain un air presque fragile avec son corps frêle et ses coudes repliés contre sa poitrine, il renvoya à Anna l'image d'une femme nerveuse, loin de la matriarche agressive à laquelle elle était habituée, et cette vision la déstabilisa profondément.

« Tu comprends Où-Est-Ta-Place dans le monde, poursuivit Mrs Pincent. Tu comprends ta dette envers Mère Nature. Mais Peter, lui, ne se voit pas comme un Surplus. Il se prend pour un être supérieur, comme s'il avait une place légitime dans ce monde. »

Mrs Pincent marqua une pause, et Anna vit le venin familier s'insinuer de nouveau dans son regard. La Directrice retourna s'asseoir sur son fauteuil et asséna un coup du plat de la main sur son bureau. « Peter est un danger pour les autres Surplus, et un danger pour cette planète, reprit-elle d'un ton nettement plus cassant. Voilà pourquoi il est en Isolement. Je ne laisserai plus personne prononcer le nom de ce garçon jusqu'à ce que nous l'ayons débarrassé de ses pensées illicites. Tant que je ne serai pas sûre d'avoir accompli mon devoir et de lui avoir fait accepter la vérité, je refuse de courir le risque qu'il vous contamine tous. C'est un Surplus, Anna. Il a bien de la chance de s'être vu offrir la possibilité de racheter la Faute de ses parents. Et je tiens à ce qu'il en prenne conscience. À la dure, s'il le faut. »

Elle marqua une nouvelle pause, puis fit un bref signe de tête. « Ce sera tout, Anna. Retourne à tes corvées. »

Anna acquiesça sans un mot et tourna les talons.

« Et, Anna... »

Elle se figea net.

« J'ai cru comprendre qu'un article avait disparu pendant ton cours de Lessive & Blanchisserie aujourd'hui. Retrouve-moi le coupable, veux-tu ? Et envoie-le à mon bureau. Je le veux pour demain soir au plus tard. »

Anna se mordit la lèvre. « Bien, Mrs Pincent. »

Elle sortit du bureau et referma la porte derrière elle. Mais au lieu de repartir tout de suite vers son dortoir, elle s'adossa un instant contre le mur pour souffler, à la fois soulagée d'être sortie de là et terrifiée à l'idée de ce qui l'attendait.

Elle inspira à fond et entendit résonner la voix de Mrs Pincent – sans doute la Directrice avait-elle décroché son téléphone. Anna soupira, et elle s'apprêtait à repartir quand elle entendit Mrs Pincent prononcer son nom. Sous le choc, elle releva la tête. Mrs Pincent ne pouvait pas être en train de l'appeler ; elle ne pouvait pas savoir qu'Anna était restée dehors dans le couloir. Intriguée, elle se rapprocha de la porte.

« Oui, Anna. Une Déléguée. Non, elle n'a pas été fichue de me dire quoi que ce soit. Cette pauvre idiote a été si bien endoctrinée qu'elle n'a pas une once de jugeote. Mais j'imagine que je devrais plutôt m'en vanter... »

Anna sentit son cœur s'emballer.

« Écoutez, ça n'a aucune importance... L'essentiel, c'est qu'on se débarrasse de lui, crachait Mrs Pincent d'un ton amer. Je pensais pouvoir en tirer quelques renseignements utiles, mais c'est peine perdue, je ne veux plus de lui ici... Non, je ne peux pas le renvoyer. Les Autorités semblent le considérer comme un cobaye de choix pour étudier l'adaptation d'un nouvel Aspirant en Foyer de Surplus. Mais je refuse que *mon* foyer serve de laboratoire – pas ce genre de laboratoire, en tout cas. Non, j'ai besoin de votre aide... Oui, exactement. Et il faut que ça ait l'air naturel. Une crise cardiaque provoquée, peut-être. Si leur jeune héros meurt d'une maladie d'Affranchis, les Autorités pourront difficilement nous en blâmer, n'est-ce pas ? »

Il y eut un silence, pendant lequel Anna sentit tout le poids de son corps s'enfoncer dans le mur en réalisant ce qu'elle venait d'entendre. Quelques secondes plus tard, l'Intendante reprenait la parole.

« Oui, je sais... je vois... pas ce soir ? dit-elle d'un ton funeste. Alors quand ça ? demain ? Comment ça, vous avez du travail ? Vous travaillez pour moi, je vous rappelle. Bien, c'est d'accord... Alors il faudra que ce soit de très bonne heure. Disons quatre heures du matin... Oui, je passerai vous prendre. »

Soulevant péniblement ses jambes, qui lui faisaient l'effet de deux poids morts, Anna se força à s'éloigner de la porte. Elle avait la poitrine en feu. De petits points se mirent à danser devant ses yeux, et elle crut qu'elle allait s'évanouir. Il devait forcément y avoir une explication, se dit-elle, au désespoir. Mrs Pincent ne dirait jamais des choses pareilles. Jamais, jamais. C'était impossible.

Mais elle les avait dites, pourtant. Anna l'avait bien entendue. Elle sentit la nausée l'envahir et faillit avoir un haut-le-cœur. Mrs Pincent voulait se débarrasser de Peter. Elle allait le tuer.

Anna ferma les yeux un instant, s'efforçant de penser à un possible malentendu qui lui aurait fait interpréter les propos de Mrs Pincent de travers – tentative comme une autre de ramener les choses à la normale. Mais elle savait que cela ne servait à rien.

Et le pire, réalisa Anna – à sa grande honte, car rien ne devrait pourtant être pire que Mrs Pincent planifiant la mort de Peter –, le plus douloureux c'étaient ces paroles qui s'étaient enfoncées en elle comme la lame d'un couteau et que Mrs Pincent avait employées pour la décrire ; ce mot d'« endoctrinée », qu'elle avait éructé, comme s'il s'agissait d'une chose répugnante dont elle aurait voulu se débarrasser. Comme si devenir un bon Surplus, un Bon Élément, tout ce qu'Anna s'était toujours évertuée à être, était une aspiration méprisable aux yeux de la Directrice.

Anna n'avait jamais *réellement* connu la haine, auparavant, mais ce sentiment se répandait à présent dans son corps tout entier tel un cancer, la remplissant d'une force et d'une émotion qu'elle ressentait pour la première fois de son existence et ne savait ni contenir ni exprimer.

Comme prise de vertiges, elle repartit sans réfléchir vers son dortoir. Puis, hébétée, changea de cap et se dirigea vers l'Escalier 2, accélérant le pas jusqu'à courir, ignorant les regards intrigués des Surplus Moyens qui s'écartaient sur son passage en baissant les yeux de peur de se faire repérer par la plus redoutable de toutes les Déléguées, et surtout sans voir Sheila, qui l'épiait secrètement dans l'ombre.

Mrs Pincent ne s'en sortirait pas comme ça, se répétait Anna en boucle. Non. Il n'en était pas question.

Anna, la pauvre idiote sans une once de jugeote, veillerait à en faire son dernier coup d'éclat.

Chapitre 11

5 mars 2140

Mrs Pincent est un monstre. Peter avait raison – c'est la pire Légale qui ait jamais existé. Je la hais. Je la hais comme je n'aurais jamais cru avoir de haine pour personne. Je la hais tellement que je me sens bouillir de partout. Elle veut tuer Peter. Dire que j'ai refusé de le croire. Il doit absolument fuir, le plus loin possible de cet endroit.

Je n'ai plus très envie de rester ici, moi non plus. Mais où aller ? Je ne peux pas m'échapper avec Peter, quand même.

C'est impossible.

Non ?

À vingt et une heures, après s'être copieusement aspergé le visage d'eau glacée pour au moins assortir son teint à ses yeux, encore rougis, Anna sortit de la Salle de Bains F2. Dans le couloir, elle ignora délibérément le petit groupe de Surplus amassé devant la porte, attiré par ses bruits de sanglots étouffés, et regagna le dortoir. En entrant, elle remarqua que toutes les filles étaient réunies sur deux lits, serrées les unes contre les autres. À son arrivée, elles sursautèrent, même Tania, et partirent s'activer aux tâches qu'elles auraient déjà dû entreprendre, à savoir balayer le sol et passer un chiffon sur les rebords des fenêtres avant la sonnerie d'extinction des feux et l'inspection de fin de journée. Mais Anna, qui, d'habitude, aurait aboyé ses ordres ou réprimandé les filles pour leurs bavardages, leur accorda à peine un regard. Quelle importance si elles faisaient le ménage ou non ? Quelle importance si le dortoir était sale ? Voilà exactement comment elle se sentait à l'intérieur : sale et usée.

« Anna ? Anna, tu te sens bien ? »

Anna, qui n'avait pas remarqué la présence de Sheila à ses côtés, tressaillit et lui jeta un regard oblique.

« Je vais bien, répliqua-t-elle d'un ton abrupt en tâchant de supprimer toute émotion de sa voix. J'ai un truc dans l'œil, c'est tout. »

Sheila acquiesça en la regardant bizarrement. « Je me disais que tu avais peut-être oublié ta Tournée d'Extinction », insista-t-elle.

Anna se figea net. Cela lui était complètement sorti de la tête. La Tournée d'Extinction consistait à faire le tour de l'étage, après la première sonnerie du soir, afin de s'assurer que les lumières étaient éteintes et que chaque

Surplus était bien dans son lit. Les Moyens devaient être couchés entre vingt et une heures et vingt-deux heures, selon leur âge, et les Aspirants à vingt-trois heures. Au-delà, on ne devait plus entendre le moindre bruit nulle part – sauf au dernier niveau, naturellement. Les Petits n'avaient pas encore la notion du règlement et des horaires. Ils n'étaient pas là depuis assez longtemps pour avoir été endoctrinés, songea Anna avec dégoût.

« Non, non, répondit-elle d'une voix tendue. Bien sûr que je n'ai pas oublié. Et je vais très bien – contrairement à ces rebords de fenêtres dont on voit la crasse d'ici. »

Sheila acquiesça docilement et partit chercher un chiffon à poussière pendant qu'Anna prenait une longue inspiration et se levait de son lit. *Il y a toujours quelque chose à faire*, se dit-elle. *Et pour ça, on peut toujours compter sur Anna.*

Anna ne considérait pas la Tournée d'Extinction comme une corvée difficile. Certains Aspirants manquaient d'autorité et ne parvenaient pas à se faire suffisamment craindre des Surplus pour leur faire éteindre la lumière et leur imposer le silence ; mais pas Anna. Les autres savaient à quel point elle prenait son rôle de Déléguée au sérieux, qu'elle ne se soustrayait jamais à ses responsabilités en tant que chef de la discipline, et qu'elle ne leur passait jamais rien quand elle était de Tournée. Son œil de lynx voyait absolument tout (Domestiques introduisant des jouets clandestinement pour leurs Petits préférés, messes basses, derniers passages express aux toilettes qui auraient dû se dérouler dix minutes plus tôt...) et beaucoup disaient qu'elle était plus proche de Mrs Pincent que de n'importe quel Surplus.

Mais ce soir-là, celle qui l'aurait observée plus attentivement n'aurait pu s'empêcher de déceler chez elle une certaine agitation ; de noter son regard vitreux, loin de sa vigilance habituelle, et même le léger voile de désintérêt qui pointait dans sa voix. Elle visita bien sûr chaque dortoir pour faire respecter l'ordre, agitant sa cloche et vitupérant les Surplus qui n'étaient pas encore au lit, mais il n'y avait ni énergie ni ardeur dans sa façon de faire. Si une fille avait tenté de lui désobéir, ou de la défier, elle aurait sans doute haussé les épaules et serait repartie sans un mot au lieu de la punir avec rudesse. Ce soir-là, Anna se fichait pas mal de sa Tournée d'Extinction. Que le règlement ne soit pas respecté, et alors ? Qu'elle n'obtienne pas un silence absolu en quittant chaque dortoir, et alors ? Quelle importance tout cela pouvait-il bien avoir ?

Mais, par chance, aucun des Surplus présents ne la regarda assez attentivement et toutes les filles lui obéirent sans broncher, comme d'habitude. Plusieurs dormaient par terre à côté de leur lit, mais cela était normal et accepté.

Quand les Surplus filles avaient leurs règles, elles devaient porter un foulard rouge autour du cou pour montrer à tout le monde qu'elles étaient impures, que leur corps était sale et faisait étalage de sa fertilité, ce qui était honteux et malsain. Chaque fois qu'un Surplus fille atteignait la puberté et découvrait ses premières gouttes de sang sur un mouchoir ou sur le tissu de ses sous-vêtements, elle était envoyée à Mrs Pincent pour s'entendre dire qu'elle n'était plus seulement victime de son statut de Surplus, mais criminelle potentielle ; que son corps était désormais l'ennemi de Mère Nature et que la douleur qu'elle éprouverait chaque mois était une punition imposée pour lui rappeler ses Fautes. Tout Surplus fille osant répandre la moindre tache de sang sur ses draps était battue puis frottée avec une brosse en paille de fer pour la laver de sa Souillure, et bien lui faire comprendre que son corps était un élément hostile, méprisable et à surveiller. Peu avaient échappé à ce châtiment, et la plupart des filles préféraient dormir sur le sol dur et froid de leur dortoir quand elles avaient leurs règles, pour être sûres de ne pas salir leur literie – une solution encouragée par Mrs Pincent en personne, car le sol était plus facile à nettoyer que les draps, et que l'inconfort de quelques nuits sans sommeil n'était rien comparé à la destruction potentielle que leur corps pouvait amener sur ce monde.

À vingt-trois heures, tout le monde était couché, comme

d'habitude ; Grange Hall plongé dans le silence, Anna partit se mettre au lit en attendant que les autres s'endorment.

Mais dormir était la dernière de ses préoccupations. Malgré la fatigue, elle était encore parfaitement en alerte et, à une heure du matin, quand elle fut bien certaine que tous les Instructeurs et Instructrices et Mrs Pincent étaient eux-mêmes couchés, elle se rassit dans son lit et jeta un regard circulaire au dortoir. Dehors, à travers la finesse des stores, elle voyait les arbres ployer sous les bourrasques de vent comme dans une danse macabre, leurs branches ressemblant à des doigts noueux tendus dans sa direction. Mais les fenêtres à triple vitrage ne laissaient passer aucun son. Anna n'entendait que le souffle paisible des autres Aspirantes qui dormaient à poings fermés.

Elle se glissa hors de son lit et, frissonnant au contact de l'air glacé, s'enveloppa d'une couverture avant de se diriger à pas feutrés vers la sortie.

Dans le couloir, si familier et pourtant si différent à présent, parfaitement désert au cœur de la nuit, Anna réalisa qu'elle n'avait jamais ressenti une telle liberté depuis qu'elle était pensionnaire de Grange Hall. Malgré la pénombre et le froid, malgré les ombres mouvantes et menaçantes projetées le long des murs par les faibles rayons de lune qui parvenaient à s'immiscer dans les interstices des portes, Anna se sentait libre, seule dans ce couloir. Elle était sortie de son lit de sa propre initiative, non sur un ordre ou une injonction quelconque. Et la jubilation pure qu'elle éprouvait à agir ainsi selon sa volonté, même si elle risquait l'Isolement, lui donnait la sensation de flotter.

Pourtant, elle ressentait de la peur ; le contraire eut été une preuve de stupidité de sa part. Mais elle réalisa aussi qu'au fond elle craignait surtout de ne jamais plus pouvoir se déplacer ainsi, invisible, sans devoir rendre de comptes à personne.

Elle était si absorbée par ses pensées qu'elle ne remarqua le bruit de pas derrière elle qu'après avoir parcouru la moitié du couloir ; alors elle se figea sur place, n'osant même plus bouger un muscle.

Terrifiée, elle se retourna tout doucement pour tenter d'apercevoir qui la suivait. La lenteur de ses mouvements contrastait avec l'agitation de son cerveau, qui cherchait fébrilement une excuse pour justifier sa présence hors du dortoir. Elle avait une crise d'insomnie. Elle était partie chercher un verre d'eau. Autant de règles qu'elle n'avait pas le droit d'enfreindre mais qui demeuraient nettement moins graves que la vérité. Quoi qu'il arrive, elle devait poursuivre sa mission. Il en allait de la vie de Peter.

Mais lorsqu'elle se retourna, personne. Troublée, elle regarda autour d'elle. Pas la moindre présence. Aurait-elle imaginé ce bruit de pas ? Non, c'était impossible. Tout comme la probabilité de voir les gens se volatiliser dans l'air.

Anna fronça les sourcils et, un peu inquiète, se remit en marche. Mais quelques secondes plus tard, le bruit se fit de nouveau entendre, résonnant discrètement dans son dos. Anna fit aussitôt volte-face et écarquilla les yeux en découvrant qui se tenait devant elle.

« Sheila ? lâcha-t-elle, à la fois stupéfaite et soulagée de ne pas se retrouver nez à nez avec une Légale. Sheila, qu'est-ce que tu fais là ? »

Sheila était si pâle, si maigre, qu'elle semblait presque luminescente sous l'éclat de la lune, qui jetait un halo régulier dans les interstices du couloir ; elle dévisagea Anna avec crainte.

« Je veux venir avec toi, dit-elle lentement d'une petite voix timide. Où que tu ailles, je veux t'accompagner. »

Anna la fixa d'un air incertain. « Je ne vais nulle part, souffla-t-elle avec colère, espérant ainsi l'intimider suffisamment pour qu'elle lui obéisse. Retourne te coucher.

– Tu vas rejoindre Peter, répliqua Sheila, toujours aussi nerveuse, mais les traits peu à peu raffermis par une expression de défiance qu'Anna reconnut aussitôt. Je le sais. »

Anna crut que son cœur allait se décrocher ; mais elle parvint à secouer la tête d'un air étonné. « J'ignore de quoi tu parles, dit-elle. Retourne dans ton lit.

– Si tu ne vas pas rejoindre Peter, alors où vas-tu ? »

Anna la considéra un instant, puis s'avança vers elle et posa ses mains sur ses épaules.

« Sheila, retourne te coucher tout de suite, tu m'entends ? Sinon je te fais boucler en Isolement dès demain. Est-ce que c'est clair ? »

Elle attendit quelques secondes, plissa les yeux. « Est-ce que c'est clair ? » répéta-t-elle.

Sheila hocha tristement la tête.

« Je vais retourner me coucher. Mais si tu vas quelque part avec Peter, vous devez m'emmener avec vous, dit-elle d'une voix tremblante. Je t'en prie, Anna...

– Au lit, lui ordonna celle-ci en lui pressant l'épaule. Et ne te fais pas prendre », ajouta-t-elle dans un murmure. Puis, sur ces mots, elle tourna les talons et repartit non sans écouter Sheila regagner le dortoir d'un petit pas docile.

Peter était parfaitement éveillé quand Anna atteignit enfin les sombres confins du quartier d'Isolement. À peine avait-elle gratté à sa porte et chuchoté son nom qu'elle l'entendit bondir dans sa cellule et venir dans sa direction.

« Anna ! » souffla-t-il d'une voix si exaltée qu'elle se sentit aussitôt gonflée de joie. Jamais personne n'avait paru si heureux d'entendre le son de sa voix, ni prononcer son nom avec autant d'espoir.

« Je savais que tu viendrais. J'en étais sûr ! »

Anna sourit et posa sa main contre la porte.

« Peter, tu avais raison, murmura-t-elle d'un ton alarmé, passé l'allégresse des retrouvailles. À propos de Mrs Pincent. Elle... cherche à se débarrasser de toi. Tu n'es pas en sécurité, ici. Il faut que tu t'en ailles.

– Bien sûr qu'il faut que je m'en aille, rétorqua-t-il. Mais pas sans toi. »

Anna se mordit la lèvre. « Peter, c'est impossible. Ma place est ici. Je ne suis pas comme toi.

– Si, justement, répondit le garçon d'une voix étranglée. Anna, tu n'as rien à faire ici. Ta place est auprès de tes parents. Avec moi. Tu *dois* m'accompagner.

– Je ne connais pas mes parents, répliqua vivement Anna tandis que des larmes commençaient à lui picoter les yeux. Comment pourrais-je avoir ma place auprès de gens que je ne connais pas ? Et eux, voudraient-ils de moi ?

– Ils espèrent ton retour plus que tout au monde, répondit Peter d'un ton soudain plus grave. Laisse-moi te parler d'eux, Anna. Tes parents sont des gens bien. Ils m'ont accueilli et... »

Il s'interrompit.

« Ils veulent te revoir, Anna. Ils t'aiment plus que tout au monde.

– Personne ne m'aime, fit-elle. Personne. Je ne suis qu'un Surplus.

– Non, s'emporta Peter, c'est faux. Lorsque tu seras dehors, tu comprendras. Tu verras comme le monde est beau, et tu réaliseras que Grange Hall est un leurre. Ici, ce n'est pas le monde, Anna. C'est un mensonge. Tout est faux. »

La jeune fille resta silencieuse.

« Tu avais une chambre, Anna. Une chambre remplie de jouets. Et plein de livres… » Anna essuya une larme « Pour tes parents, tu étais la plus belle chose qui leur soit jamais arrivée. Ils ont tout risqué pour t'avoir et t'offrir ce qu'il y avait de meilleur. »

Peter marqua une nouvelle pause, puis se remit à lui parler de ses parents, de toutes sortes de gens qui semblaient attendre impatiemment son retour, de la vie qui aurait pu – aurait *dû*, précisa-t-il – être la sienne. Et plus elle l'écoutait, plus Anna avait le sentiment de flotter, comme si toute la souffrance et l'humiliation de cette journée quittaient lentement son corps. Elle se serra dans sa couverture, ferma les yeux et se mit à imaginer toutes ces choses que lui racontait Peter. C'était comme s'ils gravissaient ensemble une montagne majestueuse ; à chaque mot, il lui montrait une nouvelle vue magnifique, et plus ils montaient, plus le paysage embellissait, plus l'air semblait frais et pur. Prudemment au début, elle se laissa aller à le suivre, mais sentait une peur indicible la gagner à chaque pas. Peur du vide, peur de l'inconnu, peur qu'au moment d'atteindre le sommet pour contempler la beauté époustouflante qui l'entourait elle se retrouve au pied d'une falaise à pic et perde l'équilibre…

Mais tomber n'était pas une si mauvaise chose, se dit-elle. Ne valait-il pas mieux admirer le sommet de la montagne, même un bref instant, plutôt que de n'avoir jamais essayé ? Ou alors, comme dirait Mrs Pincent : plus haut vous grimperez, plus grande sera la hauteur de laquelle vous chuterez avant de vous écraser au sol ?

Chapitre 12

6 mars 2140

Je vais quitter Grange Hall.

Peter et moi allons sortir par un tunnel dans le quartier d'Isolement.

Il a un plan.

S'évader de Grange Hall est impossible. Les Rabatteurs vont se lancer à nos trousses, et Mrs Pincent avec. Mais nous n'avons pas le choix. J'ai entendu Mrs Pincent parler de Peter, et elle veut se débarrasser de lui. Elle disait de moi que j'étais stupide, aussi. Endoctrinée.

Je hais Mrs Pincent. Dire que je croyais l'aimer, que je la croyais Digne De Confiance. Dire que je croyais qu'elle faisait des choses horribles Dans Notre Propre Intérêt. Mais j'avais tort. Elle est cruelle, malveillante, et elle ne me trouve pas Utile du tout, malgré ses beaux discours, malgré mes efforts pour toujours obéir à ses ordres.

J'ai peur de quitter Grange Hall, bien sûr. Je ne connais rien à l'Extérieur. À l'Extérieur, je ne serai plus une Déléguée. Je ne serai plus un futur Bon Élément, non plus. J'ignore encore ce que je serai. Une simple Illégale, sans doute.

J'aimerais m'enfuir avec Peter dans un grand champ comme celui qu'il m'a décrit, celui dans lequel il s'amuse à courir en hurlant. Ou bien aller dans le désert – là-bas au moins, personne ne viendrait nous chercher et on aurait toujours bien chaud.

Mais Peter veut qu'on aille à Londres. Il veut qu'on rentre chez mes parents. Ils vivent à Bloomsbury, dans une maison à trois étages. La maison de Mrs Sharpe n'en avait que deux. J'aurai de nouveaux vêtements, m'a promis Peter. Et le Réseau souterrain nous protégera et nous mettra à l'abri des Rabatteurs.

Peter dit qu'à Bloomsbury je n'aurai ni à récurer, ni à faire le ménage, ni à me montrer Obéissante ; que mes parents me feront découvrir la musique, la littérature, et que je pourrai rejoindre le Réseau souterrain.

Je n'aime pas les souterrains. C'est là que se trouvent les quartiers d'Isolement. C'est sombre, humide, horrible, on vous laisse là toute seule pendant des heures et des heures, et vous finissez par imaginer des choses – des bruits qui ressemblent à des cris, à des sanglots, et des claquements de pas, aussi, en pleine nuit, alors que tout le monde est endormi et que personne n'est en train de se déplacer nulle part. Et alors vous vous demandez si c'est seulement dans votre tête ; vous vous demandez si ce n'est pas la réalité.

La Voie Vers La Sortie part d'un cachot d'Isolement. Peter le sait, parce que Grange Hall était un bâtiment gouvernemental, autrefois, et que mes parents ont réussi à se procurer un plan grâce à un voisin qui soutient la Cause. La venue de Peter à Grange Hall faisait partie du plan. Pour me faire sortir, comme il dit. Au début, je ne l'ai pas cru – qui se donnerait autant de mal pour moi ? Je n'ai même plus aucun souvenir de mes parents. Mais d'après Peter, eux ne m'ont pas oubliée.

Le tunnel avait été creusé en cas d'attentat. Il débouche près du village, au-delà de l'œil des caméras de surveillance de Grange Hall, m'a expliqué Peter.

Je ne veux pas aller en Isolement. Et si je ne parvenais pas à sortir ? Si on me laissait là pour toujours ?

Mais ça n'arrivera pas. Je fais confiance à Peter ; c'est mon ami.

Nous allons nous évader demain soir. Enfin, ce soir. J'imagine que c'est déjà le matin, bien qu'il fasse encore noir. Je devrais être au lit, mais impossible de fermer l'œil. Je dois faire quelque chose de mal pour qu'on m'envoie en Isolement ; et alors, en pleine nuit, on pourra prendre la fuite. Peter dit que le tunnel est caché derrière une grille dans le mur. Il a déjà commencé à défaire la grille ; tout est prêt. D'après lui, Mrs Pincent s'en voudra à mort en réalisant qu'elle l'a envoyé exactement à l'endroit où il voulait aller. À l'entendre, on croirait qu'il adore passer ses journées en Isolement, mais ça m'étonnerait. Il y a beau y avoir un tunnel vers la sortie, il y fait toujours aussi froid, aussi sombre, et on s'y sent toujours aussi seul.

Peter est incroyable. Il sait tout sur tout.

Je lui ai dit que c'était exactement ce que je ressentais parfois, à Grange Hall : le froid et la solitude. Il m'a répondu que lui aussi, même s'il venait de l'Extérieur. Il habitait avec mes parents au moment de son arrestation, mais il n'avait pas vécu avec eux toute sa vie – seulement depuis l'âge de dix ans. Avant ça, il vivait avec de faux parents.

Peter a été adopté, ce qui signifie qu'il n'a jamais connu ses vrais parents. Il ignore qui ils sont. Les parents laissent souvent leur bébé Surplus mourir d'abandon quelque part, m'a-t-il expliqué. Pour ne pas aller en prison.

Il dit que ses parents ne voulaient pas de lui, qu'il n'avait été qu'une Erreur et qu'ils l'avaient laissé devant la porte d'une maison occupée par un membre du Réseau souterrain. Il n'avait aucun indice spécial sur lui, hormis une chevalière en or accrochée à son cou par une chaînette et portant les initiales « AF » à l'intérieur (sans doute le nom de son père ou de sa mère, d'après lui), avec une fleur gravée sur le dessus. Mais on la lui a enlevée plus tard, au moment de son arrestation. Les Rabatteurs ont retrouvé la chevalière, qu'il avait pourtant cachée dans sa bouche, et lui ont dit que l'Administration centrale serait très intéressée par cette découverte. Ils l'ont donnée à un homme en uniforme, là où Peter était gardé avant d'être transféré à Grange Hall. Et l'homme n'a pas arrêté de lui poser des questions en prétextant qu'ils avaient besoin de compléter son dossier. Peter ne lui a rien dit, seulement exigé qu'on lui rende sa bague, mais l'homme a refusé. Peter dit qu'une fois sorti de Grange Hall il récupérera sa chevalière, d'une manière ou d'une autre. Et que, lorsqu'il l'aura retrouvée, il ne l'ôtera plus jamais de son doigt.

Les gens qui l'ont recueilli quand il était bébé risquaient la prison, ou même la pendaison, pour s'être occupés de lui, mais ils l'ont fait quand même, parce que d'après eux les Enfants sont ce qu'il y a de Plus Important et que Chaque Vie Compte. Ils l'ont aimé et choyé tout le temps qu'il a vécu avec eux.

Et puis, quand il avait eu dix ans, ses faux parents se sont fait arrêter, mais le Réseau souterrain a réussi à le faire sortir de la maison avant que les Rabatteurs ne le retrouvent et mes parents ont décidé de le cacher et de s'occuper de lui. C'est comme ça qu'il a su que mes parents étaient des gens doux et aimants ; parce qu'ils ont tout risqué pour lui alors qu'il n'est même pas leur vrai fils. Imagine ce qu'ils seraient capables de faire pour toi, a-t-il ajouté.

Moi, je n'imagine rien du tout. Je n'arrive même pas à m'imaginer des parents.

Quand nous serons à l'Extérieur, Peter m'a promis de m'emmener dans son champ à la campagne, où on peut courir dans tous les sens.

Je n'ai jamais vu ça, un champ à la campagne.

Mais ça sonne bien.

Peter m'a dit qu'il m'accompagnerait dans le désert, si je voulais. Qu'on pourrait même rester vivre là-bas.

Il dit qu'on est faits l'un pour l'autre, parce qu'il est né avec une fleur et moi un papillon, et que les fleurs et les papillons ont besoin les uns des autres pour survivre.

Je crois que j'aimerais assez habiter dans le désert avec Peter. Je crois que j'aimerais...

Anna se réveilla en sursaut et se redressa. Elle était couchée par terre dans la Salle de Bains F2, la tête posée sur son beau carnet en daim rose. Baissant les yeux vers son poignet, elle eut un choc en découvrant qu'il était cinq heures trente – une demi-heure à peine avant la sonnerie matinale. Comment avait-elle pu s'endormir ici ? Si elle se faisait prendre maintenant, tout serait fichu.

À moins que... Anna réfléchit un instant, le front plissé. Elle devait faire quelque chose de suffisamment grave pour être envoyée en Isolement. Pourquoi ne pas se faire surprendre hors de son lit à cinq heures trente du matin ? Mais elle rejeta aussitôt cette idée en bloc : se faire prendre était une chose, mais se voir confisquer le journal intime dans lequel elle avait décrit en détail leur plan d'évasion serait pour le moins stupide.

Elle n'avait même pas eu l'intention d'écrire, au départ, mais ç'avait été plus fort qu'elle. Elle brûlait d'excitation après tout ce que Peter lui avait raconté, et écrire l'avait aidée à calmer son esprit. Et aussi à rendre les choses plus réelles. Maintenant qu'elle avait tout écrit noir sur blanc, c'était forcément vrai.

Vite, elle se releva, remit son carnet à sa place, sortit de la salle de bains sur la pointe des pieds et regagna la porte de son dortoir. Tout le monde dormait, constata-t-elle avec soulagement – même Sheila, dont le léger ronflement résonnait à l'autre bout de la pièce.

Tout en regardant prudemment autour d'elle, Anna partit se glisser dans son lit. Les paupières closes, elle ne put s'empêcher de repenser à l'Extérieur – même si les seules images qu'elle parvenait à réunir étaient celles de la maison de Mrs Sharpe. Elle les superposa à celles que Peter lui avait décrites. Mais elle avait beau s'abandonner à ces rêveries d'une vie nouvelle, elle savait à quel point elle avait peu de chances de les réaliser.

Quand bien même ils réussiraient à s'évader, ils seraient de simples fugitifs. Des Surplus qui avaient oublié Où-Était-Leur-Place. Et elle n'obtiendrait jamais le pardon de Mère Nature.

Roulée en boule, Anna frissonnait sous sa couverture. De froid, de peur, d'impatience, difficile à dire ; tout ce dont elle était sûre, alors qu'elle commençait déjà à se rendormir, c'est qu'à partir de maintenant sa vie serait différente. Aujourd'hui, pour le meilleur ou pour le pire, *tout* allait changer.

Sheila entrouvrit les yeux et, sans bouger, regarda Anna s'endormir. Elle l'avait attendue dans le couloir pendant plus d'une heure. Puis elle avait vu sa silhouette dans l'escalier ; mais au lieu de rentrer au dortoir, Anna avait poursuivi son chemin. Sheila l'avait alors suivie, si discrètement cette fois que la Déléguée n'avait rien entendu, et avait été très intriguée de la voir se glisser dans la Salle de Bains F2.

Et plusieurs heures plus tard, voilà qu'elle était enfin de retour. Anna avait quelque chose à cacher, se dit Sheila ; et elle avait bien l'intention de découvrir quoi.

Après un rapide coup d'œil à la ronde pour s'assurer que tout le monde dormait, elle repoussa sa couverture et se glissa discrètement hors de son lit avant de sortir du dortoir à pas feutrés.

Quelques instants plus tard, elle arrivait devant l'entrée de la Salle de Bains F2, ouvrait la porte et la refermait soigneusement derrière elle.

Lèvres pincées, sourcils froncés, elle inspecta la pièce nue du regard sans trop savoir ce qu'elle était censée chercher, mais certaine d'être au bon endroit. Ce n'était pas la première fois qu'Anna disparaissait dans cette salle de bains. Il devait forcément y avoir quelque chose, ici. Un indice.

Sheila s'avança d'abord vers les lavabos parfaitement récurés, puis se mit à quatre pattes pour scruter le sol et finit par s'asseoir sur le rebord de la baignoire avec un soupir, tout en se frictionnant les bras pour se réchauffer.

Alors, tout à coup, un détail lui sauta aux yeux. Une sorte d'interstice entre la baignoire et le mur. Rien de très parlant pour quiconque n'était pas particulièrement sensible à la valeur des secrets, mais Sheila sut aussitôt qu'il s'agissait d'une cachette. Rapide comme l'éclair, elle bondit à l'intérieur de la baignoire, tout en prenant bien soin de ne pas la salir, et plongea son bras maigre et laiteux le long du mur. Elle en ressortit une adorable petite chose douce et rose comme elle n'en avait jamais vu.

Stupéfaite, elle ouvrit le carnet et commença à lire. À mesure qu'elle parcourait les premières pages, ses yeux s'écarquillaient d'indignation. Mais elle ne pouvait pas poursuivre sa lecture ici. Pas quand la sonnerie matinale s'apprêtait à retentir d'une minute à l'autre. Sheila remit soigneusement le journal intime d'Anna à sa place et, une fois assurée que la voie était libre, repartit comme une flèche jusqu'au dortoir pour sauter entre ses draps, quelques secondes à peine avant que n'éclatent les hurlements stridents annonçant le début d'une nouvelle journée.

Chapitre 13

Pour la deuxième fois de la semaine, Anna se retrouva incapable d'avaler son petit déjeuner. Toutefois, sentant le regard de Sheila posé sur elle, de l'autre côté de la table, elle se força à avaler cuillerée après cuillerée de son porridge nourrissant mais insipide. Personne ne devait rien soupçonner, se répétait-elle en boucle. Surtout pas Sheila.

Elle enchaîna tous ses séminaires d'apprentissage du matin sans le moindre accroc ; elle avait fait un petit détour par la Salle de Bains F2, afin de récupérer son journal, qui imprimait désormais un trou brûlant à travers la poche gauche de son uniforme ; elle avait même réussi à chaparder quelques ingrédients en cours pratique de Cuisine pour préparer un petit pain à la viande supplémentaire, qu'elle avait ensuite emballé et glissé dans sa poche droite à l'attention de Peter, non sans se demander comment elle était devenue une telle adepte de la désobéissance. Mrs Pincent lui avait dit un jour que les Surplus étaient naturellement mauvais, et Anna avait vu dans ces paroles comme un défi – elle allait prouver à Mrs Pincent qu'il n'y avait rien de mauvais en elle. Et maintenant, regardez-moi, songeait-elle avec honte. Peut-être suis-je vraiment mauvaise, au fond. N'était-ce pas un crime, pour un Surplus, de seulement songer à s'évader ?

Du temps où elle était Moyenne, et avant sa nomination au poste de Déléguée, Anna et ses camarades de dortoir trouvaient parfois le temps, juste avant l'extinction des feux, de se raconter des histoires de Tentatives d'Évasion de Surplus. Ces récits se nourrissaient à la fois des conversations captées au hasard, des sombres mises en garde des Domestiques et de l'imagination fébrile des filles, et tous étaient plus terrifiants les uns que les autres. Il y avait Simon, le Surplus-Qui-Se-Prenait-Pour-Un-Légal et qui avait escaladé les murs de Grange Hall avant d'être réduit en cendres par le rayon enflammé d'un soleil mécontent. Il y avait aussi l'histoire de Philippa, le Bon Élément placé comme servante et qui oublia peu à peu son statut de Surplus. Elle commença à manger dans les plats de sa maîtresse, à s'asseoir dans son fauteuil et à refuser de lui obéir, jusqu'au jour où elle sortit sans permission pour s'aventurer dans le monde interdit de l'Extérieur. Son premier geste fut de cueillir une rose dans le jardin de sa maîtresse, une rose rouge qu'elle avait souvent admirée depuis l'intérieur de la maison. Elle la porta à son visage pour sentir son parfum et la douceur de ses pétales sur sa joue. Mais au moment où la fleur effleurait son visage, elle éprouva une vive douleur et poussa un cri. Il était trop tard. La rose avait sorti ses épines et s'attaqua à Philippa pour lui arracher les yeux et lui griffer la peau, avant de l'abandonner, seule et mutilée, dans l'allée du jardin, où les Rabatteurs la découvrirent et la ramenèrent dans son Foyer de Surplus. Elle vécut le reste de sa vie aveugle, en Isolement, à supplier Mère Nature de lui pardonner, et son sort servait d'exemple à tous les autres Surplus en leur rappelant ce qui les attendait s'ils oubliaient Où-Était-Leur-Place. Puis il y avait l'histoire de Mary et Joseph, qui s'étaient échappés et avaient eu un Surplus fils ensemble. L'enfant était né avec deux têtes, et était constamment affamé, exigeant toujours plus à manger, jusqu'au jour où, incapable de contrôler ses pulsions Surplus malveillantes, il avait dévoré ses deux parents, le père avec une tête, la mère avec l'autre, avant d'exploser, victime de sa gloutonnerie et des Péchés de ses parents.

Anna n'avait plus entendu ces récits depuis bien longtemps, mais elle les connaissait par cœur. Et une partie infime d'elle-même ne pouvait s'empêcher de se demander si sa propre histoire viendrait bientôt contribuer aux veillées de récits d'épouvante des Surplus filles – la fable d'Anna Qui-Ne-Savait-Pas-Où-Était-Sa-Place-Et-qui-Avait-Tenté-De-S'Évader. Quelle en serait la fin ? se demanda-t-elle en se rendant d'un pas mal assuré à son cours de Science & Nature, celui qu'elle avait choisi pour sa Rébellion, car Mr Sargent adorait envoyer les Surplus en Isolement, convaincu que les cachots sombres et humides du sous-sol de Grange Hall leur apprenaient tout ce qu'ils avaient réellement besoin de savoir sur Leur Place dans le monde. La Rébellion d'Anna entraînerait-elle son malheur éternel ? La rendrait-elle aveugle ? Ou bien la conduirait-elle à la mort, tout simplement – la seule chose à laquelle les Surplus avaient droit, à défaut de leurs maîtres Légaux ? Car le triste sort du Surplus avait une durée précise dans le temps ; pour les Surplus, tout avait une fin.

Dès que Mr Sargent entra dans la salle, Anna sentit comme un pincement d'excitation au fond de son ventre et elle fut à peine capable de l'écouter disserter sur le dosage des capsules de Longévité. Les Surplus se devaient de bien connaître ces doses, expliquait l'Instructeur, car ils seraient parfois amenés à administrer eux-mêmes les médicaments chez certains employeurs. La Longévité reposait sur un subtil équilibre de cellules, et il était crucial que les Surplus sachent déceler les signes d'un mauvais dosage.

Le sous-dosage était facile à reconnaître – les gens se sentaient fatigués, raides, n'avaient plus envie d'aller travailler ou de tondre la pelouse. Les hommes commençaient à perdre leurs cheveux, et les femmes à prendre du poids.

Même si, précisa Mr Sargent, certains individus étaient déjà chauves ou empâtés au départ, parce que ayant entrepris le traitement à un âge avancé. La Longévité vous maintenait dans l'état où vous étiez, mais ne vous permettait pas de rajeunir. Du moins pas encore.

Le surdosage était plus difficile à diagnostiquer, les symptômes d'alerte étant peu nombreux, mais il suffisait d'être bien attentif, expliqua Mr Sargent. La Longévité contenait une hormone appelée « thyroxine » qui, à trop forte dose, faisait sortir les yeux de leurs orbites et provoquait des troubles du sommeil. En plus d'entraîner pertes de poids et crises d'irritabilité, ajouta-t-il.

Mr Sargent prit alors les capsules pour leur montrer les différentes tailles existantes et leur exposer comment réduire ou augmenter le dosage par unités de 25 microgrammes.

À la moitié du cours, Anna leva la main et Mr Sargent, s'attendant sans doute à une question pertinente et intelligente de sa part, car c'était typiquement le genre d'intervention que faisait Anna, lui adressa un sourire confiant.

« Oui, Anna ? »

Un rictus nerveux passa sur ses lèvres et elle se dandina maladroitement sur sa chaise.

« Que se passerait-il si un Surplus prenait de la Longévité, Mr Sargent ? » demanda-t-elle d'une voix timide et penaude.

L'Instructeur la dévisagea, perplexe.

« Les Surplus ne prennent pas de médicaments, Anna. Tu le sais bien. Jamais. Les Surplus abusent de la générosité de Mère Nature par leur seule présence sur cette terre ; il est donc normal qu'ils vivent une existence courte, terminée par la maladie ou la vieillesse. Tu sais que ce serait une abomination de prolonger inutilement la vie d'un Surplus, n'est-ce pas ? »

La veine de sa paupière palpitait légèrement, et Anna dut s'armer de courage.

Elle leva de nouveau la main.

Mr Sargent la toisa avec agacement avant de lui accorder la parole d'un hochement de tête.

« Mais pourquoi les Légaux ont-ils droit aux médicaments sous prétexte qu'ils étaient là les premiers ? C'est un peu injuste, non ? »

Cette fois, Mr Sargent roula de gros yeux effarés.

« Injuste ? mugit-il. Injuste ? Non, l'injustice, c'est que des individus comme *toi* puissent exister. Que tes égoïstes et criminels de parents aient à ce point méprisé la planète et leurs congénères pour produire une… *vermine* dans ton genre venue s'empiffrer sur nos réserves, boire notre eau et gaspiller notre énergie ! »

Tout le monde avait les yeux rivés sur Anna, mais, à sa grande surprise, maintenant qu'elle avait surmonté sa peur, la jeune fille réalisa qu'elle se prenait au jeu. Les mots et les arguments qu'avait si souvent employés Peter lors de leurs disputes lui revenaient tous en mémoire, et le visage cramoisi de Mr Sargent ne l'impressionnait pas le moins du monde. Voilà pourquoi tant d'Aspirants échouaient à leur test d'aptitude, réalisa-t-elle tout à coup. C'était la première fois qu'elle goûtait à la Rébellion contre la doctrine, et c'était absolument délicieux.

« Mais Mère Nature aime la nouveauté, n'est-ce pas ? répliqua-t-elle avec morgue, regrettant juste que Mrs Pincent ne soit pas là pour voir *Anna l'endoctrinée* à l'œuvre. Je veux dire, les feuilles mortes finissent bien par tomber des arbres, non ? Pourquoi les vieillards auraient-ils le droit de rester et pas les jeunes ? Est-ce vraiment ce que souhaite Mère Nature ? »

Mr Sargent se leva lentement de son siège pour se rendre jusqu'au bureau d'Anna, baissa les yeux et la frappa en travers du crâne. Puis il lui attrapa l'oreille. « Sale petit monstre, marmonna-t-il en postillonnant de rage. Tu paieras pour tes propos. Tu paieras pour m'avoir parlé sur ce ton. Tu seras fouettée et envoyée en Isolement, ma fille. Tu auras tout le temps de réfléchir au sens de tes paroles, ça devrait te faire le plus grand bien ! »

En entendant la sentence tant espérée, Anna sentit une onde de soulagement immense la parcourir. Peu lui importaient les coups ; maintenant qu'elle était sûre d'aller en Isolement, elle pouvait tout supporter.

Mr Sargent la souleva de sa chaise et la traîna de force à travers la salle, en la laissant exprès se cogner contre les autres bureaux. Au moment de passer devant Sheila, Anna sentit son regard perçant posé sur elle et, incapable de l'assumer, baissa la tête. Elle sentit alors quelque chose lui effleurer la jambe, un geste d'amitié, peut-être, et sa propre culpabilité lui noua l'estomac. Sheila ne comprenait pas ce qui se passait, songea-t-elle en s'éloignant. Elle ne pouvait pas comprendre. Seul Peter comprenait.

« Merci, Mr Sargent. Je prends le relais. »

Mr Sargent s'immobilisa et lâcha brutalement Anna par terre. Sous le choc, celle-ci releva la tête et, apercevant Mrs Pincent dans l'encadrement de la porte, baissa aussitôt les yeux. Non par humilité, mais sous l'effet de la colère.

« Marga... Mrs Pincent ! éructa Mr Sargent. Cette jeune insolente a tenu des propos scandaleux. Elle doit être punie, fouettée et mise à l'Isolement.

– Je vois. Mais l'Isolement n'est pas la solution, à mon avis, déclara sèchement Mrs Pincent. L'étage des Petits a besoin d'un décrassage solide. Peut-être Anna aimerait-elle y passer un ou deux jours, afin de... mieux réfléchir ? »

Les traits d'Anna s'affaissèrent. « Ça ne me dérange pas d'aller en Isolement, insista-t-elle d'une voix teintée d'un léger désespoir. Je vous assure.

– Je déciderai moi-même de ta punition, Anna, rétorqua Mrs Pincent. Quand tu seras couverte d'excréments et d'urine, je suis sûre que tu sauras reconsidérer ta valeur aux yeux de Mère Nature. Tu seras surveillée en permanence pendant quarante-huit heures, tu ne recevras qu'un seul repas par jour et, à ton retour, tu seras déchue de tes privilèges de Déléguée. À présent, suis-moi. »

Mrs Pincent venait de s'exprimer d'un ton sourd, courroucé, et Anna sut que toute protestation serait inutile. Le ventre noué par la conscience que son moment de triomphe annoncé s'était soldé par un échec cuisant et pathétique, elle traversa la classe, les jambes flageolantes. Terminée, la posture rebelle, envolée, la jubilation de remettre enfin en cause la doctrine de Grange Hall – retour à la honte et à la soumission habituelles.

Vidée de toute énergie, Anna sortit de la salle de cours et suivit Mrs Pincent jusqu'à l'étage des Petits, où une Domestique reçut pour ordre formel de la garder constamment à l'œil.

C'était à croire que Mrs Pincent était au courant de ses projets – comme si elle savait que ce serait là une punition bien plus cruelle que de l'envoyer au cachot. Anna lâcha un soupir désespéré en réalisant qu'elle n'avait aucune chance de pouvoir se rendre ce soir au quartier d'Isolement. Aucune chance de pouvoir seulement transmettre un message à Peter.

Et aucun espoir de devenir un jour Anna Covey.

Margaret Pincent s'assit derrière son bureau, tremblante de colère. Elle savait que ce Peter ne serait qu'un fauteur de troubles. N'avait-elle pas prévenu les Autorités, dès l'annonce de son arrivée, qu'il ne lui apporterait que des ennuis ?

Et la contamination avait frappé là où elle s'y attendait le moins : chez Anna. Anna, sur qui elle s'appuyait si souvent pour maintenir l'ordre et trier les mécréants. Comment une telle chose avait-elle pu se produire ? Comment Peter avait-il pu la retourner à ce point ?

Mrs Pincent soupira. Ce n'étaient que des adolescents, après tout. Peut-être Anna avait-elle un faible pour lui – ou inversement. Quelle négligence de sa part d'avoir omis ce genre de détail ; d'avoir oublié ce qu'était la jeunesse.

Eh bien, elle lui ferait passer ses penchants romantiques à coups de baguette. Et elle la ferait transférer dès que possible. Anna avait largement fait son temps à Grange Hall, réalisa Mrs Pincent. Elle savait d'expérience que lorsqu'un Surplus commençait à vous poser problème, il était trop tard.

Dommage qu'elle n'ait pas pu l'envoyer quelques jours en Isolement, vraiment. Mais elle avait d'autres chats à fouetter pour l'instant. Heureusement, le cas de Peter serait réglé dès le lendemain à l'aube. Dans moins de deux heures, elle serait en route pour Londres. Elle en reviendrait juste avant le lever du jour avec son vieil ami, le Dr Cox, et une fois qu'il aurait « traité » Peter, ce gamin cesserait enfin d'être une source d'ennuis. En fait, il cesserait d'être tout court, songea Mrs Pincent avec un sourire en coin.

Elle pourrait même faire de son décès un cas d'école pour les Autorités, leur adresser un rapport soulignant que, passé un certain âge – disons neuf ans, par exemple –, les Surplus n'étaient plus propres à l'intégration. Le choc du changement, leur annoncerait-elle à regret, avait été trop violent pour Peter, celui-ci avait fini par succomber à une crise cardiaque sous l'effet du stress. Quel gâchis, conclurait-elle. Si seulement on l'avait écoutée.

Et ensuite ? Ensuite, les choses reviendraient à la normale, n'est-ce pas ? Tout le monde recommencerait à la craindre. Et à l'aimer, bien sûr. Mrs Pincent avait autant besoin de l'un que de l'autre – à ses yeux, ces deux sentiments étaient indissociables. Ils lui garantissaient un Contrôle absolu. Et lorsque vous dirigiez une institution forte de cinq cents abominations de la nature, le Contrôle n'était rien de moins qu'un atout crucial pour survivre à chaque nouvelle journée.

Anna contempla d'un air désabusé le lavabo rempli de couches en tissu, chacune contenant l'équivalent d'une journée entière d'excréments de Petits Surplus et attendant d'être frottée à mains nues par ses soins. C'était son troisième lavabo de couches en trois heures, et la tâche était loin d'aller en s'allégeant.

Anna avait rarement l'occasion de se retrouver à l'étage des Petits. Mrs Pincent en interdisait généralement la visite aux Surplus, ce qui n'était pas pour leur déplaire, car qui voudrait se retrouver au milieu d'un essaim de Petits braillant à tue-tête ? Le Niveau 3 de Grange Hall, où ils étaient tous regroupés, semblait encore plus surpeuplé que les autres. Au lieu des dix grands dortoirs habituels, il comprenait toute une enfilade de pouponnières, ainsi qu'une salle de jour où les plus âgés apprenaient à marcher, à parler et à garder les yeux toujours baissés.

C'était tout au fond de cette pièce que se trouvait d'ailleurs Anna, devant un gros évier garni de détritus et plein de crasse. Partout autour d'elle résonnaient les voix des Petits, certains en train de hurler, d'autres de sangloter à voix basse ou d'essayer de répéter les mots qu'un Instructeur leur aboyait.

Mais c'étaient les silencieux qu'Anna avait le plus de mal à supporter. La vision d'un Petit de deux ans se balançant d'avant en arrière sur son matelas pour se réconforter, ou d'un petit de trois ans se cognant tout doucement la tête contre le sol, était au-dessus de ses forces. Elle avait été cet enfant, réalisa-t-elle. Elle s'était assise à ce même endroit, s'efforçant de comprendre son nouvel environnement et de reprendre le contrôle de son existence.

Et voilà qu'elle se retrouvait au point de départ. Si les choses lui paraissaient sinistres quand elle avait trois ans, c'était bien pire aujourd'hui.

En vérité, peu lui importait d'affronter la plus répugnante des corvées de nettoyage ; la puanteur qui émanait du lavabo la faisait à peine sourciller.

Ses pensées étaient entièrement dirigées vers Peter qui l'attendait, là-bas, dans sa cellule, en se demandant où elle était et pourquoi elle n'était pas venue le rejoindre.

Tout en rinçant méticuleusement les couches sales avant de les frotter, Anna entreprit de méditer sur ce à quoi allait ressembler le reste de sa vie. Quand bien même Mrs Pincent lui pardonnerait le petit incident de tout à l'heure, cela ne changerait rien : elle n'avait plus aucune envie d'être une Déléguée. Elle ne pouvait se contenter de savoir se rendre Utile. Il lui fallait davantage. Il lui fallait la liberté. Il lui fallait...

Il lui fallait Peter, comprit-elle soudain. Il lui fallait cette sensation merveilleuse de se savoir acceptée pleinement, telle qu'elle était. Ce frisson qui la parcourait chaque fois qu'elle prononçait intérieurement son nom.

« Alors, tu m'les nettoies, ces couches, ou quoi ? C'est pas parce que Mrs Pincent est partie à Londres que tu vas te la couler douce, hein ! »

Anna leva les yeux vers Maisie Wingfield, la jeune Domestique chargée de la superviser, et qui avait paru totalement ravie de cette nouvelle mission ; les Domestiques n'avaient pas tous les jours l'occasion de monter au Niveau 3, étant donné que les Surplus n'y étaient pas admis. Anna avait-elle bien entendu ? Mrs Pincent était à Londres ?

Elle s'empressa de se remettre au travail. Mais son esprit, lui, était ailleurs. Si Mrs Pincent était partie, cela lui laissait peut-être encore une chance d'être envoyée en Isolement. Ça valait la peine d'essayer, non ?

Tout à coup, les traits d'Anna se durcirent et elle lâcha la couche qu'elle tenait.

Du coin de l'œil, elle regarda Maisie enlever les peaux mortes de ses mains calleuses, et une idée lui vint.

Lentement, mais avec méthode, elle rinça ses mains à l'eau du robinet et s'éloigna du lavabo. Maisie leva les sourcils.

« Oh non, ma jolie. Tu vas rester ici jusqu'à ce que toutes ces fichues couches soient propres, lui lança-t-elle avec un sourire narquois. J'suis ici sur ordre de Mrs Pincent. Quand elle sera de retour, tu vas voir ce que tu vas voir. »

Anna sentit un pincement d'excitation au fond de sa

poitrine. Mrs Pincent s'était bel et bien absentée de Grange Hall.

Ragaillardie, elle décocha un sourire mielleux à Maisie. « Alors dites à Mrs Pincent que je me suis très mal conduite, répliqua-t-elle sur son ton le plus hautain, celui qu'elle employait habituellement pour rabrouer les Moyens récalcitrants. Je refuse de me salir une minute de plus. Ce n'est pas mon travail, de toute façon. Je croyais que les Domestiques étaient là pour laver les couches. »

C'était une attaque purement gratuite, mais comme l'avait espéré Anna, elle porta ses fruits. Selon Mrs Pincent, Domestique à Grange Hall était l'un des emplois les plus avilissants pour un Légal – c'est du moins ce qu'Anna l'avait entendue dire à Mrs Larson. Se faire rembarrer par un Surplus était pour Maisie la goutte qui faisait déborder le vase ; avant même qu'Anna ait fini de parler, elle la gifla violemment.

« Tu n'es qu'un Surplus, vociféra-t-elle. Tu n'as pas à me parler comme ça. Je suis une Légale. Une Légale, tu m'entends ? Tu pourrais être mon esclave si je voulais...

– Vraiment ? Je ne pensais pas qu'on pouvait s'offrir du personnel avec un salaire de Domestique », riposta Anna en grimaçant légèrement de douleur, la moitié de son visage enflammée par la gifle qu'elle venait de recevoir.

À ces mots, Maisie se jeta de tout son poids sur Anna et lui balança un coup en pleine tête, la projetant littéralement à terre, à moitié assommée. Puis, comme prise en faute, elle regarda nerveusement autour d'elle. Mrs Pincent avait une piètre opinion des Domestiques, et ne les encourageait certainement pas à frapper les Surplus. Mais elle n'avait pas eu d'autre choix, songea Maisie avec aplomb. Ce sale petit Surplus méritait qu'on lui apprenne le respect.

En entendant tout ce bruit, Mrs Larson, qui supervisait les Domestiques de temps à autre et s'était vu confier la responsabilité empoisonnée de veiller sur Grange Hall en l'absence de Mrs Pincent, accourut dans la pièce et faillit pousser un cri, portant sa main à sa bouche juste à temps.

« Maisie, qu'est-ce qui t'a pris ? s'exclama-t-elle tout affolée.

– Elle me faisait tourner en bourrique, répondit fermement Maisie. Elle l'a bien cherché.

– Mais que va dire Mrs Pincent ? fit Mrs Larson en se précipitant vers Anna pour constater l'étendue des dégâts.

– On devrait la coller en Isolement, répliqua Maisie avec défiance. Comme j'vous l'ai dit, c'est tout ce qu'elle mérite. »

Mrs Larson secoua la tête, hébétée, puis jeta quelques regards furtifs à la ronde pour s'assurer que personne ne rôdait dans le coin.

« Aide-moi à la soulever, Maisie. Je crois que tu as raison à propos de l'Isolement. Mieux vaut la mettre là-bas pour éviter les fuites. Et une bonne nuit en cellule devrait lui apprendre à se tenir. »

Chapitre 14

Anna avait la joue droite si enflée à cause du coup de Maisie qu'elle pouvait à peine ouvrir la paupière. Des croûtes de sang séché lui collaient les cheveux, et elle s'était fendu la lèvre d'un coup de dents en tombant par terre. Mais elle n'avait jamais été aussi heureuse de toute sa vie.

À mesure qu'elle revenait lentement à elle, elle ouvrit les yeux et se rassit sur sa couchette en ciment froid pour mieux observer l'endroit où elle se trouvait, avant d'esquisser un sourire, ignorant l'éclair de douleur qui la traversa instantanément. Elle avait réussi. Elle était en Isolement. Cette seule pensée la fit se sentir plus vivante qu'elle ne l'avait jamais été. Vivante et solide. Elle aurait pu déplacer des montagnes. Avec Peter, elle était invincible.

Après s'être assurée qu'elle était bien seule dans sa cellule, elle l'appela d'une voix fébrile, d'abord douce, puis plus sonore :

« Peter, je suis là… Peter !

– Anna ! Tu y es arrivée ! J'espérais que c'était toi quand j'ai entendu qu'on amenait quelqu'un, mais je n'osais pas me manifester. Comment as-tu réussi ton coup ? Comment les as-tu incités à t'envoyer ici ? » Sa voix provenait du mur juste derrière elle, ce qui signifiait qu'il se trouvait dans la cellule voisine de la sienne, analysa Anna avec soulagement.

« J'ai défié Mr Sargent, expliqua-t-elle bravement, souriant au souvenir de sa face rougissante et convulsée de rage. Et j'ai envoyé promener une Domestique, aussi. »

Elle entendit Peter s'esclaffer et se sentit rayonner de fierté.

« Alors, on part quand ? reprit-elle, nerveuse.

– Ce soir, répondit Peter sans hésitation. L'inspection des cellules a lieu aux alentours de minuit... et Mrs Pincent a dit qu'elle passerait pour moi à quatre heures du matin, c'est bien ça ? »

Anna marmonna un son étouffé en guise d'affirmation. Ni l'un ni l'autre n'avait particulièrement envie d'évoquer la personne de Mrs Pincent ou ce qu'elle avait l'intention de faire dans la cellule de Peter.

« Alors on mettra les voiles à deux heures, poursuivit Peter. Comme ça, tout le monde dormira à poings fermés. La sortie du tunnel débouche dans le village, et il faudra s'en éloigner le plus possible avant le lever du jour, car ils vont envoyer les Rabatteurs à nos trousses dès qu'ils auront constaté notre disparition. On trouvera un endroit où se cacher et, dès demain soir, on prendra la route de Londres. »

Anna sourit, mais son cœur battait à tout rompre. Elle n'arrivait pas à croire qu'elle allait s'évader de Grange Hall. Toutes les portes et les fenêtres disposaient d'alarmes, et des faisceaux lumineux balayaient les alentours du Foyer jusqu'aux murs d'enceinte. Sans compter les caméras fixées sur le pourtour du bâtiment pour créer un effet de dissuasion supplémentaire. Les Rabatteurs finissaient toujours par vous mettre la main dessus, affirmait Mrs Pincent. Et dans ces moments-là, vous haïssiez encore plus vos parents de vous avoir fait naître.

« Tout va bien se passer, Anna, je te le promets, dit Peter comme s'il sentait son appréhension. Ne t'inquiète pas.

– Je ne m'inquiète pas », répondit Anna en luttant pour s'en convaincre elle-même. L'obscurité et les relents de moisi de sa cellule commençaient à peser sur son moral et à lui rappeler son dernier séjour en Isolement. Persuadée que les sous-sols étaient peuplés de fantômes et de goules, elle avait eu très peur que Mrs Pincent et les autres l'oublient et la laissent mourir sur place. Il y avait eu des bruits, aussi, tard dans la nuit, qui l'avaient empêchée de dormir. Des bruits de pas, des sons ressemblant à des voix mais en plus étranglé... Anna avait été en proie à une terreur telle qu'elle s'était juré de tout faire pour sortir de là et ne plus jamais avoir à y revenir.

Mais cette fois, elle était là pour une raison précise, se dit-elle intérieurement. Cette fois, elle était venue de son plein gré.

Elle leva les yeux vers le mur qui séparait sa cellule de celle de Peter. Tout au sommet, comme dans les autres cachots, était percé un rectangle de près d'un mètre de large et d'un peu moins de haut. Ces ouvertures étaient les seules sources d'aération de tout le secteur – c'est ce que Mr Sargent leur avait dit la cinquième fois que Patrick avait été envoyé en Isolement. Il leur avait expliqué qu'il n'y avait pas beaucoup d'air, en sous-sol. Et que si on y expédiait plus de trois Surplus à la fois, ils finiraient sans doute par manquer d'oxygène au bout de quelques jours. Ces bouches d'aération étaient la seule chose qui vous permettait de rester en vie, là-bas, avait précisé Mr Sargent. Pour Anna, c'était aussi le seul moyen de rejoindre la cellule de Peter.

Debout sur sa couchette en ciment pour observer le trou d'un peu plus près, Anna déglutit péniblement. Cela lui avait semblé une excellente idée, quand Peter lui avait exposé son plan, mais à présent, elle n'était plus très sûre. L'ouverture était assez large pour qu'elle s'y glisse, cela ne faisait aucun doute. Mais il faudrait d'abord qu'elle se hisse jusqu'en haut. En se mettant sur la pointe des pieds, elle parvenait tout juste à en agripper le rebord. Mais cela ne suffirait pas. Elle était censée glisser son corps tout entier à travers.

« Le trou... je ne suis pas sûre de pouvoir grimper jusque-là, lança-t-elle à Peter en s'efforçant de garder un ton désinvolte. Même debout sur la couchette, je ne suis pas assez grande.

– Bien sûr que si ! Si tu arrives à atteindre le rebord, tu peux te hisser de l'autre côté. Je l'ai déjà fait. Regarde... »

Anna leva une nouvelle fois la tête et, comme par magie, le visage de Peter apparut à travers l'ouverture ; elle en eut le sourire jusqu'aux oreilles.

« Tu fais peur à voir », commenta Peter. Anna se détourna aussitôt, tout honteuse de sa paupière et de sa lèvre enflées.

« Qui t'a fait ça ? demanda-t-il avec colère. Dis-le-moi. »

Anna haussa les épaules. « Personne. Enfin, peu importe.

– Pas pour moi. »

Elle l'observa, intriguée.

Personne n'avait jamais cherché à la protéger. Quand Mrs Pincent la punissait, elle affirmait parfois que c'était pour la « protéger d'elle-même », mais cela n'avait strictement rien à voir.

« O.K., je me lance », déclara Anna avec détermination.

S'étirant de nouveau sur la pointe des pieds, elle tendit les bras le plus haut possible en s'appuyant de ses jambes contre le mur. Elle allait se montrer digne de la confiance de Peter. Elle allait se hisser jusqu'au sommet de ce mur, quitte à y jeter ses toutes dernières forces.

Mais en vain. Les muscles de ses bras étaient peut-être assez forts pour faire la lessive, mais pas pour la soulever de tout son poids, et les murs étaient trop lisses pour lui offrir le moindre point d'appui.

Au bout de plusieurs minutes d'efforts soutenus, Anna retomba sur son lit en ciment, le visage cramoisi.

« Je n'y arrive pas, Peter », lança-t-elle d'un ton exaspéré.

Mais lorsqu'elle releva la tête, Peter avait de nouveau passé la sienne à travers l'ouverture et la contemplait avec un grand sourire. Puis il fit basculer le reste de son corps et, une seconde plus tard, il atterrissait à côté d'elle, sur sa couchette, et l'aidait à se relever.

« Mets ton pied là », dit-il en lui faisant la courte échelle.

Elle ouvrit des yeux ronds.

« Allez, pose ton pied et je ferai levier pour t'aider à monter », insista-t-il en l'encourageant du regard.

Le visage d'Anna s'éclaira, et elle s'exécuta. Peter la propulsa vers le haut pour qu'elle puisse s'accouder sur le rebord du trou, et continua à la porter jusqu'à ce qu'elle soit pleinement en appui dans l'ouverture, bien qu'Anna le sentît trembler légèrement sur la fin. Alors, agile comme un singe, il grimpa à son tour, sauta de l'autre côté et l'aida à descendre.

« Tu vois ? Fastoche, commenta-t-il en riant. D'autres crises de panique à gérer avant qu'on mette les voiles ? »

Anna secoua la tête en rougissant, honteuse d'avoir renoncé aussi vite. Elle n'était peut-être pas aussi invincible que ça, tout compte fait.

« Non, ça ira, dit-elle avec gratitude. Et merci, Peter. Je… enfin, merci.

– Je t'ai promis de te faire sortir de là, pas vrai ? Alors, tu as de quoi manger ? »

Anna approuva joyeusement d'un signe de tête et sortit le petit pain fourré qu'elle avait préparé le matin même.

« Tu es vraiment venu ici pour me chercher ? lui demanda-t-elle avec curiosité en le regardant manger. Je veux dire… tu as laissé les Rabatteurs t'attraper exprès ? »

Peter croisa son regard et haussa les épaules. « Je ne suis pas venu jusqu'ici pour la bouffe, en tout cas, fit-il avec une étincelle de malice dans le regard avant de reposer son petit pain par terre devant lui. Je… je voulais contribuer à l'œuvre du Réseau souterrain. Faire quelque chose pour aider tes parents », acheva-t-il avec sérieux.

Puis il déglutit et la fixa de ce regard perçant qu'elle

lui connaissait si bien. « Mais je l'ai fait pour moi, aussi... »

Anna l'observa sans un mot. Il se mordit la lèvre et baissa les yeux.

« Je n'ai jamais eu d'amis, Anna, expliqua-t-il alors, d'une voix soudain plus faible. Jamais eu de parents, jamais eu qui que ce soit... enfin bref, je n'ai jamais eu personne. Et tes parents parlaient de toi sans arrêt en disant qu'on s'entendrait bien, tous les deux, si seulement tu n'étais pas à Grange Hall. Tu vois, quoi. Alors j'y ai beaucoup réfléchi. J'ai pensé à ta liberté, aux endroits où on pourrait aller, à tous les trucs qu'on pourrait faire ensemble... C'est pour ça que je suis venu ici. J'avais le sentiment qu'on se connaissait déjà. Avant même qu'on se rencontre, je veux dire. »

Il avala de nouveau sa salive. Anna ne pouvait plus détacher son regard de lui – son ami, Peter, qui, pour la première fois depuis qu'ils se connaissaient, avait abandonné son air de trublion insurgé et lui semblait si perdu, si vulnérable.

« Et maintenant ? voulut-elle savoir, chuchotant presque. Je corresponds à ce que tu t'imaginais ?

– Je crois, oui », fit Peter. Leurs yeux se croisèrent, et Anna vit que les siens étincelaient.

« Et... tu m'apprécies ? poursuivit-elle avec hésitation. Telle que je suis ? »

Peter acquiesça lentement. « J'imagine », lâcha-t-il tout bas en tentant d'esquisser un sourire.

Puis il inspira profondément et baissa la tête, penaud. « Je t'aime beaucoup, en fait », murmura-t-il d'une voix si frêle qu'Anna la reconnut à peine. Et aussitôt après avoir prononcé ces mots, il se détourna pour concentrer toute son attention sur un fil qui pendait d'une des manches de son uniforme.

Anna ne le quittait plus des yeux ; pendant une seconde, le temps s'arrêta autour d'elle et elle eut la chair de poule.

Alors Peter reprit son petit pain pour finir de le manger, et tout parut brusquement revenir à la normale. Mais pas tout à fait normal non plus. Car Anna savait désormais que, quoi qu'il arrive, elle suivrait Peter n'importe où. Et que ce serait sans doute pour elle la voie du salut – ou le début de très, très gros ennuis.

Chapitre 15

À deux heures du matin, Anna ouvrit les yeux et se redressa en sursaut, à la grande stupéfaction de Peter qui s'apprêtait à la réveiller. Elle avait regagné sa cellule pour l'inspection de minuit, puis rejoint Peter juste après, et ils étaient restés allongés sur la couchette cimentée qui servait de lit, se pelotonnant l'un contre l'autre pour se réconforter et se tenir chaud. Anna n'était pas bien sûre de savoir où s'étaient arrêtés les récits de Peter et où avaient commencé ses propres rêves quand le sommeil l'avait peu à peu gagnée. Elle n'aurait jamais cru pouvoir s'endormir dans un endroit pareil, le corps tout entier transformé en une pile électrique géante, mais elle n'était pas mécontente de l'avoir fait. Elle se sentait un peu assommée, mais reposée et plus calme.

La bouche d'aération derrière laquelle les attendait leur avenir ressemblait à toutes les autres bouches d'aération de Grange Hall – rectangulaire et tout juste assez large pour qu'on puisse se tortiller à l'intérieur. Elle était située à environ deux mètres trente au-dessus du sol, face à la couchette de Peter. Anna avait refusé de se dire que derrière la grille qui fermait la bouche s'ouvrait réellement le tunnel qui les conduirait hors de Grange Hall, jusqu'à ce que Peter l'ôte soigneusement pour lui montrer.

« C'est tout petit, dit-il avec sérieux. Il n'y a absolument pas la place de tenir debout, seulement de ramper. Et nous devrons y aller l'un après l'autre. »

Anna observa avec incertitude l'entrée du tunnel nu et moisi, puis Peter. Il était en train de sortir un couteau émoussé de sa poche et lui décocha un sourire malicieux.

« Je me le suis procuré il y a deux jours. Au déjeuner, je crois bien », lui dit-il avec un clin d'œil. Il le leva à bout de bras et, le front plissé sous l'effet de la concentration, entreprit de dévisser le panneau métallique de la grille. « La Domestique n'a même pas remarqué qu'il manquait le couteau quand je lui ai rendu mon plateau. Mais je ne m'en plains pas. »

Anna ne disait rien ; elle jetait un dernier regard circulaire au cachot. Quel hasard approprié, songea-t-elle avec ironie, que sa dernière vision de Grange Hall soit celle d'une cellule d'Isolement, le recoin le plus terne, le plus sinistre d'entre tous. Cette nuit, elle allait quitter cet endroit pour toujours. Elle n'osait même pas envisager la possibilité qu'ils se perdent dans ce minuscule tunnel à l'air sinueux pour mourir dans les entrailles mêmes de sa prison.

« Je vais devoir t'aider à te hisser, donc tu passeras en premier, fit Peter. Mais je serai juste derrière toi. O.K. ? »

Il la fixait intensément – malgré la pénombre, Anna vit ses yeux brillants posés sur elle, comme pour s'assurer que tout allait bien. Bravement, elle releva le menton et acquiesça. Puis, sans un bruit, elle laissa Peter la soulever jusqu'à l'entrée du tunnel pour basculer à l'intérieur.

« Dépêchez-vous, enfin ! » lança Mrs Pincent au Dr Cox d'un ton irrité. Ils étaient déjà en retard sur le planning qu'elle s'était fixé. S'ils n'étaient pas à Grange Hall d'ici à quatre heures du matin, son projet risquait de tomber à l'eau. Les premières tournées d'inspection de jour démarraient dès six heures, et elle voulait que le sort de l'adolescent soit déjà réglé d'ici là.

« Bien, bien, j'ai presque terminé », répondit le Dr Cox en remplissant le dernier flacon de fluide de Longévité +. C'était un travail ardu – prélever les cellules de patients récalcitrants –, mais le jeu en valait très largement la chandelle.

« Ce garçon..., dit-il d'un ton pensif en emballant ses affaires. J'imagine que je pourrai lui faire des prélèvements avant l'injection ? »

Mrs Pincent haussa les épaules. « Faites ce que vous voulez, mais faites-le vite. Une fois là-bas, le temps nous sera compté. »

Anna avait espéré que la petite ouverture se révélerait plus spacieuse, une fois à l'intérieur, mais, à son grand désarroi, ce ne fut pas le cas. Le tunnel conservait résolument ses cinquante centimètres de large, c'est-à-dire tout juste la place de s'y tortiller en rampant, et l'air vicié et le manque de lumière lui donnaient l'impression de s'enfoncer dans les entrailles de la terre.

À mesure qu'elle progressait, l'odeur empirait et la lumière disparut complètement. Elle entendit alors Peter s'engouffrer à sa suite, ce qui eut pour effet de la ragaillardir un court instant, mais ses hantises ne tardèrent pas à refaire surface. Et s'ils se retrouvaient dans un cul-de-sac et qu'au lieu de les faire sortir de là Mrs Pincent remette la grille en place pour les laisser mourir dans le noir ?

« Je ne vois pas grand-chose », lança-t-elle à Peter sans même être sûre qu'il pouvait l'entendre – il semblait ne même pas y avoir de place pour laisser le son se propager.

« Contente-toi d'avancer, résonna la voix étouffée de Peter. Il n'y en a que pour une cinquantaine de mètres.

– Combien en a-t-on parcourus jusqu'ici ?

– Peut-être dix. »

Cette réponse lui fit l'effet d'un coup de marteau sur la tête, mais Anna serra les dents et continua à progresser le long de l'étroit boyau, mi-rampant, mi-se tortillant tel un lombric géant.

Il leur fallut plus d'une heure pour parcourir les quelques dizaines de mètres du souterrain. Au vif soulagement d'Anna, les parois s'étaient un peu élargies. Le seul élément lui indiquant qu'elle était arrivée au bout du tunnel fut sa rencontre inopinée avec ce qui semblait être un mur de brique. L'effort lui avait donné très chaud ; elle transpirait à grosses gouttes sous la couche de vase malodorante qui la recouvrait. Le moindre mouvement était pour elle une torture. Il régnait une obscurité totale, et sans la présence rassurante de Peter derrière elle et ses blagues idiotes, elle aurait déjà renoncé depuis longtemps.

« Peter, je crois qu'on y est, dit-elle en palpant les parois à la recherche d'un indice susceptible d'expliquer la soudaine présence de ce mur devant elle. Mais je ne perçois pas d'autre ouverture.

– Ah... essaie de voir si tu ne sens pas une grille, ou un truc comme ça ? »

Anna se remit à tâtonner dans le noir. Il n'y avait pas tellement la place de manœuvrer, mais lentement, méthodiquement, elle palpa chaque centimètre du mur dans l'espoir de trouver un détail – n'importe lequel – désignant la sortie.

« Je… je ne trouve rien », dit-elle enfin.

Il y eut un silence. Puis Peter déclara : « O.K. Ne bouge pas, j'arrive. » Quelques instants plus tard, Anna se sentit compressée dans la vase, la joue écrasée contre la paroi, tandis que Peter lui rampait dessus.

« Je… je ne peux plus… respirer », gémit-elle, mais Peter ne l'écoutait pas.

« Je vais nous sortir de là, ne t'inquiète pas », murmura-t-il, et Anna décela avec étonnement un filet de peur dans sa voix.

Elle entendit ensuite une sorte de glapissement de terreur et plissa les paupières de toutes ses forces.

L'instant d'après, Anna se retrouva ensevelie sous une avalanche de terre qui s'infiltra jusque dans ses oreilles, ses narines, sa bouche et, dès qu'elle les ouvrit pour tâcher de comprendre ce qui se passait, ses yeux.

C'est la fin, songea-t-elle sans détour. Voilà ce qui arrive aux Surplus qui se croient autorisés à violer le règlement. Ils sont enterrés vivants.

Mais une poignée de secondes plus tard, Peter se redressa et Anna sentit le poids de son corps se dégager du sien. En frottant la boue qui lui maculait le visage, elle réalisa qu'il n'avait pas poussé un cri de terreur, mais de victoire.

« On y est presque. Le tunnel grimpe, à partir d'ici. La sortie est seulement bloquée par un bouchon de terre humide en provenance de l'extérieur. »

Folle de joie, Anna dégagea son bras et tâta elle-même la couche de terre. Son premier contact avec l'Extérieur, se dit-elle avec jubilation. Il était si proche qu'elle pouvait même le toucher !

Peter s'extirpa non sans peine à travers le goulet d'étranglement boueux au-dessus de leurs têtes et annonça que le tunnel continuait à grimper dans la même direction. Anna le suivit, plus légère maintenant que Peter était passé devant. Bientôt, elle éprouva un agréable frisson de froid. Il y avait un courant d'air, réalisa-t-elle. Elle percevait son souffle.

La bise se fit de plus en plus présente à mesure de leur progression, passant d'une salvatrice bouffée d'air à une bourrasque glacée qui s'engouffra à l'intérieur du tunnel en mugissant comme un loup hurlant à la mort. Mais c'est tout juste si Anna remarquait le froid ou les gémissements du vent ; tout juste si elle sentait la vase et la boue qui durcissaient sur ses genoux, ses mains et ses coudes. Là-bas, devant Peter, elle venait d'apercevoir quelque chose qui lui donnait la force de surmonter n'importe quoi. Elle venait d'entrevoir le ciel nocturne. Un morceau seulement ; le reste de son champ de vision était encombré par une sorte de mur qui s'élevait juste devant la sortie. Mais là-haut, à droite, dans le coin, une étoile minuscule scintillait dans le ciel obscur, non plus cachée par un store gris mais bien là, devant ses yeux. Anna n'avait jamais rien vu d'aussi beau de toute sa vie.

Quelques secondes plus tard, Peter disparut ; puis son visage, barré d'un grand sourire, se matérialisa à l'ouverture du tunnel.

« Ça y est, Anna Covey. Donne-moi la main. »

Avec son aide, Anna acheva de se hisser à travers la sortie étroite et, l'espace d'un instant, fut tout bonnement incapable de parler. Le contact de l'air glacé sur sa peau, le bruit distant des voitures mêlé aux premiers chants d'oiseaux du petit matin, c'était trop à assimiler d'un seul coup. Elle n'aurait jamais cru éprouver un tel choc. Après tout, elle avait déjà connu l'Extérieur, du temps où elle avait travaillé pour Mrs Sharpe ; elle s'était même sentie très supérieure et expérimentée, pour un Surplus. Mais cette fois, c'était différent.

Le monde entier lui semblait disponible, là, sous ses yeux, comme s'il n'attendait qu'à être touché, entendu, respiré. Anna avait déjà vu la lune, bien sûr, lumineuse et brillante, mais seulement par des regards volés, dans le froid du soir, quand, l'œil rivé avec envie au triple vitrage, elle s'imaginait se promenant dans son halo. Aujourd'hui, la lune lui semblait presque à portée de main et sa rondeur si parfaite troublait sa propre imperfection, la remplissant à la fois d'une crainte respectueuse et d'une sensation proche de l'extase. Elle regarda autour d'elle, les yeux écarquillés, sans oser ouvrir la bouche, de peur de se mettre à crier, à pleurer ou à rire, ou les trois en même temps, tellement tout cela lui paraissait beau et incroyable et parce que, en cet instant du moins, c'était à elle, rien qu'à elle.

« Bien, dit Peter en jetant un regard circulaire pour prendre ses repères. Nous devons être à l'est du village. Ce qui signifie que... » – il réfléchit – « ... nous devons partir dans cette direction. »

Anna acquiesça et, sans un mot, lui emboîta le pas le long d'une petite avenue. Ils devaient faire peur à voir, tous les deux, se dit-elle en contemplant la silhouette décharnée de Peter qui marchait devant elle. Leurs visages et leurs combinaisons de travail de Grange Hall étaient couverts de vase, et ils avaient les mains et les chevilles écorchées.

« Tout le monde va savoir d'où on vient, avec nos uniformes », déclara-t-elle.

Peter se retourna. « Ils le sauront de toute façon, non ? répliqua-t-il. Anna, il n'existe personne de notre âge à l'extérieur. Pas ouvertement, en tout cas. Il y a bien un Légal par-ci par-là, mais on en voit très peu. »

Ses yeux luisaient de colère, Anna resta interdite un moment. Mais Peter finit par hausser les épaules. « Cela dit, tu as raison. Il faut qu'on se trouve une planque, et vite. Mais pas trop près de Grange Hall. Les Rabatteurs vont se mettre à fouiller partout dès que l'alerte aura été donnée. »

Anna acquiesça à nouveau et, à bout de souffle, pressa le pas à sa suite. Elle aurait aimé pouvoir se montrer plus utile, mais elle était consciente qu'elle ignorait absolument tout de ce nouvel environnement étranger. Puis, tout à coup, elle se figea net.

Devant elle se dressait un mur tapissé d'affiches. L'une d'entre elles représentait un écran d'ordinateur avec l'image d'un homme équipé d'une arme à feu. En bas, on pouvait lire : « Les Réseaux font le Jeu du Terrorisme. Ne Mettez pas Votre Pays en Danger ». Une deuxième montrait, d'un côté, une maison aux lumières allumées dans chaque pièce et, de l'autre, une bâtisse en ruine avec en rouge, juste en dessous, le slogan suivant : « Protégeons l'Énergie – sauvons la Grande-Bretagne des Ténèbres ». Mais celle qui avait surtout retenu l'attention d'Anna représentait la photo d'un Petit bien joufflu, la bouche pleine, en train de s'empiffrer avec ses petites mains. En travers de l'image, en caractères gras, était inscrit : « Les Surplus nous Volent – Restons Attentifs. Pour plus d'informations sur le Problème Surplus, rendez-vous sur www.leproblemesurplus.gov.uk ».

« Regarde, commenta Anna. "Les Surplus nous Volent". Ils parlent de nous, Peter. »

Peter se rembrunit et recula d'un pas pour mieux voir. Puis il lui prit la main. « Un jour, il y a aura des affiches dénonçant le Problème de la Longévité, cracha-t-il rageusement. Les voilà, les voleurs. Ceux qui volent la vie des autres pour permettre aux Légaux de squatter ici éternellement. »

Il repartit d'un pas vif en entraînant Anna, plongeant avec elle derrière le premier muret ou buisson venu au moindre bruit de voiture ou de pas. Anna, qui avait été si impatiente de voir enfin l'Extérieur, de sentir l'herbe sous ses mains et l'air nocturne caresser son visage, était maintenant terrifiée par ce lieu si étrange et hostile. Peter était d'humeur irritable, lui aussi. L'heure tournait, ne cessait-il de répéter, et ils auraient déjà dû fuir plus loin. Beaucoup plus loin. Les Rabatteurs allaient être informés de leur disparition d'une minute à l'autre.

À cette seconde mention des Rabatteurs, Anna eut comme un coup au cœur, et elle pressa le pas pour rattraper Peter en se forçant à regarder droit devant elle au lieu de scruter avec curiosité les maisons qui bordaient la route.

Soudain, elle s'immobilisa.

« Qu'est-ce qui se passe encore ? soupira Peter.

– Cette maison, fit Anna à mi-voix. Je la connais. C'est celle de Mrs Sharpe. » Le jardinet était exactement tel qu'elle en avait gardé le souvenir depuis son stage de servante ; dès qu'elle le pouvait, elle jetait un coup d'œil à travers les fenêtres de sa patronne pour admirer la pelouse verte et les parterres aux contours impeccables. Quant au perron, elle l'aurait reconnu entre mille, avec sa porte rouge écarlate et sa collection de carillons qui l'accueillaient avec leurs tintements étranges chaque fois qu'elle ouvrait la porte pour sortir les poubelles.

Peter la dévisagea avec incertitude. « Mrs Sharpe ?

– Je t'en ai parlé, tu te souviens ? J'ai été sa servante par intérim. Pendant trois semaines. Elle était très gentille.

– Une Légale gentille ? pouffa Peter avec mépris.

– Mais oui, répondit Anna sur la défensive. Très gentille.

– O.K., si tu veux. Allons-nous-en d'ici. »

Ils reprirent leur marche saccadée en rasant les buissons quand, tout à coup, résonna au loin une sirène accompagnée du clignotement d'un gyrophare. Peter poussa Anna dans un buisson où ils restèrent tapis, sans un bruit, le cœur battant. Quelques instants plus tard, la sirène s'éteignit, et ils se regardèrent avec appréhension.

« Allons-y », lança précipitamment Peter. Il s'extirpa des branchages et aida Anna à en émerger à son tour, égratignée et tremblante.

« Est-ce que…, commença-t-elle sans parvenir à finir sa question.

– Peut-être, répondit Peter. Bien que ça ne ressemble pas aux Rabatteurs d'afficher leur présence aussi ouvertement. C'était sans doute la police. Sûrement rien à voir avec nous. »

Anna acquiesça et lui emboîta de nouveau le pas. Mais elle fronça aussitôt les sourcils.

« Qu'est-ce que tu as à la jambe ?

– Rien, fit Peter avec un haussement d'épaules. Viens, il faut qu'on se dépêche. »

Il se remit en marche, mais Anna vit qu'il grimaçait de douleur. Chaque fois qu'il posait le pied gauche par terre, son corps tout entier semblait pris d'un violent spasme.

« Tu es blessé, insista-t-elle. Peter, tu es blessé !

– Et alors ? rétorqua-t-il d'un ton irrité. Viens, il faut qu'on sorte du village. On pourra se cacher dans les champs alentour. Ils sont juste un peu plus loin. »

Son visage était diaphane, il transpirait. Sans lui demander son avis, Anna l'arrêta et remonta sa jambe de pantalon. Une large plaie couverte d'une croûte de sang séché lui entaillait le haut de la cheville.

« Peter, fit-elle d'une voix entrecoupée, qu'est-ce qui t'est arrivé ? »

Il soupira. « Le tunnel, marmonna-t-il. Je me suis accroché la cheville quelque part. »

En observant la blessure de plus près, Anna constata que toute la partie inférieure de sa jambe gauche était enflée. Quand elle y posa sa main, elle sentit Peter tressaillir de douleur.

« Tu ne peux pas continuer dans cet état. C'est impossible.

– Il le faut bien, répondit son ami en serrant la mâchoire. On n'a pas le choix. »

Anna se mordillait la lèvre.

« Si. J'ai une idée.

– Laquelle ? Nous faire attraper ? dit Peter en se forçant à effectuer quelques pas, mais visiblement avec beaucoup de mal. Jamais. Je ne retournerai jamais là-bas, Anna, et toi non plus.

– On pourrait aller chez Mrs Sharpe. On pourrait se cacher quelque temps. »

Peter la dévisagea d'un air consterné. « Nous pointer chez une Légale pour lui demander de nous cacher ? T'es dingue ? »

Anna blêmit. « Je pensais seulement...

– Eh bien n'y pense plus, O.K. ? Et laisse-moi prendre les décisions ». Il s'appuya sur sa jambe gauche et glapit de douleur.

Anna plissa les yeux. « Parfait. C'est vrai que tes décisions à toi nous ont tellement mieux réussi jusqu'ici, riposta-t-elle avec sarcasme. Les Rabatteurs peuvent nous tomber dessus d'un moment à l'autre. Tu ne peux plus marcher, et nous n'avons nulle part où aller. Tu crois peut-être qu'on sera à l'abri dans un champ ? »

Elle croisa les bras, sur la défensive ; Peter se tourna vers elle, et Anna crut déceler une lueur de peur dans son regard.

« Anna, elle va nous dénoncer. C'est une Légale. Allons, il y a forcément une autre solution. Et nous la trouverons avant qu'il fasse jour.

– Mais il commence déjà à faire jour, regarde ! »

Peter leva les yeux vers le ciel, qui s'illuminait progressivement d'une teinte bleu pâle.

« C'est hors de question, insista-t-il d'un ton pourtant moins assuré. Trop dangereux. »

Anna réfléchit à toute allure. « Elle a un pavillon d'été dans son jardin, avança-t-elle prudemment.

– Un pavillon d'été ? » Peter s'arrêta de nouveau.

« Elle m'en parlait sans arrêt, parce que son mari l'utilisait comme remise et qu'elle avait l'intention d'y faire un grand ménage, poursuivit Anna. Mais elle n'arrivait pas à s'y mettre. J'étais censée l'aider à le faire, mais j'ai dû rentrer à Grange Hall. »

Peter jeta des regards furtifs à la ronde.

« Tu crois qu'on pourrait se cacher là-bas ? Seulement pour aujourd'hui, je veux dire ? demanda-t-il, sérieusement cette fois. Tu es sûre que Mrs Sharpe ne s'en sert jamais ? »

Anna hésita longuement. « Je n'en sais rien, conclut-elle. À mon avis, non. Mais c'était l'année dernière. »

Peter soupira. « On peut s'y rendre d'ici ? »

Anna acquiesça, tendue, et ils rebroussèrent chemin pour se rendre chez Mrs Sharpe. À pas précipités, malgré la douleur, ils gagnèrent le grand portail en bois qui séparait le jardin de devant de la cour arrière, et Anna se baissa pour ramasser une pierre.

« Tu ne vas rien casser, hein ? » Peter semblait inquiet, mais Anna secoua la tête.

« Ce n'est pas une pierre, lui expliqua-t-elle. C'est une cachette pour la clé. Mrs Sharpe m'avait montré. Regarde. »

Avec précaution, elle ouvrit la fausse pierre et en sortit une clé. Ses doigts tremblaient trop pour pouvoir l'insérer dans la serrure, si bien que Peter prit le relais et ouvrit la porte, avant de la refermer derrière eux.

À toute vitesse, ils s'élancèrent à travers l'impeccable pelouse, agrémentée du jardin potager réglementaire. Derrière, au fond du jardin, se dressait le pavillon d'été, encore encombré de meubles et de cartons. Et par terre, à côté de la porte, les attendait une seconde pierre creuse.

Deux minutes plus tard, ils étaient à l'abri, blottis derrière un vaste lit à deux places posé contre le mur du fond. Usant d'épaisses tentures de velours comme de couvertures pour se protéger du froid, ils s'assirent là sans bouger, dans l'attente, le silence seulement ponctué par le bruit de leur souffle faible et haletant.

Chapitre 16

Maisie Wingfield ne savait plus où se mettre. C'était sa faute à elle, l'idiote, si elle avait dû aller inspecter les cellules de ces sales morveux, mais comment aurait-elle pu deviner la vision qui l'attendait ? Puisqu'elle était de service de nuit, elle avait décidé d'en profiter pour glisser un dernier avertissement à ce misérable Surplus d'Anna avant le retour de Mrs Pincent, juste un mot à l'oreille pour lui conseiller de tenir sa langue à propos de leur dispute sous peine de gros ennuis supplémentaires.

Sauf que maintenant... eh bien, elle n'avait plus d'autre choix que de tout avouer à Mrs Pincent. Lui dire que les monstres étaient partis. C'étaient des démons, parfaitement, voilà ce qu'ils étaient, songea Maisie avec aigreur. Grimper tout en haut du mur et disparaître dans ce petit trou... Ces Surplus ne méritaient pas d'exister, ni même de s'échapper.

« Ils sont jamais ressortis de leurs cellules, c'est ça ? demanda Susan, une autre Domestique, à Maisie, en la dévisageant d'un air interloqué. T'es en train de me dire qu'ils se sont enfuis ? »

Maisie la regarda par en dessous.

« C'est pas ma faute, répliqua-t-elle. C'est pas moi qui les ai mis en Isolement. Et les Surplus ont rien à faire à l'étage des P'tits, d'ailleurs. C'était l'idée de Mrs Pincent, pas la mienne. Alors c'est sa faute, voilà ! »

Susan lui coula un regard dubitatif, et Maisie poursuivit avec défiance : « C'est pas Mrs Pincent qui dit toujours qu'il faut jamais laisser les Surplus aller au Niveau 3 de peur qu'ils se prennent d'affection pour les P'tits ou qu'ils se fassent du mauvais sang pour eux alors que ce sont pas leurs affaires et qu'ils feraient mieux de penser à obéir aux ordres et à leur culpabilité d'exister ? Cette sale peste d'Anna aurait dû se prendre quelques bons coups de ceinture, pas être amenée ici. Voilà comment ça aurait dû se passer.

– Tu comptes lui dire ça ? » demanda Susan.

Maisie tressaillit. Elle pensait que Mrs Pincent n'était pas encore de retour. Elle avait décidé de lui écrire une note et de la lui glisser sous la porte, par exemple. Mais au moment où elle s'apprêtait à le faire, Mrs Pincent était entrée par la porte de service avec un inconnu. Ils s'étaient enfermés dans son bureau, comme si c'était le milieu de la journée et non quatre heures du matin, et Maisie était repartie en courant vers la cuisine, où elle se trouvait à présent.

« Oui, j'y vais maintenant, répondit-elle d'un ton hésitant. À moins que tu préfères lui dire, toi ? Vu que t'es de service ? »

Susan secoua la tête. « Tu peux faire une croix là-dessus tout de suite, rétorqua-t-elle aussi sec. J'ai les petits déjeuners à préparer, merci bien. Tu vas y aller, vider ton sac, et terminé. Après, je te ferai une bonne tasse de thé. »

Maisie se leva.

« T'as raison, dit-elle en tremblant légèrement. Ils devraient tous les abattre, ces Surplus. » Au moment de quitter la cuisine, elle jeta un dernier coup d'œil paniqué à Susan, puis se dirigea vers le bureau de Mrs Pincent. « Qu'ils arrêtent de prendre des Légaux comme moi pour ce sale boulot. C'est injuste. C'est parfaitement injuste, oui. »

En approchant de la porte, elle eut un instant d'hésitation. Maisie avait horreur des problèmes. C'est bien pour ça qu'elle n'en avait jamais. Elle était là pour faire son travail, garder la tête baissée et s'assurer qu'elle recevait bien sa paye à la fin de la semaine. Tant que son chèque était viré sur son compte et lui permettait de s'offrir des gâteaux à la crème, quelques pintes de cidre au pub et des souliers confortables pour ses pieds endoloris, elle était tout à fait heureuse comme ça. Grange Hall lui apportait toutes ces choses, en plus d'un toit au-dessus de la tête, et s'il lui fallait pour cela supporter les hurlements de ces affreux Petits Surplus, eh bien, c'était le prix à payer, et elle l'acceptait. Elle n'avait jamais rien demandé, jamais rien désiré qu'elle ne pourrait obtenir par ses propres moyens. Elle ne s'intéressait pas aux promotions ou à ce genre de choses.

Non, elle avait des ambitions on ne peut plus ordinaires. C'était une simple Légale, bonne travailleuse, qui tâchait de faire quelque chose de sa vie. Et quant à se faire rudoyer par un Surplus – surtout un Surplus qui lui parlait sur ce ton, comme si elle était une Légale, comme si elle *valait mieux qu'elle* (Maisie grimaça à cette seule pensée) –, elle ferait clairement comprendre à Mrs Pincent que c'était inacceptable. Oh oui, elle allait lui dire le fond de sa pensée, lui expliquer que ce n'était pas sa faute à elle si Mrs Pincent ne parvenait pas à tenir ces garnements sous contrôle.

Arrivée devant la porte, Maisie inspira un grand coup, frappa lourdement et attendit.

« Entrez. »

La Domestique tourna la poignée d'un geste hésitant et pénétra dans l'antre de Mrs Pincent. Quelle pièce glaciale et horrible, songea-t-elle. Le genre d'endroit qui aspirait votre âme tout entière. Comme il avait aspiré celle de

Mrs Pincent, cela ne faisait aucun doute. Cette femme n'avait pas la moindre parcelle d'âme en elle. Il n'y avait qu'à voir ses petits yeux, si seulement vous osiez y plonger les vôtres. Ils étaient petits et brillants, noirs, et surtout sans vie. Un simple coup d'œil suffisait pour s'en faire une idée – mieux valait ne pas trop s'attarder sur un regard comme celui-là.

En cet instant, il semblait encore pire que d'habitude, nota Maisie avec appréhension : indigné et rageur. Quel qu'ait pu être le motif de son absence, cette nuit, Mrs Pincent ne tenait sans doute pas à ce que cela s'ébruite.

« Oui, Maisie ? »

Celle-ci ouvrit la bouche tout en s'efforçant de trouver les mots justes. L'homme la fixait du regard, lui aussi, comme si elle venait de les surprendre en flagrant délit. Peut-être était-ce le mari de Mrs Pincent, analysa-t-elle. Les gens disaient qu'elle n'en avait plus, mais elle en avait peut-être un quand même, après tout. À moins que ce ne soit justement pas son mari – d'où leur malaise à tous les deux.

Elle scruta l'homme à la dérobée pour mieux l'étudier. Il était petit et chauve. Au moment où elle s'apprêtait à se tourner de nouveau vers Mrs Pincent, la Domestique eut un léger sursaut. L'homme était en train de déposer un objet au fond d'une boîte, et, sauf erreur de sa part, un objet ressemblant fort à une seringue. Maisie détourna rapidement les yeux. Si elle avait appris une chose, dans la vie, c'était que moins vous en saviez, mieux cela valait pour vous. Elle souhaitait ressortir de cette pièce le plus vite possible, et c'était exactement ce qu'elle allait faire.

« Voilà... », commença-t-elle en cherchant ses mots. Ce genre de nouvelle s'annonçait avec délicatesse. Vous ne pouviez pas lâcher de but en blanc que deux Surplus s'étaient évadés comme si vous déclariez que le thé était servi, non ?

« C'est à propos des Surplus, se décida-t-elle enfin. Ceux qui sont en Isolement. »

Maisie vit Mrs Pincent darder un regard en direction de l'inconnu, qui fronça les sourcils. Elle eut un léger mouvement de recul.

« *Ce* Surplus, corrigea Mrs Pincent d'une voix irritée. Il n'y a qu'un seul Surplus en Isolement. Eh bien ? »

Maisie inspira un grand coup. « *Ces* Surplus, reprit-elle, alors que la sueur commençait à perler à son front, vu qu'ils sont deux. C'est qu'hier, voyez-vous, pendant que vous étiez partie, cette autre petite morveuse... enfin, cet autre Surplus, je veux dire, elle n'a pas arrêté de nous faire tourner en bourriques. Moi et Mrs Larson, vous voyez. Et c'est Mrs Larson qui a dit qu'on ferait mieux de l'envoyer en Isolement. Elle l'avait bien cherché, qu'elle a dit, à force d'être aussi malpolie... »

Maisie ne put s'empêcher de remarquer que Mrs Pincent s'était rembrunie, et son cœur frémit. Elle savait qu'elle parlait pour ne rien dire, mais c'était plus fort qu'elle ; elle se sentait incapable d'articuler la moindre phrase cohérente. Et le pire, c'est qu'elle n'avait même pas encore annoncé la mauvaise nouvelle.

« Enfin bref, le problème, Mrs Pincent, et je comprends pas comment une telle chose a pu arriver, je savais même pas qu'il y avait un trou dans le mur, alors, mais c'est que je viens de descendre à l'instant et ils sont plus là, vous voyez ? Ils ont... disparu, Mrs Pincent. »

Elle leva des yeux implorants et frissonna sous le poids implacable du regard de Mrs Pincent, rivé droit sur elle.

« Comment ça, "disparu" ? répéta lentement Mrs Pincent d'une voix grave, le visage empourpré.

– C'est pas ma faute, protesta aussitôt Maisie. Je pouvais pas deviner. Vous devriez mieux contrôler leur comportement, si vous voulez mon avis. Comment je pouvais savoir qu'ils s'échapperaient ? Je croyais que c'était impossible. Je croyais...

– Assez ! »

Mrs Pincent s'avança vers elle et l'attrapa rudement par les épaules.

« Qu'est-ce que vous me racontez ? » lâcha-t-elle d'un ton chargé de menaces. Maisie tressaillit. Les prunelles de Mrs Pincent la transperçaient et ses ongles s'enfonçaient dans sa chair molle. « Et de *qui* parlez-vous ?

– De la fille et du garçon, gémit la Domestique. Anna, et ce garçon qui était déjà au cachot. Le nouvel Aspirant. Ils se sont enfuis, voilà. La nuit dernière, pour ce que je peux en dire.

– Impossible, éructa Mrs Pincent avec colère. Personne ne peut s'échapper de Grange Hall. Vous faites erreur. »

Maisie fut tentée d'abonder dans son sens et de quitter la pièce, mais elle savait qu'elle aurait de plus gros ennuis encore si elle ne défendait pas sa position maintenant.

« Apparemment, il y avait un trou dans le mur dont on n'était pas au courant », dit-elle, les yeux baissés. Comme une moins-que-rien de Surplus, songea-t-elle avec colère. Mrs Pincent n'a aucun droit de me parler sur ce ton, ça non, alors. « Je l'ai vu en allant inspecter leurs cellules vers quatre heures moins le quart, tout à l'heure, juste pour voir comment ils se tenaient. Mais ils étaient plus nulle part. Et c'est là que j'ai vu le trou dans le mur. Et alors je me suis dit : ben ça alors, ils ont dû s'enfuir... »

Maisie n'acheva pas sa phrase. Mrs Pincent lui secoua les épaules encore plus fort.

« À quatre heures moins le quart, dites-vous ? » fit-elle d'une voix étranglée.

Maisie acquiesça piteusement.

« Et il est quatre heures et quart, à présent. »

Nouveau hochement de tête de la part de Maisie.

« Alors pourquoi me prévenir seulement maintenant ? »

Parce que je savais que vous réagiriez comme ça, songea Maisie intérieurement, sur la défensive. Mais elle se garda bien d'ouvrir la bouche.

Mrs Pincent était blême, à présent. L'homme s'était levé, comme s'il avait hâte de sortir de là.

Au vif soulagement de Maisie, la Directrice finit par la lâcher pour décrocher son téléphone et composer un numéro.

« Ici Margaret Pincent, aboya-t-elle dans le combiné. J'ai besoin de vous ici. Non, immédiatement. Il y a eu une évasion. Ils n'ont pas dû aller bien loin. Il faut les retrouver le plus vite possible. »

Elle se tourna ensuite vers Maisie.

« Quant à vous, espèce d'incapable, cracha-t-elle, sortez d'ici tout de suite. Allez trouver Mr Sargent et dites-lui de me retrouver en Isolement, et à Mrs Larson d'aller attendre les Rabatteurs à l'accueil. Et vous pouvez annoncer aux Surplus qu'ils n'auront pas de petit déjeuner aujourd'hui. »

Sur ces mots, elle poussa Maisie hors de son bureau et, après avoir fait signe à l'homme qu'il était libre de repartir, s'éloigna à pas précipités le long du couloir.

Le regard vide, Julia Sharpe observait son reflet dans la glace. Ses rides se creusaient de plus en plus, cela ne faisait aucun doute. Tous ces bains de soleil commençaient à marquer son visage et si elle n'y prenait pas garde, elle finirait par ressembler à ces femmes qu'on dévisageait dans la rue. Les « mortes vivantes », comme on les appelait. Celles qui étaient déjà vieilles quand la Longévité avait fait son apparition. Elles l'avaient emporté sur la mort, mais pas sur la vieillesse ; à présent, elles étaient vieilles pour l'éternité.

Pour Julia, le compteur était définitivement resté bloqué à cinquante ans. Ce n'était pas si mal, à vrai dire. Bien sûr, elle n'avait pas trop eu le choix. Elle aurait préféré avoir un visage lisse, mais tout le monde était logé à la même enseigne – même celles qui avaient commencé le traitement dès l'âge de seize ans voyaient apparaître une ride ici ou là dès lors qu'elles abordaient la soixantaine, et ce malgré les plus coûteuses des crèmes hydratantes. La Longévité vous garantissait la jeunesse intérieure, mais seuls des liftings réguliers vous permettaient de rester jeune aussi à l'extérieur. Et Julia avait une peur bleue des chirurgiens.

Exhalant un soupir, elle ouvrit le flacon posé devant elle, en sortit deux capsules et les avala avec une gorgée d'eau.

Seulement deux capsules, deux fois par jour, et adieu au grand méchant loup pour toujours, songea-t-elle en esquissant un sourire. Mais était-ce vraiment suffisant, désormais ? On disait que le nouveau traitement de Longévité était encore plus puissant. Il n'y avait rien que les nouvelles cellules souches ne puissent guérir, semblait-il – les médicaments officiels en vente libre vous donnaient le strict minimum, mais ce nouveau traitement, lui, offrait la totale : autorégénérescence de la peau, réduction des graisses, et plus encore. Mais cela voulait dire s'aventurer sur le marché noir. Et une fois lancé sur ce chemin-là, vous n'aviez aucune idée de ce qui vous attendait au bout.

Julia ne comprenait pas grand-chose aux subtilités scientifiques de la Longévité – et n'en avait jamais vraiment éprouvé le besoin, d'ailleurs ; après tout, le plus important était de savoir *si* ça marchait, et non *comment*. Mais ses amies du club de bridge clamaient qu'elles devaient leur teint lisse et leur corps ferme à Longévité +. Apparemment, ce traitement était déjà disponible dans certaines cliniques privées de luxe aux États-Unis, en Chine et au Japon, et toutes les stars en raffolaient ; le Royaume-Uni en interdisait seulement la vente à cause de son coût prohibitif. Mais y avait-il le moindre fragment de vérité là-dedans ? Les gens adoraient inventer des histoires extravagantes. Sans oublier la question de la provenance des cellules souches. Le traitement traditionnel était à base de cordons ombilicaux congelés, mais certaines rumeurs affirmaient que Longévité + nécessitait des cellules souches jeunes et encore fraîches. Et comment les obtenait-on, se demanda Julia, sinon par le biais de trafics fort douteux ?

Mais peut-être était-elle trop cynique. La veille au soir, pendant sa partie de bridge avec Barbara, Cindy et Claire, elle n'avait pu s'empêcher de remarquer que le teint de Barbara semblait... couvert de rosée. Oui, c'était exactement cela. Irradiant de jeunesse.

Elle soupira de nouveau et décida de se pencher sur la question. Allez savoir ce que contenaient ces flacons qui s'échangeaient contre de grosses sommes d'argent dans des contre-allées obscures... Impossible de connaître leur provenance. Mais s'ils pouvaient l'aider à se débarrasser de ses bajoues et de ses rides autour des yeux, le jeu en valait peut-être la chandelle.

Ses pensées furent interrompues par une série de coups lourds frappés à la porte d'entrée. Intriguée, elle releva la tête. Il n'était que sept heures du matin. Qui diable pouvait lui rendre visite à une heure pareille ?

Elle enfila son peignoir, referma la porte de son armoire à pharmacie et attendit que sa servante aille ouvrir. Puis elle entendit encore frapper à la porte et se souvint qu'elle l'avait prêtée à Cindy pour la journée afin qu'elle l'aide à déménager. Avec un soupir agacé, elle sortit de la salle de bains et descendit au rez-de-chaussée. À travers le judas, elle eut une vision d'uniformes et en fut légèrement alarmée. Y avait-il eu un cambriolage dans sa rue ? Ou pire encore ? Elle frissonna à cette seule pensée. Les crimes étaient si rares de nos jours que même la plus petite infraction semblait hors du commun. Julia s'était souvent demandé si le crime avait disparu grâce à l'apparition de la Longévité, parce que les gens étaient satisfaits de leur sort et ne s'intéressaient plus aux gains à court terme – surtout depuis que le court terme était devenu court à ce point. Ou peut-être était-ce parce que, le crime étant l'apanage des jeunes, l'éradication de la jeunesse était directement liée à la tranquillité du voisinage ? Son mari, lui, souscrivait à ce point à de vue et citait souvent la Déclaration comme la panacée contre les maux du monde entier, mais Julia n'était pas convaincue. Elle pensait surtout que les gens étaient tous trop vieux pour s'adonner à ce genre d'actes de délinquance. De nos jours, plus personne n'avait assez d'imagination ou d'énergie pour contrevenir à la loi.

Elle ouvrit la porte, puis fronça les sourcils en réalisant de quel type d'uniforme il s'agissait. L'un de ces hommes était un policier, mais ses deux collègues, à n'en pas douter, n'étaient autres que des Rabatteurs.

Les yeux ronds de curiosité, elle les laissa entrer.

Chapitre 17

Anna s'emmitoufla plus fermement dans la lourde tenture et coula un regard furtif à Peter, qui se tenait juste à côté d'elle. L'air de rien, elle leur avait trouvé une cachette idéale d'où, sans risquer d'être vus, ils avaient tous les deux – enfin, surtout lui – une vue dégagée sur le jardin, la porte et la maison. Après s'être assuré qu'Anna était bien au chaud, il était simplement resté à veiller, immobile et concentré, sans rien dire.

Enfin, jusqu'à maintenant.

« Il y a des gens dans la maison. On dirait des Rabatteurs. »

Ces mots, Peter les avait prononcés d'une voix si basse qu'Anna les entendit à peine, bien qu'elle les reçût comme une rafale de balles en plein cœur. Des Rabatteurs ? Comment pouvaient-ils savoir qu'ils s'étaient réfugiés ici ?

« Planque-toi sous le rideau », lui murmura Peter. Pantelante, Anna s'exécuta. Elle sentait son corps tout crispé contre le sien, comme celui d'un animal traqué, et s'efforça de contenir ses grelottements de peur et de froid.

Elle était étendue là depuis ce qui lui semblait être une éternité, mais plus probablement depuis une dizaine de minutes, quand Peter vint la rejoindre.

« Ils sont dans le jardin », chuchota-t-il. Anna sentit la chaleur de son souffle sur son front et, sans réfléchir, tendit la main, trouva la sienne et la serra très fort. Peter posa son front contre son épaule et, avant qu'elle ait eu le temps de comprendre ce qui se passait, ils se retrouvèrent lovés l'un contre l'autre, leurs corps si étroitement enlacés qu'ils ne semblaient plus faire qu'un.

C'est alors qu'ils entendirent quelqu'un agiter la poignée. Pétrifiée, Anna s'attendait déjà à ce qu'ils entrent pour venir les chercher, mais la porte resta solidement fermée. Peter la serra encore plus fort contre lui.

« Vous gardez cette porte verrouillée en permanence ? » C'était une voix d'homme. Tous les muscles du corps d'Anna se contractèrent.

« Bien sûr. Enfin, c'est plutôt mon mari. Cette remise contient des meubles d'antiquité. Et de valeur, semble-t-il, bien que je ne les aime pas beaucoup. Mais chacun ses goûts, comme on dit. »

Anna sentit le bras de Peter se resserrer autour du sien en entendant résonner la voix familière de Mrs Sharpe.

« Nous avons reçu l'ordre de chercher partout, fit une autre voix masculine. Porte verrouillée ou non.

– Très bien, répondit Mrs Sharpe d'un ton excédé. Je crois que la clé est là-dedans. »

Anna sentit son cœur se crisper dans sa poitrine. Mrs Sharpe allait chercher la clé et ne la trouverait pas à sa place. Elle saurait qui l'avait prise. Et les Rabatteurs fondraient droit sur eux.

« Tiens, fit la voix de Mrs Sharpe. C'est curieux...

– La clé a disparu ? »

Il y eut un long silence. « Ah non, ça me revient, déclara tout à coup Mrs Sharpe. Mon mari l'a prise avec lui. Pour des raisons de sécurité.

– Dans ce cas, on devrait peut-être enfoncer la porte, suggéra l'un des hommes.

– Vous pouvez toujours, mais je crains que cela ne déplaise fort à mon époux, répondit précipitamment Mrs Sharpe. Et je ne vois pas comment quelqu'un pourrait se cacher ici, étant donné que la porte était fermée à clé. Vous connaissez peut-être mon mari, du reste... Anthony Sharpe ? Il est au ministère de l'Énergie. »

S'ensuivirent quelques secondes de silence, pendant lesquelles Anna osa à peine respirer.

« Je connais le nom de Mr Sharpe, bien sûr, intervint l'un des hommes. J'ignorais que vous étiez... que vous êtes... Enfin, nous ne vous dérangeons pas plus longtemps, n'est-ce pas, messieurs ? Merci à vous, Mrs Sharpe, pour votre... aide. »

Et sur ces mots, Anna entendit le son le plus délicieux qui ait jamais résonné à ses oreilles : le bruit de pas des Rabatteurs en train de s'éloigner.

Julia Sharpe se tenait devant l'évier de sa cuisine, l'esprit en proie à une vive agitation. Cette clé avait très bien pu s'égarer. C'était une hypothèse tout à fait envisageable.

Mais totalement improbable. Les choses se perdaient rarement, dans cette maison.

Contrariée, elle décida d'allumer son ordinateur. Elle avait fait des économies d'énergie remarquables, ce mois-ci, grâce au nouveau panneau solaire installé sur son toit, et se sentait en mal de compagnie. Même virtuelle.

Un journaliste apparut à l'écran, qui évoquait d'un ton grave l'enlèvement du ministre de l'Énergie par un groupe terroriste du Moyen-Orient affirmant que le récent traité global visant à limiter les dépenses de pétrole était un complot ourdi pour mettre à mal leur économie. Une fenêtre personnalisée s'ouvrit en bas de l'écran pour rappeler à Julia que sa nouvelle prescription de Longévité était prête et qu'il lui restait quatre coupons énergétiques pour le mois ; en haut de l'image, une autre alerte lui intima de presser le bouton rouge de sa télécommande, afin d'accomplir ses exercices de souplesse cérébrale du jour. Ignorant ces deux messages, Julia suivit les informations quelques minutes, non sans secouer la tête avec consternation. Les pays pauvres prenaient des mesures désespérées pour tâcher de convaincre les plus grandes nations de leur fournir plus d'énergie. Ce que les terroristes n'avaient pas l'air de comprendre, songea Julia, c'était que tout le monde souffrait. La Chine et les États-Unis n'avaient-ils pas interdit la climatisation, provoquant une migration de masse vers des contrées moins chaudes ? Les pays d'Amérique du Sud n'avaient-ils pas dû enrayer leur progression économique afin de préserver les forêts tropicales humides ?

Elle se souvenait d'une époque, du temps de sa jeunesse, où l'énergie était encore disponible à volonté et où les gens pensaient que le recyclage suffisait. Avant que des îles se retrouvent englouties sous la mer et avant que la fin du Gulf Stream transforme l'Europe en cette étendue froide et grise qu'elle était devenue à présent, avec ses étés courts et ses longs hivers glacés. Avant que les politiciens soient contraints à l'action, parce que leur nouvelle vie éternelle signifiait qu'eux-mêmes, et non les générations futures, auraient à subir les conséquences de la dégradation climatique mondiale.

Mais tous les pays ne s'étaient pas sentis traités équitablement lors du sommet international organisé à la hâte. Et ils n'avaient pas tort, après tout. Ce n'était un secret pour personne que les pays riches trichaient. Que des sources d'énergie prohibées continuaient à être utilisées illégalement afin d'alimenter en électricité certains secteurs vitaux. Que les énergies renouvelables étaient imposées aux pays pauvres comme seules sources énergétiques disponibles, alors que les nations corrompues se livraient au commerce du pétrole et du charbon. La Grande-Bretagne avait elle-même investi des sommes d'argent et fourni des efforts considérables pour créer une nouvelle source d'énergie irréprochable et la revendre avec profit aux autres pays, rouvrant ainsi des départements de recherche et les universités dont ils dépendaient, lesquelles avaient été abandonnées depuis un siècle pour cause de pénurie d'étudiants.

Mais l'énergie n'était pas un domaine dans lequel Julia faisait autorité ; c'était le terrain d'action de son époux, Anthony, et non le sien. Pour l'instant, elle avait un problème bien plus urgent sur les bras. Il n'y avait eu aucune dépêche aux informations concernant l'évasion des Surplus, mais ce n'était guère surprenant – la nouvelle ne serait annoncée que lorsque les fugitifs auraient été retrouvés. Inutile de paniquer les gens pour rien, comme dirait Anthony.

Julia tambourinait nerveusement sur son plan de travail

en tâchant de prendre une décision. Et aussi de comprendre pourquoi elle n'avait pas laissé les Rabatteurs enfoncer la porte du petit pavillon. Était-ce pour protéger les meubles d'Anthony ? Ou bien pour une autre raison – la mention du prénom « Anna », par exemple ?

Comme elle réfléchissait à la question, le téléphone sonna. Elle décrocha aussitôt.

« Julia ? C'est Barbara. Tu es au courant ?

– Au courant de quoi ?

– L'évasion des Surplus. Les Rabatteurs ont dû venir chez toi, non ? Ils m'ont réveillée, figure-toi. Ils sont d'une efficacité ! »

Julia s'assit. « C'est leur travail, j'imagine, fit-elle d'un ton avisé.

– Ils m'ont dit qu'ils recherchaient deux Surplus en cavale. J'ai fermé toutes mes portes et mes fenêtres à double tour. Et je te conseille d'en faire autant. On n'est jamais trop prudents, Julia. Et je pèse mes mots. Qui sait les ravages qu'ils pourraient causer à la moindre occasion ! Cela obligera peut-être les gens à prendre enfin la question au sérieux. Ces Foyers de Surplus sont de vraies bombes à retardement. Quand je pense qu'on les garde là-dedans, à gaspiller autant de ressources énergétiques... ce ne sont que des viviers à vermine, Julia. Et si près du village !

– Je ne les crois pas dangereux, Barbara, rétorqua Julia

en fronçant légèrement les sourcils. Et les Surplus sont très bien formés. »

Elle eut une pensée pour sa femme de ménage, et aussi pour Anna, cette petite qui venait visiblement de s'évader du Foyer. Elles n'avaient causé aucun ravage. Au contraire, elles semblaient pathétiquement reconnaissantes du moindre mot gentil qu'on pouvait leur glisser.

« Non, bien sûr, les éléments *autorisés à sortir* ne sont pas les plus dangereux, reprit Barbara d'un ton sinistre, mais nous ne voyons que les Surplus employables. Les bien dressés. Les autres ne sont que des parasites, Julia. Ils nous volent notre nourriture, notre énergie, notre air. »

Julia poussa un soupir. Barbara avait peut-être raison. Elle avait eu tort de laisser partir les Rabatteurs sans qu'ils aient inspecté le pavillon.

« Et ils sont jaloux, poursuivit Barbara. Ils osent lorgner sur ce que nous avons. Mais ils n'en ont pas le droit, Julia. Leurs parents n'avaient pas le droit de faire ce qu'ils ont fait. C'est ce que j'essaie d'expliquer à mon propre Surplus, Mary. Un Bon Élément, très travailleur. Mais le fait est qu'elle ne devrait même pas être en vie, Julia. Elle ne devrait pas exister. Et maintenant, cette histoire d'évasion ! Crois-moi, il va falloir s'occuper de ce Problème Surplus. Si on les traite trop gentiment, les gens n'auront aucun scrupule à nous en imposer toujours plus. Sais-tu quelle proportion de nos impôts est monopolisée par le Problème Surplus ? Hmm ?

– Non, répondit Julia.

– Une trop grande proportion, voilà la réponse », répliqua Barbara d'un ton péremptoire.

Elle marqua une pause, le temps de retrouver son souffle. « Bref, reprit-elle enfin d'une voix plus normale, la raison de mon appel est que j'organise une grande battue dans le village. Nous devons absolument nous protéger, Julia. Retrouver ces voyous et leur régler leur sort. Rendez-vous chez moi, cet après-midi. Je me disais que tu voudrais absolument y participer.

– Tu ne penses pas qu'il vaudrait mieux laisser les Rabatteurs faire leur travail ? risqua Julia.

– Voyons, répondit sèchement Barbara, nous ne pouvons pas laisser deux Surplus menacer tout ce que nous a apporté la Longévité. Ils peuvent être n'importe où. Nous devons intervenir, faire notre devoir. Si nous laissons deux Surplus s'évader, jusqu'où cela peut-il aller, Julia ? Il n'y a pas de place pour eux. Ils doivent être éradiqués.

– Éradiqués ? » Julia ne put dissimuler l'indignation dans sa voix.

« Pris en charge, si tu préfères, rectifia Barbara. Bien qu'en éliminer quelques-uns ne serait pas une mauvaise idée, à mon sens. Cela enverrait un message fort, tu ne trouves pas ? »

Julia prit une profonde inspiration et bascula la tête en arrière.

« Cet après-midi, déclara-t-elle. Eh bien, je… à tout à l'heure. »

Elle raccrocha le combiné et exhala un long soupir. Les gens avaient une telle peur des Surplus. Et même des enfants Légaux, même si on n'en voyait plus tellement de nos jours. C'était comme s'ils avaient tous oublié les atouts positifs de la jeunesse et s'étaient eux-mêmes persuadés que toute personne de moins de vingt-cinq ans était dangereuse et subversive. Ou toute personne en dessous de la soixantaine, plutôt. Car c'était l'âge des plus jeunes, aujourd'hui, en dehors des Surplus et des quelques Légaux qui étaient passés entre les mailles du filet après la Déclaration. Un monde peuplé de vieillards, songea Julia en se rembrunissant. De vieillards convaincus que la nouveauté et la différence étaient forcément mauvaises – sauf dans le cas d'innovations liées à la Longévité, bien sûr.

Ironiquement, sans doute, les Surplus étaient le seul sujet autour duquel semblait encore se cristalliser un débat politique, même s'il n'impliquait qu'une poignée de militants très actifs. Le camp libéral prônait une approche plus humaine, une meilleure éducation, pour prendre le mal à la racine et éviter les naissances de Surplus, tandis que Barbara et ses amis lecteurs du *Daily Telegraph* considéraient que les parents de Surplus devraient être emprisonnés à vie et leur progéniture rayée de la surface de la Terre. Pas leurs Surplus à eux, bien sûr – ceux qui leur faisaient la cuisine, entretenaient leurs jardins, travaillaient sur les chantiers ou assumaient toutes les corvées dont personne n'avait envie de se charger. Non, pas ceux-là ; seulement les « autres », quels qu'ils soient.

Il ne faisait aucun doute que les Autorités finiraient par organiser un référendum sur la question, se disait Julia. Former une nouvelle Commission d'enquête. Confier à quelqu'un comme son mari la responsabilité de superviser les recherches pendant deux décennies, puis d'en tirer des conclusions que, dans le meilleur des cas, ils tenteraient de mettre en pratique. Si tant est que la question intéresse encore quelqu'un.

Mais le problème, c'est que Julia n'avait pas deux décennies devant elle pour se forger une opinion sur le Problème Surplus. Elle n'avait pas deux décennies pour décider quoi faire. Elle n'était pas absolument certaine que les fugitifs se cachent dans son pavillon d'été, bien sûr. Mais d'expérience, elle savait que 2 + 2 font toujours 4.

Après avoir récupéré le double de la clé dans la cuisine, elle enfila un manteau, une paire de bottes en caoutchouc et prit quelques outils de jardinage au passage pour faire bonne mesure. Au cas où les voisins la verraient. Les voisins, ou quelqu'un d'autre.

Elle s'interrogeait souvent sur les motivations des

parents de Surplus qui enfreignaient sciemment les principes de la Déclaration. Était-ce de l'arrogance – la conviction que la Déclaration ne s'appliquait pas à eux ? Ne réalisaient-ils donc pas qu'ils n'avaient aucune chance d'échapper à la loi ? Elle avait entendu parler d'un réseau, un nouveau mouvement « pro-vie » affirmant que la Déclaration était une erreur, que les gens ne devaient pas vivre pour toujours et que la jeunesse valait mieux que la vieillesse. Mais personne ne les prenait au sérieux.

Julia avait un jour déclaré à Anthony que la Longévité devrait contenir des pilules contraceptives, de sorte que le Problème Surplus ne se pose plus. Ce serait une solution directe, et on ne peut plus simple. Mais Anthony lui avait répondu que c'était impossible, parce que la formule chimique de la Longévité était calculée avec précision et qu'il ne fallait surtout pas la surcharger ; que les implants contraceptifs étaient préférables, car plus sûrs et moins coûteux. Julia avait fait remarquer que de toute évidence ils n'étaient pas fiables à cent pour cent ; Anthony lui avait alors rétorqué qu'elle ne pouvait pas comprendre, que les choses n'étaient pas toujours aussi simples. Mais pour Julia, c'était limpide, au contraire. Elle soupçonnait parfois les Autorités de tout compliquer à dessein, afin d'avoir toujours quelque chose à faire.

Julia avait fait partie des chanceux, bien sûr. Son enfant

était né bien avant l'arrivée de la Longévité. Elle n'avait jamais eu à faire de choix.

Un seul enfant lui convenait tout à fait, et Anthony partageait son point de vue. Un enfant suffisait amplement. Et Julia avait été aux anges en apprenant qu'elle attendait une petite fille. Quelqu'un avec qui faire du lèche-vitrines, avec qui échanger des potins... elle s'y voyait déjà.

Sauf que les choses ne s'étaient pas passées comme ça. À trente-cinq ans, Tracey était partie pour les États-Unis. Elle avait une carrière, comme elle disait, et c'était « là-bas qu'il fallait être ». Soixante-dix ans s'étaient écoulés depuis. Ça ne semblait pas si loin, d'une certaine façon, et pourtant, Julia avait parfois le sentiment que ça faisait une éternité.

Tracey lui téléphonait de temps à autre, ce qui faisait toujours plaisir. Et chaque fois qu'elle le pouvait, en fonction de son crédit d'énergie, Julia prenait l'avion pour aller la voir. Mais sa fille était débordée et elles n'avaient pas réussi à fixer de date depuis une décennie.

Elle avait toujours ses amies, bien sûr, songea Julia en se forçant à esquisser un sourire. Elle avait son club de bridge, n'est-ce pas ? Non, elle menait une vie très heureuse, tout compte fait. Et s'il lui arrivait de se demander, parfois, à quoi bon vivre éternellement si vous n'aviez personne à aimer, personne pour vous aimer, elle ne s'attardait jamais trop longtemps sur la question. Elle faisait partie des chanceux, se rappelait-elle à l'ordre. Elle menait une vie très heureuse.

Tout en cheminant vers le petit pavillon, Julia se demanda s'il s'agissait de la même Anna. Cela ne pouvait être qu'elle, non ? Mais en quoi consistait leur plan, à elle et à l'autre Surplus qui l'accompagnait ? Comptaient-ils seulement savourer quelques jours de liberté avant leur inévitable capture, ou bien étaient-ils plus ambitieux, nourrissant peut-être l'espoir de se cacher pour toujours ? Sauf que ce ne serait pas pour toujours, se dit Julia. Ce n'étaient que des Surplus. Leur existence serait si atrocement courte que tous ces efforts n'en valaient pas vraiment la peine.

Sans un bruit, elle s'approcha du pavillon en bois et tapota au carreau.

« Anna, appela-t-elle à voix basse. C'est moi, Mrs Sharpe. Je suis sûre que tu es là. Les Rabatteurs sont partis. Tu veux m'expliquer ce que tu fais ici, Anna ? Tu peux me laisser entrer ? »

« Ne dis rien, souffla Peter. C'est sûrement un piège. » Il ruisselait de sueur ; Anna avait du mal à savoir si c'était sous l'effet de la douleur ou de la peur.

Elle hocha la tête en silence, luttant contre l'envie de

bondir au-dehors pour remercier Mrs Sharpe d'avoir renvoyé les Rabatteurs.

« Écoute-moi, Anna. J'aimerais que tu ouvres la porte. Il va falloir faire très attention, car on ne peut jamais savoir ce que font les voisins mais personne ne peut voir mon jardin à moins de se trouver dans ma maison, et je t'assure qu'il n'y a personne. Pas pour l'instant, en tout cas. Mais ils peuvent très bien revenir, et je dois vous sortir de là le plus vite possible. Tu es d'accord ? Anna ? »

Anna regardait Peter. Sous le rideau, elle ne distinguait que ses yeux et ils luisaient de peur.

« Je fais confiance à Mrs Sharpe, dit-elle en le serrant fort entre ses bras pour le rassurer. Et elle n'a pas laissé entrer les Rabatteurs. »

Peter la fixa intensément, puis acquiesça et, progressivement, ils se dégagèrent du rideau. Enfin, Peter se leva, boita jusqu'à la porte pour la déverrouiller, avant de retourner précipitamment auprès d'Anna, son regard balayant l'espace en tous sens à la recherche d'une issue de secours en cas de problème.

Mrs Sharpe se faufila lentement entre les meubles pour venir se glisser juste à côté du lit posé contre le mur. Deux paires d'yeux écarquillés étaient rivées sur elle, la première la scrutant prudemment, tandis que la seconde évoquait le regard d'un chiot reconnaissant de ne pas avoir été noyé.

« Oh, Anna ! s'exclama-t-elle en voyant dans quel état

ils se trouvaient – sales, blessés, les cheveux emmêlés. Ma pauvre enfant, qu'as-tu fait ? »

Avec de petits yeux plissés, Mrs Pincent dévisagea Frank, le Rabatteur en chef qui lui avait été envoyé afin de couvrir l'évasion de Grange Hall.

« Vous allez les rattraper. » C'était une affirmation, pas une question.

Frank esquissa un sourire. « Comme toujours, dit-il avec assurance. Bien sûr, nous avons plutôt l'habitude des Surplus clandestins. Nous marchons à la dénonciation. Ce n'est pas tous les jours qu'on pourchasse des évadés de Foyers. Ça n'arrive presque jamais. »

Il l'observa d'un air chargé de sous-entendus, et Mrs Pincent le foudroya du regard.

« Ils se sont échappés, répondit-elle d'une voix sourde et hargneuse, parce que les Autorités n'ont pas jugé bon de m'avertir de l'existence d'un tunnel. Je peux vous assurer que c'est le premier cas d'évasion depuis mon arrivée à Grange Hall, et que ce sera aussi le dernier. »

Frank haussa les épaules. « Peu importe. On les retrouvera. Ils n'ont nulle part où aller, de toute façon, pas vrai ?

– Et le Réseau souterrain ? demanda Mrs Pincent avec une mine de dégoût. Je crois que le gamin était en contact avec eux. C'est un nouveau, vous comprenez. Bien trop âgé pour être placé en Foyer. Mais on ne m'a pas laissé le choix. »

Nouveau haussement d'épaules. « Le Réseau ? répéta l'homme avec mépris. Une poignée d'idéalistes aux idées fumeuses, ça s'arrête là. Tout dans le discours, rien dans le pantalon. Ils essaient bien de cacher un Surplus par-ci par-là, mais on finit toujours par les retrouver, croyez-moi. »

Mrs Pincent hocha sèchement la tête. Elle ne les connaissait que trop bien, ces militants idéalistes. Ils lui écrivaient des courriers, de temps à autre, pour réclamer des précisions sur le traitement infligé aux Surplus. Ils lui envoyaient aussi des pétitions pour que les parents criminels aient le droit de voir leurs enfants Surplus à leur sortie de prison. Elle les haïssait.

« Ce que les idéalistes ne comprennent pas, reprit-elle, persuadée d'avoir trouvé en Frank un homme partageant son point de vue sur les Surplus, c'est que c'est le prix à payer pour la Longévité. Ils vivent dans un monde stable, prospère et sécurisé, et ils oublient un peu trop vite comment ce monde a été créé. »

Frank opina du chef ; son regard s'éclaira. « Ce sont des ignorants, voilà ce qu'ils sont, renchérit-il avec conviction. Ces pauvres Surplus ? Laissez-moi rire. Vous et moi sommes en première ligne, Mrs Pincent. Nous connaissons la vérité. Sans des gens comme nous, le monde serait loin de ce qu'il est aujourd'hui, vous savez.

– Je ne vous le fais pas dire. Bien. Quand vous les aurez retrouvés, vous les ramenez ici, n'est-ce pas ?

– C'est la procédure habituelle, confirma Frank. S'ils sont vivants, bien sûr. Parfois, vous comprenez, nous nous heurtons à certaines... complications. »

Mrs Pincent l'observa un moment.

« Tâchez d'avoir la fille vivante, conclut-elle avant de se lever. Le garçon ne vaut sans doute pas lourd, si vous voyez ce que je veux dire. »

Frank sourit. « Je vois tout à fait, dit-il d'un ton jovial.

– Parfait, fit Mrs Pincent. À présent, je viens de penser à un détail. Anna a travaillé quelque temps au village pour une femme, il y a un an. C'est peut-être une piste à suivre. Je dois avoir son nom dans le dossier quelque part. »

Sheila était en apprentissage de Décorum, les yeux rivés sur Mrs Dawson, feignant de l'écouter attentivement.

La place d'Anna était vide. Personne ne s'en étonnait particulièrement, vu qu'elle avait été envoyée en Isolement. Mais Sheila, elle, n'était pas dupe. Elle savait ce qui s'était passé. Elle savait tout, parce qu'elle avait lu le journal intime d'Anna et découvert ses plans. Et aussi parce qu'elle avait été réveillée à l'aube par les hurlements de colère de Maisie.

Sheila se sentait très en colère, elle aussi. Anna ne l'avait pas emmenée. De tous les occupants de Grange Hall, elle était celle qui méritait le plus de partir, fulminait-elle, pas Anna. Anna se plaisait ici. Anna était un Surplus. Alors que Sheila, elle, haïssait chaque seconde passée entre ces murs gris et souhaitait plus que tout au monde retrouver l'Extérieur, sa maison, ses parents.

Quoi qu'il en soit, Sheila pouvait au moins se consoler en se disant qu'Anna n'était pas aussi maligne qu'elle le pensait. Anna croyait toujours tout savoir. Elle se prenait pour le Meilleur Surplus de tous les temps. Mais un Bon Surplus aurait-il oublié son journal intime ? Un vrai Bon Élément aurait-il laissé Sheila lui voler son carnet dans sa poche, pendant que Mr Sargent la brinquebalait à travers la classe, et le glisser discrètement dans sa propre poche, où il avait rejoint l'adorable culotte rose qu'elle s'était appropriée en cours de Lessive & Blanchisserie ?

Non, pensa Sheila. Anna avait commis une grave erreur en refusant de l'emmener avec elle.

La main enfoncée dans sa poche pour palper la douce couverture en daim du bout des doigts, elle sourit et leva les yeux vers Mrs Dawson.

Chapitre 18

Julia détailla tour à tour Anna et Peter avant de hocher la tête avec satisfaction. Ils avaient l'air propres, correctement habillés, la jambe de Peter était bandée et ils étaient tous les deux attablés en train de manger, même s'il lui avait fallu développer des trésors de patience pour leur faire seulement admettre qu'ils avaient faim. Ils levaient sans arrêt la tête avec angoisse, comme s'ils s'attendaient à voir arriver un Rabatteur d'une minute à l'autre. Les pauvres, ils étaient ridicules, avec ces vêtements trop grands dénichés dans la garde-robe d'Anthony et la sienne, mais quel autre choix avait-elle ? Les laisser dans ces affreuses combinaisons de travail ?

« Vous comptez vous cacher dans un camion, c'est ça ? demanda-t-elle à Peter.

– Un camion pour Londres. Le Réseau m'a appris comment entrer clandestinement par l'arrière », dit-il, et Julia crut déceler une étincelle de fierté dans son regard.

« Et si vous ne trouvez pas de camion en route pour Londres ? insista-t-elle.

– Alors on marchera, répondit Anna d'une voix calme mais déterminée. Pas vrai, Peter ? »

Il confirma d'un hochement de tête. « On ne peut pas vous en dire plus, ajouta-t-il tranquillement. Au cas où vous seriez interrogée. Ou torturée.

– Torturée ? dit en souriant Julia. Peter, on ne pratique pas la torture dans ce pays. »

Peter ne lui rendit pas son sourire.

Julia les observa, avec leurs mines sérieuses, et ne sut si elle devait rire ou pleurer. Elle comprenait pourquoi les Rabatteurs avaient décrit le garçon comme un fauteur de troubles ; c'était dans ses yeux, comme s'il vous mettait au défi, avec ce je-ne-sais-quoi de perçant et acéré. Ces yeux-là n'avaient aucune confiance en ce qui les entourait, et ils la mettaient mal à l'aise.

Mais elle nota également sa façon de dévorer Anna du regard – comme s'il était perdu sans elle ; le fait qu'il se redresse, plein de fierté, chaque fois que Julia la complimentait ; son attitude protectrice envers elle, comme s'il craignait qu'elle disparaisse ou lui soit arrachée d'un instant à l'autre. Et elle vit aussi comment Anna, elle, le regardait. Cette fille qui semblait toujours porter le poids du monde sur les épaules tout en ayant l'air de penser que son fardeau n'était pas assez lourd. Julia ignorait comment il s'y était pris – elle-même avait essayé, en vain –, mais Peter paraissait être parvenu à la libérer d'une partie de ce poids. Quelque part au fond de ses grands yeux sombres, Anna avait trouvé une infime parcelle de paix.

Non pas qu'elle eût manifesté une grande sérénité depuis qu'elle avait quitté son uniforme. Anna s'était changée dans la chambre de Julia, les rideaux scrupuleusement tirés, et paraissait heureuse, voire pétillante d'enthousiasme, du moins au début. Car dès qu'elle avait ôté sa combinaison de travail, son attitude avait basculé. Elle avait fébrilement fouillé ses poches, comme si elle cherchait quelque chose, tout en jurant obstinément le contraire à Julia. Puis elle s'était ruée à l'arrière de la maison pour regarder par la fenêtre, malgré ses mises en garde. Et à présent, voilà qu'elle présentait une mine de déterrée, le teint livide, les yeux assombris et lourds d'inquiétude. Sans doute le stress de l'évasion, conclut Julia. Peut-être éprouvait-elle déjà des remords.

« Vous allez choquer », constata Julia d'un air pensif en s'adossant au plan de travail de la cuisine. Mais avant que l'un ou l'autre ait eu le temps de répondre, la sonnerie du téléphone retentit et Julia fit un bond tandis que Peter et Anna partaient précipitamment se cacher.

Priant pour ne pas de nouveau entendre la voix de Barbara, elle décrocha le combiné.

« Julia ? » Ce n'était pas Barbara.

« Ah, c'est toi.

– Je voulais m'assurer que tout allait bien. Ils ont parlé de l'évasion. »

Julia roula des yeux. « Anthony, tout va bien. Ce ne sont que deux Surplus en cavale, pas des assassins.

– Tout de même, ça ne me plaît pas. Les Rabatteurs sont passés ?

– Ce matin. »

Du coin de l'œil, Julia scrutait Peter et Anna en priant pour qu'ils ne fassent pas le moindre bruit. Anthony ne comprendrait absolument pas ce qu'elle faisait, à vouloir protéger des Surplus évadés. Elle avait déjà du mal à le comprendre elle-même.

« Que va-t-il se passer, à ton avis ? demanda-t-elle à son mari.

– Se passer ? Ma foi, ils vont se faire prendre, bien sûr. Les Rabatteurs ne les laisseront pas filer, si c'est ce qui te soucie. »

Julia se tut un instant. « Et après leur arrestation ? Que vont-ils devenir ?

– Que vont-ils devenir ? répéta Anthony d'un ton incrédule. Eh bien, ils seront punis. Enfermés. S'ils arrivent jusque-là, naturellement. »

Julia s'assombrit. « Comment ça ? »

Anthony poussa un soupir. « S'ils survivent, expliqua-t-il. Ça n'a rien d'officiel, naturellement, mais les Rabatteurs ont carte blanche en cas de danger. Tu vois ce que je veux dire. Apparemment, le garçon pose problème.

– Mais… c'est révoltant, lâcha Julia dans un souffle en s'efforçant de ne surtout pas regarder Peter. Ils n'ont pas le droit !

– Tu ne dirais pas ça si tu le retrouvais caché chez toi, Julia, répliqua abruptement Anthony. N'oublie pas que ces Surplus n'ont aucun droit d'exister. Absolument aucun. Chaque nouvel être de plus sur cette terre met nos existences en péril et pille les ressources dont les Légaux ont besoin pour survivre.

– Mais ils sont si jeunes, insista Julia d'une voix tremblante. Cela paraît si… inhumain.

– Julia, ils seront retrouvés, puis punis, ou enterrés, mais dans l'un ou l'autre cas j'espère que cette histoire sera réglée au plus tôt, répondit Anthony d'un ton cassant. Je n'aime pas savoir ma femme en danger, et tu devrais éprouver la même chose.

– Tu crois vraiment que je suis en danger ? demanda Julia, curieuse.

– Je suis sûr que tout ira bien, s'empressa de répondre Anthony. Veille seulement à bien fermer toutes les portes. Pourquoi ne pas appeler une de tes amies pour qu'elle vienne te tenir compagnie ?

– Quand seras-tu de retour à la maison ? »

Il soupira. « J'espérais pouvoir rentrer ce week-end,

mais je crains de devoir faire selon l'urgence. Tu ne m'en veux pas, Julia ?

– Non, bien sûr que non, répondit-elle avec douceur. Tiens-moi juste au courant.

– C'est promis. Alors, à bientôt. »

Julia raccrocha. « C'est bon, vous pouvez sortir, lança-t-elle. Mais il va falloir qu'on vous trouve une autre cachette. Anna ? Anna, tu te sens bien ? »

La jeune fille leva la tête. Elle avait vraiment une mine affreuse, songea Julia non sans inquiétude.

« Je... », Anna décocha un regard effrayé en direction de Peter. « Je crois que j'ai perdu... Enfin... vous n'auriez pas retrouvé quelque chose ? »

Julia prit un air étonné. « Retrouvé quelque chose ? Comment ça ? »

Anna se mordit la lèvre et regarda fixement la table.

« Rien. Je... rien du tout. »

Peter fronça les sourcils. « Ça ne va pas ? » lui demanda-t-il, préoccupé, mais sa question ne fit que l'assombrir davantage. « Tu as égaré quelque chose ? Quoi donc ? »

Anna l'observa longuement. Julia crut qu'elle était sur le point de parler, comme pour soulager sa conscience d'un aveu terrible, mais après une brève hésitation, elle se contenta de hocher la tête.

« Ça va, lâcha-t-elle du bout des lèvres. Tout va bien. Je t'assure.

– Bien, reprit Mrs Sharpe avec sérieux. Il est un peu plus de neuf heures. Alors si vous avez assez mangé, je vous suggère de retourner au pavillon et de m'y attendre jusqu'à la nuit. J'ai… bref, j'ai des choses à faire. »

Anna hocha la tête, sans un mot, et se leva en même temps que Peter.

« Juste une seconde, fit Julia, le temps que je vérifie que la voie est libre. Le jardin est assez bien protégé, mais on n'est jamais trop prudent. »

Elle sortit par la porte de derrière et jeta un coup d'œil au-dehors.

« Non, je crois que tout va bien. Mais longez la clôture au lieu de traverser la pelouse. Et faites vite. Tenez, voilà un peu d'eau et de quoi manger. »

Peter prit la bouteille et Anna esquissa un sourire de gratitude.

« Merci, Mrs Sharpe. Merci pour tout. Je ne peux pas vous dire à quel point nous vous sommes reconnaissants », ajouta-t-elle tout bas.

Julia haussa les épaules. « Contentez-vous de rester bien cachés. Sinon nous aurons tous de gros problèmes. »

Anna emboîta le pas à Peter et franchit la porte. Ils se hâtèrent le long de la clôture qui délimitait le jardin de Mrs Sharpe, rasant les buissons jusqu'à atteindre le petit pavillon. Alors, sans un bruit, ils se glissèrent à l'intérieur, fermèrent la porte derrière eux et regagnèrent leur abri sous les épaisses tentures de velours que la propriétaire avait failli jeter il y a cinquante ans.

Chapitre 19

Julia Sharpe prétexta une migraine pour ne pas se joindre à l'expédition de recherche. Elle offrit néanmoins des biscuits aux participants et remplit deux Thermos de thé sucré additionné d'un nuage de lait qu'elle remit à ses amies, non sans une pointe de culpabilité, et d'angoisse, avant de les regarder s'éloigner avec les voisins. Leur plan, l'avait informée Barbara, consistait à faire le tour du village, à organiser une grande battue à travers champs et à inspecter tous les bâtiments désaffectés. Les volontaires s'étaient armés d'un curieux assortiment de fusils, de pelles, de raquettes de tennis et de clubs de croquet, et Barbara avait naturellement pris la tête du groupe en discourant sur le besoin d'éradiquer le Problème Surplus et de montrer au monde entier qu'on n'était pas là pour plaisanter. Les autres, Julia le voyait bien, ne portaient qu'un intérêt limité au cri de guerre de Barbara ; la plupart d'entre eux bavardaient de choses plus chères à leurs cœurs, comme les dernières recettes de cuisine, la Longévité + – et qui l'avait testée –, ou les nouveaux tarifs énergétiques. Pour la plupart de ses voisins, cette expédition était surtout une excuse pour se retrouver, l'occasion de se convaincre qu'ils contribuaient à quelque chose d'important.

Et Julia ne pouvait pas leur jeter la pierre. Elle aurait fait exactement la même chose, en d'autres circonstances, et elle le savait. La vie était agréable pour les résidents du village. Plaisante et confortable. Mais tous rêvaient parfois d'une petite pointe de danger, de sel, de sens, ne serait-ce que pour se rassurer en réaffirmant la sérénité et la quiétude de leur existence.

Lentement, Julia regagna sa maison, sans cesser de jeter des regards furtifs à la ronde. Elle était ridicule de s'inquiéter. Après tout, personne n'irait soupçonner quelqu'un comme elle. Elle était respectée, elle avait des relations, et quand bien même on retrouverait les Surplus chez elle, elle pourrait toujours feindre la surprise. Mais elle ne put s'empêcher de scruter la rue de part et d'autre, le cœur battant, et sentit une bouffée d'adrénaline la parcourir quand elle sortit ses clés pour ouvrir la porte d'entrée. Parce que, sans en avoir conscience, elle avait pris une décision. Refusant de trop penser aux conséquences, ou encore de peser le pour et le contre, elle avait décidé d'aider Anna et Peter à gagner Londres. Ils n'y arriveraient jamais seuls, et s'ils se faisaient prendre... cette pensée lui était tout bonnement insupportable. Elle allait donc les y emmener elle-même. Et elle n'avait qu'un après-midi devant elle pour s'organiser.

Depuis son poste stratégique, sous le rideau du pavillon, Anna voyait Peter fixer Mrs Sharpe d'un air dubitatif, les yeux plissés et suspicieux. C'était la fin de l'après-midi, la nuit commençait tout juste à tomber et l'ancienne patronne d'Anna guettait leur réaction, dans l'expectative, après leur avoir annoncé qu'elle souhaitait les aider à s'enfuir.

« Pourquoi ? demanda Peter à mi-voix. Pourquoi feriez-vous une chose pareille ? »

Le regard d'Anna passait nerveusement de Peter à Mrs Sharpe. Cette dernière se mordait les lèvres.

« À vrai dire, je ne sais pas trop, souffla-t-elle en secouant la tête. Tout ce que je sais, c'est que ce n'est pas votre faute si vous êtes des Surplus. Et que si vous faites un pas dans ce village, quelqu'un vous verra. Vous êtes si... » Elle fronça les sourcils, comme pour trouver le mot juste, puis haussa les épaules. « Si jeunes. Si faibles.

– Mais vous aurez des ennuis, intervint Anna avec inquiétude. Non ?

– Ne t'inquiète pas pour moi. Nous devrons nous montrer prudents, mais ils ne vont pas fouiller les voitures une par une, quand même. Et certainement pas celle de Mrs Anthony Sharpe, vous pouvez me croire sur parole. »

Elle sourit, mais Anna voyait aux ridules qui cernaient ses yeux et à sa façon de tirer sur ses vêtements qu'elle était dans l'angoisse, elle aussi.

Peter fixait désormais le sol, le front résolument plissé. Puis il releva la tête vers Mrs Sharpe. « Le Réseau souterrain vous en sera très reconnaissant, lui dit-il avec raideur. Si vous pouvez nous apporter votre aide. »

Julia haussa un sourcil. « Réseau souterrain ? répéta-t-elle d'un ton espiègle. Si tu le dis. Mais je tiens à ce que les choses soient claires : je ne fais pas ça pour aider un réseau quelconque. Je le fais parce que vous êtes trop jeunes pour... pour... »

Elle jeta un coup d'œil à Anna, puis regarda ailleurs. « Bref, reprit-elle vivement, je vais regagner la maison, à présent, au cas où quelqu'un aurait décidé de me faire une visite surprise. Ils... enfin, tout le village est en train de vous chercher, en ce moment. Le plus délicat sera de vous faire entrer dans la voiture, avec ces Rabatteurs qui fouinent dans tous les coins, mais il y a une station-service non loin d'ici – vous pourrez y aller à pied en passant par le fond du jardin, quand il fera nuit, puis vous cacher là-bas en attendant que je passe vous chercher en voiture. J'ai une amie à Londres, et je ne vois pas pourquoi je ne pourrais pas aller lui rendre visite ce soir. Avec tous ces événements... »

Elle passa en revue les détails de son plan avec eux avant de repartir vers la maison. Anna se tourna alors vers

Peter. « S'ils fouillent le village, tu crois qu'ils vont revenir par ici ?

– Non », affirma-t-il d'un air catégorique, mais Anna nota qu'il avait les sourcils froncés.

« Tu... te sens bien ? » hésita-t-elle. Elle ne savait plus trop comment s'adresser à lui, pour l'instant. Les choses les plus simples à dire la mettaient mal à l'aise.

« Oui, répondit Peter un peu sèchement. Je vais bien. Je... » Il soupira. « Je n'aime pas dépendre des autres », avoua-t-il après un bref silence.

Anna acquiesça et se renfonça sous le rideau.

Ils quittèrent le pavillon à dix-neuf heures, dès qu'il fit assez noir au-dehors et que Mrs Sharpe eut appris que les membres de l'expédition de recherche s'étaient rapatriés chez Barbara, autour d'un verre de sherry. Elle leur avait fait enfiler des joggings, afin qu'ils paraissent moins maigres, et leur avait donné à chacun une des casquettes de son mari, pour qu'ils en rabattent la visière sur les yeux. Furtivement, ils s'élancèrent à travers le champ qui s'ouvrait derrière le jardin, et Anna dut se faire violence pour rester silencieuse à côté de Peter, tant elle se sentait grisée par l'air frais et le léger craquement du givre sous leurs pas, malgré la peur qui l'étreignait.

Après avoir contourné la zone d'un chantier désert à cause des vives lumières qui l'éclairaient, ils atteignirent enfin le lieu de rendez-vous ; ils se faufilèrent derrière un muret et scrutèrent le devant de la station-service.

Le break de Mrs Sharpe était déjà là.

« Ne bouge pas », souffla Peter. Il s'avança tout doucement jusqu'à l'extrémité du muret, fit dépasser sa tête de quelques centimètres, puis revint à sa place.

« Elle nous a vus », murmura-t-il.

Anna entendit un moteur démarrer. Quelques secondes plus tard, la voix de Mrs Sharpe résonnait.

« Non, merci, disait-elle à quelqu'un. Je viens juste regonfler mes pneus. »

Anna attendit pendant une longue minute d'angoisse, puis la voix de Mrs Sharpe retentit de nouveau, cette fois à leur attention.

« Bon, leur lança-t-elle tout bas. Personne ne regarde. Je vais ouvrir le coffre, et je veux que vous vous glissiez rapidement à l'intérieur pour vous cacher sous les couvertures. Ça risque de sentir un peu le chien. J'ai transporté le labrador d'une amie chez le vétérinaire, l'autre jour. » Elle s'exprimait d'une voix haut perchée, nota Anna, comme si elle s'efforçait de conserver un ton normal bien que ce soit au-dessus de ses forces, vu que la situation n'avait rien de normal du tout.

Sans un mot, Anna bondit dans le coffre après Peter pendant que Mrs Sharpe se dirigeait vers la boutique. Quelques minutes plus tard, Julia revenait vers sa voiture.

« Personne ne parle de l'évasion, il n'y a aucune inquiétude à avoir », annonça-t-elle, et Anna eut du mal à savoir si elle s'adressait à eux ou à elle-même. La tension et la peur étaient presque palpables dans l'habitacle, et même le moteur parut émettre un bruit incertain au démarrage.

« Tu peux mettre ta tête sur mon épaule, si tu veux », chuchota Peter.

Anna se mordit la lèvre ; elle ne savait pas quoi dire. Elle aurait adoré poser sa tête sur son épaule, sentir la chaleur et le réconfort de ses bras autour d'elle. Mais elle ne pensait pas le mériter. Depuis la découverte de l'absence de son journal intime dans sa poche, elle n'avait pas vraiment pu regarder Peter, incapable de supporter sa déception et sa colère inévitables.

« C'est juste qu'on est un peu à l'étroit, ici, précisa-t-il d'un ton dégagé en osant à peine croiser son regard. Alors ce serait peut-être plus simple... »

Ravie du prétexte de cet argument logique, Anna acquiesça et se pelotonna avec soulagement contre la poitrine de Peter, non sans se demander pourquoi il faisait soudain si chaud dans la voiture. Et c'est ainsi que, roulés sous les couvertures, la tête d'Anna recroquevillée contre celle de Peter et les battements de son cœur comme seul bruit à ses oreilles, ils poursuivirent ensemble leur voyage jusqu'à Londres.

La voiture venait de s'immobiliser ; Julia Sharpe se tourna vers eux.

« Il se passe quelque chose, là-bas devant, annonça-t-elle d'un air contrarié. Il y a un bouchon. » Elle semblait ne pas en revenir – les embouteillages étaient une chose proprement inouïe depuis que les coupons énergétiques n'autorisaient plus que les déplacements essentiels. Bus et tramways abondaient sur les routes, et seuls les gens riches ou ayant des relations pouvaient se permettre d'utiliser régulièrement leurs propres véhicules.

Anna entendit le cœur de Peter battre la chamade, ce qui eut pour effet à la fois de la rassurer et de l'inquiéter. Ils restèrent à la même place pendant une dizaine de minutes, après quoi Mrs Sharpe finit par ouvrir sa portière.

« Je vais voir, dit-elle. Ne bougez pas. »

Aucun des deux adolescents n'osa prononcer le moindre mot. Les bras de Peter se resserrèrent autour d'Anna, et elle se mordit la lèvre jusqu'au sang. Mais tous deux restèrent parfaitement immobiles.

Julia Sharpe fut bientôt de retour.

« Ils fouillent les camions, expliqua-t-elle d'une voix un peu tendue. Cela provoque des ralentissements énormes. »

Peter releva un coin de couverture. « C'est nous qu'ils cherchent ? » demanda-t-il.

Julia ne répondit pas tout de suite. « Je crois bien, dit-elle. Franchement, toute cette agitation est ridicule.

– Je pense qu'on devrait sortir de là, affirma Peter. Et finir le trajet à pied. »

Les yeux d'Anna s'écarquillèrent.

Julia soupira. « La route est encore longue. Une quinzaine de kilomètres, au bas mot », dit-elle. Mais au fond, elle ne semblait pas en désaccord avec Peter.

« Ce sera moins risqué à pied, insista Peter. Pour nous tous. »

Il y eut de nouveau un court silence. « Oui, je suppose que tu as raison, conclut Mrs Sharpe d'un ton dépité, presque abattu. Nous sommes exactement à l'est de Londres, ici. Cette route mène au centre-ville. Je vous déconseille de la longer, mais c'est la direction à suivre, en tout cas. Vous... êtes sûrs que ça va aller ?

– Oui, répondit Peter. Mais comment allons-nous sortir du coffre ?

– Je vais faire demi-tour, répondit Julia. Il y a une sortie juste devant nous. Je vous déposerai au tournant, et je reprendrai le même chemin pour rentrer chez moi. »

Anna sentit la voiture redémarrer et serra les poings en pensant résolument à ses cours de Décorum, à ce qu'elle avait appris sur le besoin de Bravoure et de Concentration pour les Tâches immédiates.

La voiture s'arrêta de nouveau ; Mrs Sharpe sortit et la

porte du coffre s'ouvrit. Anna et Peter s'en extirpèrent maladroitement, ankylosés d'être restés confinés si longtemps.

Vint le moment de se dire au revoir, mais il fallait faire vite, selon Julia, car ils devaient aller se cacher. Anna prit la main de Mrs Sharpe dans la sienne et s'aperçut qu'elle avait les larmes aux yeux, parce que celle-ci n'était même pas censée les aider et qu'elle n'était pas sûre de mériter tant de gentillesse. Puis Peter la tira par le bras dans l'obscurité, et Julia fit semblant d'examiner ses pneus.

« Prends bien soin de toi, Anna », murmura-t-elle, les yeux rivés sur sa voiture.

Anna se tut, mais resta parfaitement immobile à côté de Peter tandis que Mrs Sharpe reprenait le volant et s'éloignait lentement dans la nuit.

« Il faut qu'on prenne par là », finit par déclarer Peter en désignant un accotement herbeux, une fois certain qu'ils étaient bien seuls et que personne ne pouvait les voir – et avant de couler un regard en coin à Anna.

« Est-ce que... tu veux me tenir la main ? » lui demanda-t-il, sa voix et son corps trahissant la timidité et l'appréhension.

« J'adorerais », répondit Anna en glissant sa paume dans la sienne, et ils se mirent en route.

Chapitre 20

Un peu plus tard dans la soirée, Julia Sharpe se gara dans l'allée en fredonnant au son de son autoradio. Elle se sentait vivante, bien plus vivante qu'elle ne l'avait été depuis des années. Elle n'avait aucun moyen de savoir si les Surplus s'en sortiraient, bien sûr, ni quel genre d'existence les attendait dans le meilleur des cas. Mais pour la première fois depuis bien trop longtemps, Julia ne s'était pas sentie dans la peau d'une simple spectatrice, impuissante et détachée, comme si elle regardait passer sa propre vie depuis le bord de la route sans jamais y être impliquée.

Cependant, au moment de couper le moteur, elle se rembrunit. Un détail clochait. La lumière dans la cuisine – elle l'avait pourtant bien éteinte en partant, non ? Elle n'oubliait jamais de le faire ; personne n'oubliait.

Elle ôta la clé de contact et se tourna vers sa portière, mais celle-ci s'ouvrit avant qu'elle ait eu le temps d'attraper la poignée. Surprise, elle leva les yeux et blêmit en voyant qui se tenait devant elle.

« Ah, Mrs Sharpe. De retour de promenade, on dirait ? Votre carte d'identité, je vous prie. »

Sans un mot, Julia sortit sa carte de son sac et la regarda passer au scanner.

L'homme eut un rictus glacial. « Et puis-je savoir d'où vous venez, au juste ? »

C'était comme s'ils avaient marché toute la nuit.

Pourtant, ce n'était pas le cas, réalisa Anna en vérifiant son poignet. Il n'était que minuit et quart. Elle aurait jugé qu'il était beaucoup plus tard. Et l'adrénaline qui courait dans son corps lui donnait un sentiment vaguement irréel, comme si ce n'était pas elle qui marchait, tapie dans le noir, mais quelqu'un d'autre.

À chaque tournant, ils pouvaient tomber nez à nez avec un Rabatteur. À chaque nouveau regard posé sur eux, Anna se disait que tout était fichu. Plusieurs fois, ils eurent la sensation d'être suivis et durent s'engouffrer dans des contre-allées ou se cacher sans savoir s'ils n'allaient pas se faire piéger ou capturer, et même lorsqu'il n'y avait personne, Anna continuait à s'imaginer qu'ils n'étaient pas seuls.

Pendant tout ce temps ils n'osèrent pas échanger le moindre mot, de peur d'attirer l'attention – mais de toute façon, il n'y avait strictement rien à dire. Anna se contentait d'observer Peter avec une admiration muette pendant qu'il indiquait le chemin à suivre, choisissant exprès des chemins qui leur permettaient de passer inaperçus, aussi invisibles aux yeux des Légaux qu'étaient censés l'être les Surplus dans les résidences de leurs employeurs.

Tout en marchant, Peter lançait un regard scrutateur autour de lui et Anna repensa à la première fois où elle l'avait vu, à Grange Hall, il y avait deux mois. Cela lui semblait des mois en arrière, des années, même.

Régulièrement, il s'arrêtait pour examiner un panneau routier ou un indicateur quelconque, réfléchissait quelques instants puis opinait du chef, comme pour approuver lui-même la décision qu'il venait de prendre, avant d'indiquer par un geste la route à suivre et de repartir au pas de course. Anna devait se contenter de le suivre en abandonnant tout désir de contrôle, de compréhension, de sécurité, et en s'efforçant d'ignorer le martèlement de son cœur et ses pieds endoloris à mesure qu'ils traversaient les abords de Londres.

Comme les lumières de la ville se faisaient de plus en plus vives, et les rues plus fréquentées, ils dénichèrent un petit coin de verdure parsemé d'arbres et de buissons et s'y cachèrent une heure ou deux, le temps que les rues se vident, avant de reprendre leur chemin en rasant les murs, têtes baissées, telles deux ombres.

Et puis, soudain, alors qu'Anna avait décidé de faire le deuil de ses pieds, qui lui semblaient de toute façon sur le point de tomber en lambeaux, Peter s'arrêta et se tourna vers elle.

« On y est. »

Anna le dévisagea, stupéfaite. Elle était si profondément plongée dans ses pensées qu'elle n'avait même pas remarqué que Peter avait passé la dernière heure à accélérer encore la cadence et à redresser peu à peu le menton, conscient qu'ils se rapprochaient du but.

D'un geste vif, il attira Anna dans un recoin sombre et, sous ses yeux, frappa à une vitre située juste au niveau du trottoir. Il tapa une fois, deux fois, attendit quelques secondes et recommença. Un visage apparut aussitôt à la fenêtre, puis un second, et une porte s'ouvrit en bas d'un petit escalier en pierre. En une poignée de secondes, Anna se retrouva entraînée à travers le seuil et poussée à l'intérieur, jusque dans une cuisine où des bras l'entourèrent. Une voix étouffée répétait « Mon bébé, mon bébé » pendant que quelqu'un sanglotait, et elle pouvait à peine respirer, et c'est tout juste si elle parvint à prononcer le nom de Peter avant que sa tête roule vers l'arrière et que tout vire au noir autour d'elle.

Julia s'efforça de sourire, mais elle sentait déjà ses mains trembler. Enfreindre la loi lui paraissait soudain un concept beaucoup moins attrayant qu'il n'y avait quelques instants à peine.

L'homme qui la dévisageait à travers la vitre de sa voiture, l'homme qui lui bloquait le passage, n'était autre que Mr Roper, le Rabatteur en chef. Elle l'avait déjà vu aux informations, mais jamais en chair et en os.

Reste calme, s'exhorta-t-elle. Ils n'ont aucune preuve contre toi. Ils ne savent rien.

« Je suis allée voir une amie à Londres, lâcha-t-elle à toute vitesse. Quelle soirée glaciale, n'est-ce pas ? Je n'avais pas utilisé la voiture depuis si longtemps... problème de coupons énergétiques, voyez-vous. Je me suis dit que ce serait une bonne idée de la ressortir un peu... »

Sa voix diminua, hésitante.

« C'est très intéressant. Je demanderai à mes hommes de vérifier tout ça, vous voulez bien ? »

Mr Roper s'exprimait d'un ton mielleux, et Julia déglutit nerveusement.

« Je... je ne suis jamais arrivée chez elle », ajouta-t-elle en tâchant de conserver une voix normale. Après tout, elle n'avait rien à craindre. « La circulation était si mauvaise que j'ai dû faire demi-tour.

– Hmm, fit Mr Roper. Je vois. Vous permettez ?

enchaîna-t-il en tendant le bras, l'invitant de façon claire à sortir de son véhicule pour regagner son domicile.

– Mais bien sûr », répondit-elle, enjouée, en s'exécutant avant de verrouiller sa portière. Au même instant, un autre homme surgit de nulle part et lui prit ses clés des mains.

Julia ouvrit la bouche pour protester, mais se ravisa. Elle récupérerait ses clés plus tard, se dit-elle. Autant ne pas faire de scènes inutiles. Ils allaient lui poser quelques questions, puis s'en aller. Et s'ils ne repartaient pas, elle n'aurait qu'à appeler Anthony afin qu'il règle cette histoire.

« J'imagine que vous connaissez mon mari, dit-elle en s'efforçant de prendre un ton dégagé, Anthony Sharpe ? »

Mr Roper eut un petit sourire. « Certainement, répondit-il. Mr Sharpe semblait très préoccupé par cette histoire d'évasion Surplus qui s'est déroulée la nuit dernière. Et très inquiet en apprenant que nous nous étions rendus chez lui. Il m'a assuré que son épouse n'était pas du genre à cacher des Surplus dans sa maison.

– Cacher des Surplus ? répliqua Julia, outrée. Eh bien, vous pouvez le croire sur parole, en effet. Quelle idée ! Il y a eu une battue dans le village, cet après-midi, figurez-vous. Ces évasions inquiètent tout le monde.

– Et comment, Mrs Sharpe. J'imagine que vous étiez très inquiète, vous aussi. Je suis sûre que vous n'aviez pas l'intention de mentir, ce matin, quand mes collègues sont passés vous voir. »

Julia le toisa avec indignation. « Je n'aime pas beaucoup votre ton, Mr Roper. Pas plus que votre attitude, du reste, ajouta-t-elle en croisant les bras. J'ai des droits, et je crois que vous feriez mieux de revenir demain matin. »

Mr Roper secoua la tête. « Je crains que ce ne soit impossible, Mrs Sharpe. Nous aimerions vous parler. À propos de certains appels affirmant que deux jeunes gens ont été aperçus dans votre jardin. J'ai cru comprendre que la fille avait brièvement travaillé ici. Il serait logique qu'elle vienne se réfugier chez vous, non ?

– Vraiment ? » répondit Julia avec dédain en franchissant devant lui la porte d'entrée, aussitôt refermée par un homme très grand, en uniforme. Trois autres l'attendaient dans sa cuisine. « Eh bien, si c'est le cas, je ne suis pas au courant. »

Mr Roper l'observa sans un mot et lui fit signe de s'asseoir.

« Vous ne comptez pas m'importuner trop longtemps, j'espère », poursuivit-elle sèchement en prenant place à la table de la cuisine. Mr Roper était mince, avec des yeux bleu pâle et des cheveux blond cendré. Sûrement très attrayant, en d'autres circonstances. Elle devrait peut-être essayer de lui faire un peu de charme, se dit-elle. Quelques battements de cils, par exemple ?

Mais avant qu'elle ait eu le temps de lancer son offensive de séduction, Mr Roper s'assit face à elle et lui saisit les poignets.

« Ces gens que vous voyez, là, dit-il en désignant les hommes en uniforme qui se tenaient devant l'évier, sont des Rabatteurs. Les Rabatteurs, Mrs Sharpe, ont des codes très différents de ceux de la police. Une plus grande... liberté d'action, disons. Plus de méthodes à leur disposition. Vous êtes l'épouse d'un haut fonctionnaire, et je n'aimerais pas avoir à vous confier aux mains des Rabatteurs, pour la bonne raison que je suis un homme civilisé, et que je préfère de loin régler les problèmes dans cet esprit. Mais je ne vais pas pouvoir les tenir à distance éternellement. Ils veulent ces Surplus, et ils les auront. Suis-je bien clair ? »

Il était penché par-dessus la table, le regard plongé dans le sien, et Julia se mit à ciller nerveusement.

« Mais... je... suis une Légale, bredouilla-t-elle. Vous n'avez pas le droit de me traiter comme ça. »

Mr Roper sourit. « Mrs Sharpe, dit-il cette fois, soudain désinvolte, en se renfonçant dans son siège, savez-vous ce qu'il vous arrivera si nous vous arrêtons pour avoir caché des Surplus ? »

Julia fit non de la tête.

« Vous serez jetée en cellule. Et interrogée. Nous pouvons vous garder jusqu'à trois mois.

– Trois mois ? répéta Julia, hébétée. Mais je n'ai rien fait de mal. C'est... scandaleux. C'est proprement inacceptable ! »

Mr Roper plissa les yeux. « Cacher des Surplus est un acte scandaleux, Mrs Sharpe. Défier les Autorités et la Déclaration, voilà ce qui est inacceptable. Je crains que les lois et les procédures de justice habituelles ne s'appliquent pas dans la lutte contre les Surplus. L'enjeu est bien trop important, Mrs Sharpe. Vous me comprenez, j'en suis sûr. »

Il se tut, et ses lèvres dessinèrent un rictus. « Vous savez, bien sûr, que la Longévité n'est pas autorisée en prison. Pendant toute la durée de votre séjour parmi nous. »

Julia l'observa d'un air incrédule. « Vous n'avez pas le droit, retenta-t-elle. J'exige de pouvoir appeler mon avocat. Croyez-moi, Mr Roper, j'en ai assez entendu.

– Et croyez-moi, Mrs Sharpe, nous ne faisons que commencer », répliqua Mr Roper en haussant le ton.

Julia se mordit nerveusement la lèvre.

« Savez-vous ce qu'il se passe, reprit Mr Roper, quand une personne de votre âge interrompt son traitement de Longévité ? »

Mrs Sharpe haussa les épaules. Peu importe, se dit-elle ; elle ne se laisserait pas impressionner par ces affreux bonshommes et leurs tactiques de caïds de cours d'école.

« Au bout d'un mois, tous les signes du vieillissement que nous avions si soigneusement oubliés refont surface, expliqua Mr Roper. Mal de dos, douleurs aux genoux quand il fait froid, léthargie, manque d'énergie... À la sixième semaine, vos muscles s'affaiblissent et votre organisme se met à stocker de la graisse. Après deux mois, vos cheveux deviennent clairsemés, votre vision et votre ouïe diminuent et votre squelette commence à se voûter. Jusqu'à six semaines, la situation est encore rattrapable. Huit semaines, et votre santé gardera des séquelles irréversibles. Au bout de dix semaines, le processus de vieillissement prend véritablement toute son ampleur – votre corps sera alors sujet aux maladies et au déclin, vos muscles auront fondu. À la douzième semaine... à vrai dire, personne n'a jamais tenu au-delà. Généralement, les gens sont heureux de mourir à la onzième, croyez-moi. Incapables de se déplacer, de penser, de faire quoi que ce soit hormis attendre la mort qui les délivrera enfin des tourments de la décrépitude...

– Vous n'oseriez pas, fit sèchement Julia. Vous êtes en train de me dire que vous me laisseriez mourir sous prétexte que vous me soupçonnez – et il s'agit seulement d'un soupçon, soyons clairs – d'avoir caché deux Surplus, deux gamins qui se sont évadés de cet abominable Foyer de Grange Hall ? »

Mr Roper fixa Julia droit dans les yeux. « Ravi de voir que vous m'avez bien compris.

– Je veux appeler mon mari, asséna Julia avec autorité. Je veux l'appeler immédiatement. »

Mr Roper fit signe à l'un de ses hommes, qui tendit le téléphone à Julia. Elle composa rapidement un numéro et écouta les sonneries s'égrener dans le combiné.

« Allô ?

– Anthony ? C'est moi.

– Julia, Dieu soit loué. Que se passe-t-il ? » Il semblait épuisé, à bout de forces. « Je viens de me faire renvoyer, suspendu du bureau. Ils ont l'air de croire que tu es mêlée à cette histoire d'évasion.

– Suspendu ? » Julia devint blanche comme un linge.

« Je leur ai dit que c'était ridicule. Mais à la moindre alerte Surplus, les lois ne tiennent plus, on dirait. Occupe-toi de tirer ça au clair, veux-tu ? Je n'obtiens de réponses de personne, ici. Ils ont même gelé notre compte en banque. C'est... »

L'un des Rabatteurs coupa la communication.

« Comme je le disais, reprit Mr Roper d'un ton sirupeux, la gestion des Surplus n'est pas un jeu. Si vous coopérez pleinement, nous pourrons parvenir à un arrangement. Votre mari n'aura même pas besoin de connaître la vérité. Mais si vous refusez, je crains, Mrs Sharpe, que vous ne soyez incarcérée pour une durée indéterminée en vertu de la loi Surplus 2098 et que votre époux ne puisse dire adieu à sa carrière. À vous de choisir.

– Vous ne pouvez pas faire ça...

– Oh si, Mrs Sharpe. Nous le pouvons. »

Au même instant, un homme apparut sur le pas de la porte. Il tenait à la main les deux combinaisons de travail que Julia avait cachées dans le pavillon, faute de mieux. Ses yeux s'écarquillèrent, et elle vit un petit sourire tordre les lèvres de Mr Roper.

« Alors, je vous écoute ? dit-il. Je crains que vous n'ayez guère le choix, Mrs Sharpe. Pas si vous tenez à la vie. »

Julia le regarda pendant un instant qui lui parut une éternité, puis baissa les yeux vers la table de la cuisine.

Elle avait fait tout son possible, se dit-elle. Elle n'avait pas le choix. La coopération était la seule issue.

Pardonne-moi, Anna, songea-t-elle. Je suis désolée de ne pas être plus forte. Mais je ne suis pas prête à mourir – pas maintenant. J'ai trop à perdre. Ça ira, pour toi... tu es encore jeune.

Lentement, Julia releva la tête vers Mr Roper.

« Je vais coopérer, dit-elle platement. Demandez-moi tout ce que vous voulez savoir. »

Anna ouvrit les yeux, aperçut un visage de femme penché vers elle et, ne sachant pas trop ce qu'elle était censée dire, murmura simplement « Pardon », car elle venait de réaliser qu'elle avait perdu connaissance, et cela n'était pas digne d'une Aspirante.

Mais au lieu de lui répondre, la femme leva la main et ôta quelques mèches de cheveux qui balayaient son visage. Son geste était si doux, si tendre, qu'Anna en eut la chair de poule et frissonna. La femme se pencha et l'embrassa sur le front en chuchotant : « Anna, mon précieux trésor, tu es à l'abri, maintenant. Tu es à la maison. » Anna vit qu'une larme solitaire roulait le long de sa joue, et tout à coup elle se mit à pleurer, elle aussi, et la femme la serra entre ses bras et elles restèrent ainsi un long moment à sangloter, toutes les deux enlacées, jusqu'à ce que la jeune fille ait la sensation d'avoir vidé toutes les larmes de son corps et que ses bras commencent à trembler. Alors elle se rendormit.

Une heure plus tard, Mr Roper refermait son carnet en souriant à Julia Sharpe.

« Ils ont bien dit "Bunting", vous êtes sûre ? »

Julia acquiesça nerveusement. « Je les ai seulement entendus en parler, alors je n'en suis pas sûre et certaine, mais le garçon disait que ses parents à elle avaient changé de nom en sortant de prison. Si bien qu'elle s'appelle Anna Covey, mais qu'eux portent le nom de... Bunting. Oui, c'est ça.

– Merci, fit Mr Roper. Et mes amitiés à Mr Sharpe.

– Vous croyez que vous allez les retrouver ? demanda Julia d'une voix timide.

– Bien sûr que oui, répliqua-t-il. Nous les retrouvons toujours. Chaque fois. »

Sur ces mots, ses collègues et lui prirent congé de Mrs Sharpe, regagnèrent leur voiture et s'éloignèrent dans un bruit de moteur.

Chapitre 21

Sheila était attablée au Réfectoire central, plongeant méthodiquement sa cuillère dans son bol de soupe grisâtre avant de la porter à sa bouche. Peu à peu, les rumeurs de l'évasion de Peter et d'Anna avaient commencé à circuler dans Grange Hall. Pour le moment, plus personne ne s'en prenait à Sheila, car on la considérait comme une détentrice d'information potentielle sur les détails de leur fuite, mais ça n'avait pas empêché Tania de la provoquer : « Ils t'ont laissée derrière, hein ? Ça ne m'étonne pas. Anna s'est sûrement évadée pour partir loin de toi. »

Sheila glissa sa main gauche sous la table et l'enfonça dans sa poche, où la culotte en soie volée avait établi sa résidence permanente – douce, rassurante, le seul lien de Sheila avec l'Extérieur, auquel on l'avait arraché. Ce monde dans lequel elle savait avoir pleinement sa place.

Après avoir fini sa soupe, elle se leva. Il lui restait une demi-heure avant son apprentissage de Lessive & Blanchisserie, et elle avait l'intention de se rendre jusqu'à la

Salle de Bains F2, son nouveau refuge à l'abri de la brutalité de Grange Hall. Elle avait remis le journal intime à sa place quelques heures après la disparition d'Anna, mais ce n'était plus le sien, désormais. À présent, il appartenait à Sheila. Elle envisageait même de cacher sa culotte au même endroit, histoire de se créer son petit coffre à trésor rempli de belles choses.

Mais au moment de franchir la porte du Réfectoire, elle tomba sur Surplus Charlie qui lui bloquait le passage.

« On se promène toute seule, Sheila ? lui susurra-t-il, une lueur moqueuse dans les yeux. On n'a plus d'amies depuis qu'Anna est partie sans dire au revoir ? Pas très sympa de sa part, hein ? »

Sheila le foudroya du regard.

« Pousse-toi de mon chemin, marmonna-t-elle. Fiche-moi la paix. »

Charlie regarda autour de lui pour s'assurer qu'aucun Instructeur ne se trouvait dans les parages, puis se fendit d'un rictus condescendant.

« Pauvre petite Sheila, dit-il en secouant la tête. Plus d'Anna pour te protéger. Plus personne pour veiller sur toi. »

Il brandit le poing et fit mine de lui asséner un coup en plein ventre.

Sheila sentit son corps se raidir sous l'effet de la peur, mais le défia du regard.

« Laisse-moi tranquille, siffla-t-elle. Va-t'en.

– Tu n'as pas à me parler sur ce ton, riposta Charlie. Je suis un Délégué, tu dois m'obéir. »

Il était penché au-dessus d'elle, à présent, proche au point de la toucher presque, son menton au niveau de son nez et son souffle sur son front. Sheila sentit ses jambes flageoler. Elle l'avait déjà vu s'en prendre à d'autres Surplus, les narguer et les frapper. Mais il n'avait jamais semblé faire attention à elle. Pas jusqu'au départ d'Anna. Pas jusqu'à ce qu'elle l'abandonne.

« Charlie, Sheila, venez par ici, je vous prie. »

Le son de la voix de Mrs Larson leur fit faire volte-face et ils s'approchèrent, têtes baissées.

« Je peux savoir ce que vous complotiez ? leur demanda l'Instructrice avec irritation. Expliquez-vous immédiatement.

– Charlie, heu... », commença Sheila sans poursuivre sa phrase.

« Je la réprimandais, intervint Charlie d'un ton mielleux. Elle n'a pas mangé son pain, et je lui ai dit que c'était du gâchis. Que les Surplus avaient besoin d'énergie pour se rendre Utiles. »

Mrs Larson leva un sourcil. « Est-ce vrai, Sheila ? Tu n'as pas mangé ton pain ? »

Sheila sentit son visage s'empourprer. « Oui, dit-elle

en haïssant Charlie de toutes ses forces, et Anna encore plus pour l'avoir laissée ici. Je n'ai pas voulu de mon pain.

– Bien que ce soit du gâchis ? » insista Mrs Larson.

Sheila enfonça sa tête dans ses épaules. « Je n'avais pas faim.

– Très bien, soupira Mrs Larson. Dans ce cas, si tu n'as pas faim, tu te passeras aussi de dîner. Compris ? »

Sheila hocha piteusement la tête et vit Charlie esquisser un rictus narquois. Elle lui décocha un regard de pure haine et tourna les talons.

« Un instant, fit Mrs Larson au moment d'ouvrir la porte. Qu'as-tu dans ta poche, Sheila ? »

Celle-ci sentit des picotements de terreur à la surface de son front.

« Rien, dit-elle en sortant sa main de sa poche pour la montrer à l'Instructrice. Rien du tout. »

Charlie se retourna. « Mais si, il y a quelque chose, dit-il. Ça fait une bosse.

– Non, insista désespérément Sheila, pas du tout. »

Mrs Larson fronça les sourcils et s'avança jusqu'à elle, puis lui souleva le bras de force et enfonça elle-même la main dans sa poche, lâchant une exclamation étouffée en y découvrant la culotte en soie.

« Oh, Sheila, dit-elle d'une voix sourde. Sheila, tu seras battue pour ça. Oh, je rêve... » Elle se tourna vers Charlie. « Va chercher Mrs Pincent. Vite, immédiatement. »

Charlie dévisagea Sheila avec curiosité avant de s'éloigner sans un mot.

« Tu l'as volée ? reprit Mrs Larson en la fixant avec un mélange d'indignation et de pitié. Tu l'as vraiment volée ? »

Sheila se mordit la lèvre. Son cœur cognait violemment, et le décor autour d'elle semblait avoir pris une teinte légèrement surnaturelle sous l'effet de la peur qui courait dans ses veines.

Mais avant qu'elle ait eu le temps de répondre, Charlie était de retour. « Mrs Pincent préfère que vous fassiez venir Sheila dans son bureau, rapporta-t-il, haletant. Tout de suite. »

Mrs Larson attrapa Sheila par le bras.

« Alors allons-y, dit-elle en la tirant sans ménagement. Et voyons ce qu'elle va penser de tout cela, qu'en dis-tu ? »

Sheila sentit la nausée familière l'envahir. Le bureau de Mrs Pincent représentait son enfer personnel, une pièce suintant la douleur et la détresse. C'était dans ce bureau qu'elle avait supplié de pouvoir rentrer chez elle, il y avait tant d'années, qu'elle avait appelé sa mère en hurlant ou pleuré des larmes de remords désespérées pour tel ou tel geste lui ayant valu d'être punie.

Et c'était dans ce bureau qu'elle avait appris, lentement mais sûrement, qu'il n'y avait aucune issue possible. Que ce n'était pas une punition, mais une condamnation à vie.

Sheila frappa, attendant que Mrs Pincent lui ouvre la porte.

Mrs Pincent referma la porte derrière elle et retourna s'asseoir.

« Tu sais, dit-elle, autrefois, on coupait la main des voleurs. Même pour les Légaux. Quel aurait été à leurs yeux le châtiment adéquat pour un Surplus voleur, selon toi ? »

Sheila sentit sa lèvre inférieure se mettre à trembler mais s'arma de courage.

« Tu aurais dû voir le soulagement de tes parents quand les Rabatteurs t'ont retrouvée, poursuivit Mrs Pincent. C'était leur idée, bien sûr. Ils avaient réalisé quel monstre odieux tu étais. Et aussi qu'ils n'auraient que des ennuis à élever un Surplus dans la croyance qu'il occupait une place légitime dans ce monde.

– Non ! s'écria Sheila d'un ton déchirant. Mes parents m'aimaient. Ils me disaient que je n'étais pas un Surplus. Ils n'ont pas signé la Déclaration. Ils... »

Mrs Pincent éclata de rire. « Ils t'ont menti, Sheila, voilà tout. Ils t'ont mise au monde dans la plus parfaite illégalité, et tu t'es montrée aussi vile et minable que les autres Surplus. Le vol est un péché. Tu comprends cela, n'est-ce pas ? »

Sheila garda les yeux rivés au sol et serra les poings, submergée par une vague de colère et de ressentiment.

C'était injuste. Tout cela était injuste, se dit-elle, au désespoir.

Alors, soudain, une pensée lui vint à l'esprit. Lentement, elle releva la tête vers Mrs Pincent, qui la fixait avec de petits yeux brillants.

« Le vol est-il un crime pire qu'une évasion ? » demanda-t-elle d'une voix calme.

Mrs Pincent la foudroya du regard. « Tu oses me poser une question ? cracha-t-elle. Tu oses mentionner un fait dont il t'a strictement été interdit de parler ? »

Mais Sheila ne se laissa pas démonter pour autant.

« Garder un journal intime, poursuivit-elle. C'est un péché aussi, n'est-ce pas ? Pour un Surplus, je veux dire ? Garder un journal intime pour y écrire ses projets d'évasion... c'est sûrement un péché, non ? »

La Directrice se leva aussitôt de son siège.

« Un journal intime ? demanda-t-elle, le visage illuminé par une lueur de curiosité. Anna avait un journal intime ? »

Sheila baissa de nouveau la tête.

« Je ne suis qu'une vermine de Surplus, marmonna-t-elle d'une voix sourde. Je ne sais rien.

– Sale petite insolente », fit Mrs Pincent avec colère. Elle contourna son bureau pour venir se poster devant elle. « Je vais le trouver moi-même, tu peux en être sûre. »

Sheila haussa les épaules. Mrs Pincent l'observa longuement, puis recula pour aller s'appuyer à son bureau.

« Tu sais, Sheila, dit-elle d'un air songeur, il se pourrait que je ferme les yeux sur cette histoire de vol. Si tu m'aides, cela va de soi. En fait, maintenant qu'Anna n'est plus parmi nous, j'aurais besoin de nommer une nouvelle Déléguée. Quelqu'un de confiance. Et qui me dirait tout ce que j'ai besoin de savoir. »

Sheila releva la tête avec un petit sourire énigmatique. « Je ferais une excellente Déléguée, j'en suis sûre. Bien meilleure qu'Anna. Anna n'était pas une bonne Déléguée, Mrs Pincent. Elle était même très mauvaise. Elle cachait des choses, Mrs Pincent. Mais j'étais au courant de tout. C'est que je sais être très attentive aux détails, vous voyez.

– Je vois ça, Sheila, répondit lentement Mrs Pincent. Si tu me montrais ce que tu savais, maintenant ? »

Sheila acquiesça avec gravité.

« Bien sûr, Madame l'Intendante. Avec plaisir. »

Anna se réveilla en nage. Elle avait eu un sommeil très agité, truffé de cauchemars, et elle tremblait comme une feuille. Mais elle avait aussi l'impression de voler sur un nuage, tant son matelas et ses draps lui paraissaient confortables et douillets. La femme était toujours là, mais cette fois il y avait un homme avec elle. Beau, les cheveux noirs, il la regardait comme on regarde quelqu'un d'unique et d'important, à tel point qu'Anna ne savait plus où se mettre.

« J'ai rêvé que Mrs Pincent venait me reprendre, expliqua-t-elle à la femme. Et que Sheila m'appelait pour me supplier de revenir la chercher. Et alors j'ai vu les Rabatteurs et... »

L'homme se pencha vers elle pour l'embrasser, la serrer contre lui ; il sentait bon comme l'Extérieur, un parfum vivifiant, merveilleux, et Anna se surprit à passer ses bras autour de lui comme si c'était la chose la plus naturelle au monde.

« Sais-tu qui nous sommes ? » lui demanda-t-il.

Anna secoua la tête, de peur de se tromper, parce que si ces gens n'étaient pas ceux qu'elle croyait, elle se sentirait non seulement stupide, mais en plus tellement déçue que ce serait insupportable.

Mais la femme prit la parole : « Nous sommes tes parents. Anna, ma chérie, tu es chez toi, désormais. Et nous ne te laisserons plus jamais repartir. Plus jamais. Tu n'as aucune inquiétude à avoir au sujet de Mrs Pincent et des Rabatteurs, car tu es à l'abri. Personne ne sait que tu es ici, nous allons veiller sur toi, c'est promis.

– Et Peter ? s'enquit craintivement Anna. Il est toujours là ?

– Il dort », lui répondit son père, et le simple fait que cet homme soit son père, qu'elle ait même seulement pu penser ces mots, « mon père », lui redonna envie de pleurer. Mais elle retint ses larmes, parce qu'elle était une Aspirante et que pleurer était un signe de faiblesse, même à l'Extérieur, même quand vous aviez des parents.

« Il y a quelqu'un d'autre à qui j'aimerais te présenter, si tu veux bien », lui dit sa mère. Et Anna se redressa en position assise, car cela lui semblait la chose à faire, et fit oui de la tête tout en lissant ses cheveux, tentant de se montrer plus présentable.

Sa mère se leva, quitta la pièce, et revint quelques secondes plus tard avec un Petit qu'elle déposa entre ses bras. Anna n'aimait pas les Petits, d'habitude, surtout les très jeunes comme celui-là. Ceux qu'elle apercevait à Grange Hall, de temps à autre, avaient l'air sales et malodorants et ne faisaient que pousser des cris. Mais ce Petit-là était différent. Il était mignon comme tout, avec son petit duvet de cheveux blonds sur la tête et son odeur délicieuse, absolument exquise. Pendant qu'elle le regardait, il lui sourit et ouvrit la bouche pour gazouiller quelque chose, et Anna fut stupéfaite, car elle n'aurait jamais imaginé qu'un Petit puisse se révéler une créature aussi précieuse et attachante.

« C'est ton frère, lui expliqua son père. Et il avait hâte de rencontrer sa grande sœur. »

Anna le caressa tendrement. Elle n'arrivait pas à croire que cette extraordinaire petite chose ait un lien avec elle.

« Tu dois avoir faim », lui dit sa mère, et Anna haussa les épaules, car elle était affamée, en vérité, mais elle ne voulait surtout pas se séparer du Petit.

« Mon frère, prononça-t-elle à voix haute en savourant ces sonorités nouvelles qui franchissaient ses lèvres. Mes parents. Mes parents et mon frère. »

Alors le Petit se mit à pleurer, et ce son déchira le cœur d'Anna de part en part. Elle aurait fait n'importe quoi pour qu'il retrouve son sourire et paniqua à l'idée que c'était sa faute et que ses parents allaient se fâcher contre elle.

Elle leva un œil craintif vers la femme.

« Je… suis désolée, balbutia-t-elle. Qu'est-ce que j'ai fait de mal ? »

Mais la femme, sa mère, éclata de rire et lui prit le Petit des bras en disant : « Je crois juste qu'il a faim, même si ce n'est pas ton cas. »

Anna se fendit d'un immense sourire, et le soulagement se lut sur ses traits. « Si, j'ai très faim, en fait. »

Son père lui sourit à son tour, se leva en lui disant qu'il allait lui apporter à manger, et en le regardant sortir, Anna se dit qu'elle n'aurait jamais pu imaginer un endroit si merveilleux, avec des gens si doux, si bons. Mais cela l'effrayait, aussi, parce qu'elle savait qu'elle ne méritait rien de tout cela, ni son frère, ni ses parents, ni Peter. Et parce qu'elle savait que quelque part, au loin, les Rabatteurs étaient déjà en route, et qu'ils mettaient tout en œuvre pour la retrouver.

Chapitre 22

« Et elle nous a conduits une partie du trajet jusqu'à Londres.

– On peut lui faire confiance, d'après toi ?

– Oui. Autrement, elle nous aurait dénoncés quand les Rabatteurs sont venus, non ? Si elle avait voulu nous faire arrêter.

– J'imagine que oui. Alors vous avez fini le trajet à pied ? Et personne ne vous a vus ? Personne, tu es sûr ? »

Debout sur le seuil, Anna hésitait à entrer. Elle avait la sensation d'être restée au lit des jours entiers. Apparemment, elle avait eu une attaque de fièvre et cela nécessitait beaucoup de repos. Ce qui lui convenait tout à fait, du reste – c'était le lit le plus confortable qu'elle ait jamais connu, plus agréable encore que celui dans lequel elle dormait du temps où elle travaillait chez Mrs Sharpe. Il comprenait une couverture énorme, deux oreillers, et chaque fois qu'elle avait essayé de se redresser pour se lever, elle s'y était replongée encore plus profondément, pas encore prête à affronter le monde.

Assis autour d'une solide table en bois, Peter et ses parents semblaient avoir une conversation sérieuse. Tout à coup, sa mère l'aperçut et se leva de sa chaise.

« Anna, Peter nous racontait votre voyage, dit-elle d'une voix douce. Tu veux prendre ton petit déjeuner ? »

Anna hocha la tête. Elle se sentait très faible, ce qui paraissait ridicule étant donné qu'elle venait de dormir plus que quiconque en avait humainement besoin. Elle étouffa un bâillement et s'efforça d'avoir l'air plus éveillé.

On la fit asseoir à la table et on posa devant elle quelque chose qu'elle ne reconnut pas, mais qu'elle avala quand même et qui se révéla la nourriture la plus délicieuse qu'elle ait jamais mangée. Elle se taisait, car elle voulait qu'ils continuent à parler, pour savoir si quelqu'un les avait vus ou pas. S'il existait la moindre information susceptible de la faire se sentir plus à l'abri des Rabatteurs, elle tenait absolument à l'entendre. Et si elle courait un danger, elle tenait à le savoir aussi.

« Nous avons encore un peu de temps devant nous, je pense », dit gravement son père en lui versant une tasse de thé, un breuvage qu'elle n'avait vu être bu que par des Légaux et auquel elle n'avait jamais elle-même goûté. Elle faillit se brûler l'intérieur de la bouche mais c'était si sucré, si bon, qu'elle continua à boire, bien que ce soit beaucoup trop chaud.

« Nous devrions rester sagement ici quelques jours, poursuivit son père. Il faut absolument éviter de se retrouver sur la route en même temps que les Rabatteurs. Paul pense que nous sommes plus en sécurité ici que n'importe où ailleurs.

– D'après Barney, ça grouille de partout, intervint sa mère d'une voix légèrement tendue.

– Les Rabatteurs grouillent toujours autour de chez Barney. Ça n'a rien d'anormal. »

Anna restait muette, les yeux soigneusement baissés. Elle aurait voulu savoir qui étaient Paul et Barney, et pourquoi les Rabatteurs grouillaient toujours autour de chez lui, mais elle ignorait si poser des questions était une chose polie à l'Extérieur, et elle ne voulait froisser personne.

Peter croisa enfin son regard lorsqu'elle osa lever les yeux, et lui sourit.

« Tu te sens bien ? lui demanda-t-il. Tu crois que t'as assez dormi, maintenant ? »

Il la taquinait, bien sûr, et elle ne put s'empêcher de lui sourire à son tour.

« Je crois, oui », dit-elle, soulagée de voir qu'il ne semblait pas trop inquiet à cause des Rabatteurs. Peut-être étaient-ils vraiment à l'abri, en fin de compte.

Peter se leva pour se servir à manger et Anna se tourna

instinctivement vers sa mère. C'était plus fort qu'elle : il fallait qu'elle sache.

« Est-ce que... vous irez en prison si les Rabatteurs nous retrouvent ? Et est-ce qu'ils prendront le Petit avec eux ? »

Sa mère l'observa, un peu interdite. « Le Petit ?

– Ben, intervint Peter en revenant à table. Elle veut parler de Ben. »

Sa mère hocha la tête. « Bien sûr. »

Elle se pencha alors vers Anna et lui prit la main. « Personne n'ira en prison, Anna. » Elle soupira. « J'ignore ce qui va se passer, mais je tiens à ce que tu te souviennes d'une chose. Nous savions ce que nous faisions en te mettant au monde, et nous sommes prêts à en assumer toutes les conséquences. L'essentiel, c'est que Ben et toi soyez à l'abri, ainsi que Peter. C'est tout ce qui compte. Nous avons des appuis, ici. Il y a des gens dans tout Londres, dans tout le pays, qui soutiennent notre action. Eux aussi ils ont des enfants et sont prêts à nous aider. Ils l'ont déjà fait, à notre sortie de prison. Tu vois, je ne veux pas que tu t'inquiètes. Ni que tu t'imagines que nous sommes exposés à cause de toi. Nous nous sommes exposés nous-mêmes. Car c'est notre faute si tu as passé toutes ces années à Grange Hall et nous ne nous le pardonnerons jamais. Mais tu ne crains plus rien, désormais.

Grâce à Peter, tu es rentrée à la maison. Et je compte bien que tu y restes. »

Anna acquiesça. Elle avait tant de choses à demander, la Longévité, l'Affranchissement, Barney, Paul et les Rabatteurs, Grange Hall et Peter… Mais elle ne savait pas comment poser toutes ces questions sans les mélanger entre elles, ni s'exprimer comme un Aspirant qui aurait enfin reçu l'autorisation d'interroger Mr Sargent et ne saurait plus s'arrêter. Aussi se contenta-t-elle de continuer à manger tout en observant Peter à la dérobée, submergée de bonheur quand il croisa de nouveau son regard et l'enlaça d'un bras pour lui presser l'épaule en souriant.

« Ta maison est ici, Anna Covey, murmura-t-il. Je t'avais bien dit que ça valait la peine, non ? »

Anna lui sourit et hocha la tête. Au même moment, le téléphone sonna et ses parents échangèrent un regard tendu.

Son père décrocha et ses traits s'illuminèrent. « Paul ! » s'exclama-t-il, avant de changer d'expression, les sourcils froncés. Il approuva à plusieurs reprises, puis conclut d'un « Merci » et raccrocha.

« Ils arrivent à Bloomsbury, annonça-t-il d'une voix sombre. Quelqu'un les a tuyautés. L'Intendante, semble-t-il. Mais comment a-t-elle pu savoir ? Personne n'est au courant. Personne. »

Il s'assit et dévisagea la mère d'Anna, qui haussa les épaules avec impuissance.

« Peter, tu n'as rien dit à personne, n'est-ce pas ?

– Bien sûr que non, répliqua vivement Peter. Vous êtes fous ?

– Alors je ne sais pas, dit son père en fixant le mur derrière Anna. Je ne comprends pas. »

Anna sentit la terreur l'envahir, et tout à coup, elle sut comment ils l'avaient retrouvée. Elle sut que sa Grande Faute avait fini par la rattraper, que son destin avait été scellé dès la première fois qu'elle avait enfreint les règles de Grange Hall, et que ses péchés entraîneraient non seulement sa perte, mais aussi celle de tous ceux qui l'entouraient.

« J'avais un journal intime, avoua-t-elle d'une voix à peine audible. J'y écrivais tout ce qui se passait. Tout ce que Peter me disait. Je l'avais caché dans la Salle de Bains F2, puis dans ma poche pour l'emmener avec moi, mais quand je suis arrivée chez Mrs Sharpe, il n'était plus là. »

Elle déglutit, très mal à l'aise. « Il a pu tomber dans le tunnel. Ou ailleurs. Je... ne sais pas trop. »

Peter la regardait sans rien dire. Anna sentit son pouls s'accélérer en voyant l'expression de ses parents se transformer, le contour de leurs yeux et de leurs bouches se durcir, et tous les muscles de son corps se comprimèrent à leur tour comme elle se préparait à recevoir les coups.

Chapitre 23

Assise à son bureau, Margaret Pincent tenait le journal intime à couverture rose d'Anna entre les mains, un rictus aux lèvres. Cette fille était vraiment incorrigible. À croire qu'elle avait vraiment voulu se faire prendre.

Quoi qu'il en soit, elle serait bien vite de retour, songea Mrs Pincent avec satisfaction. Les Rabatteurs avaient été ravis de son conseil de se précipiter à Bloomsbury. Ils lui avaient assuré que les Surplus seraient à Grange Hall d'ici vingt-quatre heures. Mais c'était surtout le garçon qu'elle tenait à récupérer. Et ses parents. Comment osaient-ils ? Comment osaient-ils s'arroger le droit de posséder ce qui était strictement interdit aux autres ?

Bien sûr, la faute originelle était extérieure à Grange Hall, songea Margaret avec irritation. Comment avait-elle pu ne pas être au courant de l'existence d'un tunnel partant du sous-sol – à l'endroit même où elle confinait les Surplus pour s'en débarrasser ? Pourquoi ne l'en avait-on pas informée plus tôt ? C'était typique des Autorités, cette manie de ne rien vouloir lui dire. Et de systématiquement la déconsidérer.

Eh bien, elle allait leur montrer. Elle veillerait à ce que les deux Surplus soient arrêtés pour être ramenés à Grange Hall, et alors ils comprendraient leur terrible erreur. Elle était la seule capable de retrouver leur trace – ces Rabatteurs avaient beau inspirer la terreur avec leurs uniformes noirs et leur petit nécessaire à torture, ils ne connaissaient rien à la mentalité des Surplus. En tout cas pas comme elle la connaissait. Auraient-ils envisagé une seule seconde de se rendre chez Julia Sharpe ? Non, c'était impossible.

Et lorsqu'elle les aurait attrapés, s'ils étaient toujours en vie, elle insisterait pour les châtier elle-même. Elle savait que sa cruauté surpasserait largement celle de ces lourdauds de Rabatteurs. Quand elle en aurait terminé avec eux, ils auraient oublié jusqu'à leur nom. Ils ne voudraient plus le savoir. Ils ne voudraient plus jamais se souvenir de rien.

Personne ne contrariait Margaret Pincent, se dit-elle amèrement. Personne ne la faisait passer pour une idiote. Encore moins une paire de Surplus qui auraient dû être éliminés à la naissance et ne méritaient même pas le droit de fouler le sol de cette planète.

Pas comme son fils.

Son enfant à elle, qui avait parfaitement le droit de vivre.

Mrs Pincent se renfonça dans son fauteuil et se laissa aller, rien qu'un instant, à égrener ses souvenirs. Souvenirs de son fils, de ses espoirs, de sa joie, et de son chagrin.

Cela avait été son seul, son plus grand désir – avoir un fils, pour remplir son propre père de fierté et gagner enfin son amour. Mais c'était impossible : la fille du président de la plus grande société de production de Longévité ne pouvait pas décemment s'Affranchir, c'était hors de question. Mais elle n'avait pas perdu espoir. En ce temps-là, elle avait de l'espoir à revendre.

Elle était allée à l'université, sans enthousiasme, avant d'entrer dans la fonction publique. Des années passées à remplir des rapports, à apposer sa signature au bas de paperasses, mais pendant tout ce temps, elle n'avait eu de cesse de mener ses recherches et de manœuvrer pour gravir les échelons. Toutes ces démarches qu'elle entreprenait n'avaient qu'un seul but : trouver le moyen d'avoir un enfant. Un enfant Légal, le sien à elle toute seule.

Or ses efforts avaient fini par payer. Elle découvrit l'existence d'une petite élite qui, en vertu de son rang supérieur, avait accès à certains privilèges. Et celui de ces privilèges qui intéressait le plus Margaret permettait de signer la Déclaration, de prendre le traitement de Longévité *et* d'avoir un enfant, en toute légalité. Seuls cinq hauts fonctionnaires dans tout le pays jouissaient de cet avantage, en récompense de leur contribution au bon fonctionnement des services publics. Lorsqu'elle avait découvert que Stephen Fitz-Patrick, le directeur général de son département, était l'un d'entre eux, elle avait su exactement ce qui lui restait à faire.

Ç'avait été un homme odieux, se remémora-t-elle avec rancœur, et sans le sou, par-dessus le marché ; il avait bien gagné sa vie, mais avait toujours vécu au-dessus de ses moyens, et il buvait tant que son médecin s'était vu contraint d'accroître ses doses de Longévité pour permettre à son foie et à son cœur de tenir le coup. Mais il avait droit à un enfant, se disait Margaret. Un seul. Le *sien*.

Elle se dévoua à lui corps et âme : elle l'écouta parler, partagea systématiquement son point de vue, régenta sa vie jusqu'au jour où il lui avoua qu'il ne pensait plus pouvoir se passer d'elle. Elle lui répondit qu'il n'aurait pas à le faire, pas s'il l'épousait. Et à son grand plaisir, il avait accepté.

Soucieuse de ne pas perdre un instant, elle était tombée enceinte un mois après le mariage. Et quand la première échographie lui révéla qu'elle attendait un garçon, elle faillit en verser des larmes de joie. Son petit garçon à elle, qui l'aimerait de tout son cœur. Un garçon qui lui ramènerait l'amour de son père, si déçu que sa propre femme ne lui ait donné qu'une fille, une créature inutile. Et plus déçu encore quand Margaret s'était révélée au mieux une élève et une sportive médiocre. Car elle n'était même pas jolie, disait-il. Elle avait les paupières tombantes, les sourcils trop bas, les cheveux trop fins et raides comme des baguettes de tambour. Au bout de quelques années, il s'était complètement désintéressé d'elle.

Jusqu'au jour où elle lui avait annoncé sa grossesse. Il avait été jusqu'à lui sourire, sans doute pour la première fois de sa vie. Il avait aussi serré la main de Stephen et lui avait souhaité la bienvenue au sein de la famille – chose qu'il n'avait guère jugée utile de faire le jour de leur mariage. Et surtout, cerise sur le gâteau, il avait pu s'assurer que son petit-fils porterait son nom, une fois qu'il eut promis de régler toutes les dettes de Stephen.

Pendant les mois qui suivirent, Margaret marcha sur un petit nuage. Elle se nourrit exclusivement d'aliments sains, pratiqua la marche à pied comme seul exercice physique et s'abstint de la moindre goutte d'alcool. Elle aurait un enfant parfait, elle le savait. Ce serait l'être le plus heureux et le plus aimé de tous les temps. Elle lui enseignerait tant de choses, s'occuperait de lui, et tout le monde lorgnerait vers elle avec envie quand elle paraderait avec son fils dans la rue. Je ne suis peut-être pas aussi jolie ou intelligente que vous, se dirait-elle en croisant les autres femmes, mais je possède la Longévité et un enfant. Et c'est quelque chose que vous n'aurez jamais.

Et puis ? Et puis...

Margaret sentit le relent familier de la bile au fond de

sa gorge en se remémorant ce jour fatidique, à sept mois de grossesse, où elle eut l'horrible révélation. Celle qui lui avait fait répéter en hurlant « Non ! Non, c'est impossible ! », incapable qu'elle était de seulement l'entendre ou la concevoir. Celle qui lui avait donné des envies de meurtre. À tel point, d'ailleurs, qu'elle avait fait l'acquisition d'un revolver, mais elle n'avait pas réussi à s'en servir, même pas contre elle, car son mari l'avait fait mettre sous surveillance vingt-quatre heures sur quatre. Assistance médicale, avait-il prétexté, mais elle avait parfaitement compris de quoi il retournait. Il avait peur de ses réactions. Et il avait raison.

L'atroce, la lamentable vérité, était qu'il entretenait une liaison. Une liaison avec une femme qu'il voyait déjà depuis plusieurs mois au moment de leur mariage, et qu'il fréquentait toujours un an plus tard. Et cette femme avait fini par tomber enceinte, deux mois avant elle, et à mettre au monde un vigoureux petit garçon qui, né avant son fils, lui raflait par conséquent son titre de Légal et faisait de lui un Surplus. Margaret savait que la légalité de son mariage ne protégeait en rien son propre fils. Son mari avait droit à un enfant, pas un de plus.

Il était trop tard pour interrompre la grossesse. Dans certaines régions du monde, il n'était jamais trop tard – on insérait de longues aiguilles dans le ventre des futures mères pour empoisonner les fœtus, forçant ces femmes à accoucher quelques heures plus tard d'enfants mort-nés – mais pas ici. Pas dans cette partie civilisée du monde. Non, ici, le bébé viendrait à terme, comme prévu, et serait ensuite expédié dans un Foyer à Surplus pour vivre dans la servitude.

Mais pas *son* fils, se jura Margaret. Elle ne les laisserait pas faire. Lorsqu'on le lui avait arraché pour l'emmener, quelques instants seulement après l'accouchement, elle avait hurlé à l'aide. Elle refusait qu'il vive comme un esclave. Elle ne pouvait pas lui imposer cela.

Finalement, après la naissance, son mari avait eu pitié d'elle et accepté de l'aider. Sans doute poussé par la culpabilité, ou par leur conviction commune que la mort valait mieux qu'une vie en tant que Surplus, il avait accepté de prendre les choses en main. Cet enfant était aussi son fils, après tout, et il préférait lui accorder une mort honorable plutôt que de le voir vivre dans le déshonneur et la honte. Il permit même à Margaret de lui dire au revoir, de serrer son bébé une dernière fois dans ses bras et de sentir la chaleur de son petit corps contre le sien, avant de le lui enlever pour toujours, la laissant froide, vide et amère.

À présent, Margaret n'éprouvait que du mépris envers les Surplus. Chaque nouvel arrivé lui rappelait ce qu'elle avait perdu, et ce qu'avait perdu son fils. Il lui rappelait le sacrifice auquel elle avait été forcée à cause de la maîtresse de son mari, cette femme qu'elle haïssait de toute son âme. Ces Surplus pouvaient-ils savourer un seul instant de plaisir, quand son propre fils gisait quelque part dans sa tombe ? Ces femmes pouvaient-elles porter des enfants ? Certainement pas, songea Margaret avec colère. Les Surplus n'avaient d'autre droit que celui de laver les Péchés de leurs parents. Et ceux de tous les autres. Elle en avait fait la mission même de sa vie, afin de venger le sort cruel infligé à son fils : s'assurer que chaque Surplus confié à Grange Hall endure une vie telle qu'elle ne vaille même pas la peine d'être vécue. L'idée qu'un Surplus puisse connaître un semblant de vie normale alors que son enfant en avait été privé lui était insupportable.

Elle pensait avoir fait du bon travail avec Anna, du reste. Cette petite portait véritablement le poids des Crimes de ses parents. Jusqu'à l'arrivée de ce Peter.

Margaret plissa les yeux en repensant à lui. Ce maudit gamin. Il paierait pour ce qu'il avait fait. Ils paieraient tous les deux.

Lentement revenue au présent, elle se força à chasser le souvenir de son fils trahi tout en feuilletant les pages du journal intime d'Anna, écœurée par les pensées sacrilèges que cette peste de Surplus avait osé coucher sur papier.

« *À l'Extérieur, je ne serai plus une Déléguée. Je ne serai plus un futur Bon Élément, non plus. J'ignore encore ce que je serai. Une simple Illégale, sans doute.* » Margaret en secoua la tête de dégoût. La rage au ventre, elle poursuivit sa lecture au fil des paragraphes, tremblante de rage en découvrant le passage où Anna parlait des injections qu'elle avait données à Peter. Elle devait absolument veiller à ce que ce journal ne tombe pas entre de mauvaises mains, réalisa-t-elle. Les Autorités refuseraient de comprendre qu'elle avait projeté de l'éradiquer pour son propre bien – pour leur bien à tous. Même si cette évasion lui avait donné raison.

Elle continua à lire, notant au passage que quelqu'un les avait aidés à s'évader en leur fournissant un plan de Grange Hall. Eh bien, ce quelqu'un allait le regretter. Il ne devrait pas être trop dur à retrouver. Et il verrait alors à quoi ressemble une vraie cellule de prison, de l'intérieur, et pas seulement sur un plan.

Mais la colère lui retroussa le coin des lèvres quand elle aborda la suite : « *Peter est incroyable.* »

« Peter est un Surplus, marmonna-t-elle d'une voix sourde. Un sale petit Surplus répugnant. Il... »

Tout à coup, elle fronça les sourcils. Peter avait-il été adopté ? Elle ignorait ce détail. C'était très étrange. Qui voudrait adopter un Surplus ? Mais ce ne fut pas cette phrase qui retint son attention. Ce fut l'allusion à la chevalière. Celle retrouvée sur le bébé. « *Une chevalière en or accrochée à son cou...* »

Margaret écarquilla les yeux, puis secoua résolument la tête. C'était impossible.

Mais c'était pourtant bien là, noir sur blanc : on avait retrouvé l'enfant avec une chevalière. Une chevalière portant les initiales « AF » à l'intérieur. « ... *avec une fleur gravée sur le dessus.* »

Lentement, elle reposa le journal, se tourna vers son ordinateur – le seul disponible dans tout Grange Hall –, l'alluma et attendit qu'il se mette en marche. Elle se plia aux traditionnelles vérifications de mots de passe, laborieuse procédure imposée à tout appareil relié au serveur des Autorités, et lança une recherche au nom de Peter dans tout le réseau Surplus. Mais à son grand agacement, une petite croix rouge apparut à côté de son nom. Accès refusé.

Mrs Pincent se rembrunit. Toute-puissante en ces lieux, capable d'en contrôler jusqu'au moindre détail (rations alimentaires mais aussi traitements, apprentissages et punitions infligées aux Surplus), elle supportait mal le moindre rappel montrant que son influence s'exerçait seulement entre les murs de Grange Hall. Et que les Autorités ne la tenaient pas en aussi haute estime qu'elle pensait le mériter.

Irritée, elle éteignit son ordinateur et décrocha son téléphone.

« Administration centrale, fit une voix de femme dans le combiné. Veuillez décliner votre identité et le motif de votre appel.

– Mrs Pincent, du Foyer de Grange Hall, dit-elle sèchement. J'ai besoin d'accéder au dossier du Surplus Peter. Celui qui s'est évadé. »

Il y eut un bref silence à l'autre bout du fil, pendant que la réceptionniste pianotait sur le clavier de son ordinateur.

« Je suis navrée, dit-elle enfin. Il s'agit d'un dossier confidentiel. Y a-t-il autre chose pour votre service ? »

Mrs Pincent plissa le front de colère.

« Non, répliqua-t-elle. Et je me fiche que ce dossier soit confidentiel ou non – j'en ai besoin. Savez-vous à qui vous avez à faire ? Je suis Margaret Pincent. Intendante générale de Grange Hall. Et je veux savoir d'où vient ce garçon. J'exige...

– Je suis désolée, l'interrompit la standardiste d'un ton n'exprimant strictement rien de tel. Ce dossier est confidentiel et vous n'y avez pas accès. Si vous souhaitez demander une autorisation exceptionnelle, nous pouvons lancer une procédure d'appel validée au bout de quatorze jours ouvrables à compter de la remise du formulaire 4331b. Voulez-vous que je vous en envoie un exemplaire ? »

Margaret pinça les lèvres. « Non, ça ira, merci. »

Elle raccrocha. N'y avait-il donc personne pour lui dire la vérité ? Elle voulait savoir d'où venait cette vermine de Surplus. Savoir d'où il tenait cette chevalière en or. S'il était voleur en plus d'être Surplus, elle le tuerait de ses propres mains. Elle le torturerait jusqu'à ce qu'il implore de mourir, et elle en savourerait chaque minute.

Puis il lui vint une idée. Cela n'avait rien d'une perspective agréable, mais essayer en valait la peine. D'un geste lent, elle reprit le combiné et composa un second numéro, de mémoire.

« Stephen ? c'est moi, déclara-t-elle en se forçant à conserver un ton calme et régulier. Oui, je vais bien, merci. J'espère que toi aussi. Stephen, j'ai une nouvelle très importante à t'annoncer... Non, pas au téléphone, c'est impossible. Peux-tu venir à Grange Hall immédiatement ? Bien. C'est parfait. Merci, Stephen... »

« C'est tout ce qu'ils ont comme info : Bloomsbury ? Ils savent à quel point ce quartier est énorme ? »

Frank eut un haussement d'épaules. « C'est la seule indication. Fouiller chaque maison, voilà la consigne.

– Et ce sont ces types qui croient tout savoir ? Je croyais qu'on les appelait "Agents du Renseignement". Ils renseignent pas grand-chose, à mon avis. »

Frank poussa un soupir. « Écoute, faisons avec ce qu'on a, O.K. ? dit-il en roulant des yeux en direction de son collègue Bill. Quand on est Rabatteur depuis aussi longtemps que moi, on se fout pas mal du Renseignement, comme tu dis. Suffit de montrer aux voisins qu'on plaisante pas, et on les retrouvera en deux temps, trois mouvements. T'as ton matériel ? »

Bill leva les sourcils. « Tu m'as déjà vu aller quelque part sans ma trousse à outils ? fit-il avec un sourire mauvais.

– Parfait, répliqua Frank. Alors au boulot. Y a de belles baraques, par ici. On pourrait même se faire un peu de fric, en plus de ramasser les Surplus. Et les gens des maisons chics ont vite fait de se mettre à brailler dès qu'ils tâtent un peu de la douleur. À mon avis, on aura plié ça d'ici ce soir. »

Ses parents ne l'avaient pas frappée. Personne ne lui avait dit qu'elle était stupide, inutile ou indigne de confiance.

Mais en vérité, elle aurait préféré que quelqu'un le fasse. Anna avait l'habitude des coups et des insultes. Quand elle savait qu'elle les méritait, c'était presque une délivrance, comme un acte de repentance qui lui permettait de rester en vie.

Anna avait un jour entendu Mrs Pincent confier à l'un des Instructeurs : « On peut les tuer à coups de gentillesse, vous savez » sans savoir qu'elle était écoutée ; elle n'avait pas saisi le sens de ces paroles, à l'époque, mais aujourd'hui, elle les comprenait. Elle n'avait jamais réalisé à quel point la gentillesse pouvait être une torture, et l'amour des autres difficile à assumer.

Au lieu de lui hurler dessus, ou de la punir à cause de son journal, dont elle avait avoué l'existence, ses parents et Peter s'étaient d'abord tus, puis, gentiment, tout doucement, lui avaient demandé ce qu'elle avait écrit dedans. Alors sa mère lui avait souri gaiement en disant que ça n'avait aucune importance, qu'elle ne devait pas s'inquiéter, mais Anna ne pouvait pas s'en empêcher. Elle savait que c'était grave. Elle savait que le moindre détail avait son importance.

Peter et elle étaient descendus à la cave et ses parents leur avaient assuré que c'était confortable et que tout allait bien se passer. Mais Anna savait pertinemment qu'ils étaient là pour des raisons de sécurité, parce que avant cette histoire de journal ils avaient affirmé qu'ils n'avaient pas besoin de se cacher, en raison des rideaux aux fenêtres, et que, de toute façon, personne ne viendrait chercher les fugitifs jusqu'ici. Anna voyait bien que ses parents étaient inquiets, car son père avait une veine sur le front, comme celle de Mr Sargent, juste au-dessus de son œil droit, et qu'elle battait fort. Depuis qu'elle leur avait parlé de son journal, il était question qu'ils partent pour la campagne dès ce soir, alors qu'à l'origine ils n'étaient censés y aller que dans quelques jours. Alors que jusqu'ici son père leur avait assuré qu'il n'y avait rien à craindre.

On accédait à la cave par la cuisine, via une trappe sous la table recouverte d'un tapis. Peter expliqua à Anna qu'il s'agissait autrefois d'une cave à charbon, du temps où les gens chauffaient leurs maisons en faisant du feu, mais qu'il n'y avait plus de charbon à entreposer aujourd'hui.

La pièce était équipée d'un canapé convertible et d'un gros fauteuil pouvant lui aussi être transformé en lit, mais c'était plus long à installer et moins confortable. Peter la lui avait fait visiter, quand ils y étaient descendus pour la première fois, et Anna s'était rappelée de son arrivée à Grange Hall, quand elle avait joué les guides pour lui. Peter lui raconta qu'il s'était déjà caché, ici, presque d'un ton guilleret, comme s'ils vivaient une aventure excitante et non un cauchemar dont elle était entièrement responsable.

Pendant un long moment, elle n'avait pas été très bavarde, pour la simple raison qu'elle ne savait pas quoi dire, et elle s'était contentée de laisser Peter lui montrer le fonctionnement de la cave, les chaises, les boîtes de conserve, le seau derrière le rideau faisant office de petit coin, et l'ouverture donnant sur la rue par laquelle on déversait le charbon, autrefois, et par où ils pourraient s'enfuir au cas où les Rabatteurs entreraient dans la maison.

C'est alors qu'elle se mit à trembler.

« Que va-t-il se passer s'ils nous trouvent ? lui demanda-t-elle d'une petite voix hésitante. Et au Petit, et à mes parents ? »

Peter détourna le regard.

« Ils ne nous retrouveront pas », répliqua-t-il avec fermeté, mais Anna vit bien qu'il avait peur, lui aussi.

« Tu aurais dû me laisser là-bas, dit-elle simplement. Vous seriez tous en sécurité, à l'heure qu'il est, et les Rabatteurs ne seraient pas en route. Tout est ma faute. »

Peter lui fit face, les yeux luisants de colère.

« Ce n'est pas ta faute, dit-il. C'est la mienne. C'était mon plan d'évasion, j'aurais dû veiller au moindre détail. »

Il baissa la tête, mais la releva aussitôt, cherchant désespérément son regard.

« C'est toi qui comptes, Anna, pas moi. Ce sont tes parents, pas les miens. J'ai juste une chance folle qu'ils m'aient recueilli chez eux. Tu es peut-être un Surplus, mais j'en suis doublement un, car mes parents n'ont pas voulu de moi. Je dois tout à tes parents, n'oublie jamais ça. Si quelque chose va de travers, ce sera ma faute. »

Peter clignait frénétiquement des yeux et, voyant qu'Anna l'observait, fixa le sol en se détournant à moitié, comme embarrassé.

Anna fronça les sourcils, puis lui prit la main d'un geste hésitant en repensant au garçon qui était venu la sauver, à cet orphelin qui rêvait de leur amitié avant même de la rencontrer. Et elle repensa à ses colères contre Charlie, contre les Instructeurs, contre tout et tout le monde, pour elle, pour ses parents, pour son droit d'être aimée, appréciée ou seulement d'exister. Elle repensa à toutes ces années passées à Grange Hall, à s'escrimer à faire plaisir à Mrs Pincent, à être le meilleur Surplus, le meilleur Bon Élément, dans le seul but se faire apprécier d'elle et de s'entendre dire qu'elle n'était pas si indésirable, après tout. Et elle comprit qu'au fond Peter et elle étaient exactement pareils. Que, séparés, ils mourraient de solitude. Qu'ils avaient besoin l'un de l'autre comme les fleurs ont besoin du soleil. Alors elle sut qu'elle le suivrait partout, et que les histoires de roses monstrueuses et d'enfants à deux têtes ne lui faisaient plus peur, mais que la seule idée de le perdre, lui, la terrifiait plus que tout au monde.

« Peter, tu ne connaissais même pas l'existence de mon journal, lui dit-elle d'une voix à deux doigts de se briser. Et d'ailleurs, c'est *moi* qui te dois tout. Et bien plus encore. »

Elle s'éclaircit maladroitement la gorge et leva les yeux vers lui. « Sans toi, je ne serais que Surplus Anna. Je ne serais rien. Sans toi, je n'aurais pas su ce que c'était que d'avoir un ami... »

Elle n'acheva pas sa phrase, incapable d'exprimer ce qu'elle ressentait pourtant si fortement au fond d'elle-même, incapable d'expliquer que ses sentiments pour lui l'avaient rendue furieuse contre ce monde qui l'avait laissée grandir sans amour, et furieuse contre la Longévité, car personne ne méritait de vivre plus que lui.

À la place, elle se contenta de le regarder droit dans les yeux, pour qu'il y lise ses pensées, ses peurs et ses espoirs.

Ils s'observèrent ainsi de longues secondes, en silence, jusqu'à ce qu'Anna ait la sensation que sa tête allait exploser, car elle n'avait jamais regardé personne ainsi, n'avait jamais sondé l'âme de quelqu'un auparavant. Et elle comprit tout à coup pourquoi on forçait les Surplus à toujours garder la tête baissée, parce qu'en cet instant précis elle eut le sentiment de savoir tout ce qu'il y avait à savoir.

Au moment où elle s'apprêtait à détourner les yeux, Peter reprit la parole.

« Je t'aime, Anna Covey », dit-il d'une voix à peine audible. Et lentement, maladroitement, il se pencha vers elle, ses lèvres rencontrèrent les siennes, et à la seconde où Anna sentit son baiser hésitant, elle sut qu'elle n'était plus un Surplus. Ni lui non plus.

Surplus signifiait « en trop ». « Superflu ».

Or vous ne pouviez pas être de trop quand quelqu'un avait besoin de vous. Vous ne pouviez pas être un Surplus quand quelqu'un vous aimait.

Chapitre 24

Stephen était toujours aussi laid, constata Margaret Pincent, non sans une relative satisfaction. Sa chair était boudinée dans sa chemise et la ceinture de son pantalon cisaillait péniblement sa bedaine. Il avait le teint couperosé, rougeaud, et les yeux humides, comme macérant dans les litres d'alcool qu'il ingurgitait chaque jour. Elle tressaillit à la pensée d'avoir été un jour mariée avec cet homme.

« Alors comme ça tu as des informations pour nous ? dit-il sèchement. Tu sais, c'est très compliqué pour moi de me déplacer jusqu'ici. Tu n'aurais pas pu venir à Londres ? »

Mrs Pincent le toisait.

« Assieds-toi, Stephen », dit-elle calmement en refermant la porte de son bureau derrière lui avant de la verrouiller. Simple précaution supplémentaire. Elle ne tenait pas à être dérangée. Pas aujourd'hui.

« Je vois que ton bureau est toujours un cloaque, dit-il.

Tu ne peux pas demander à ces Surplus de faire un peu de ménage, ou de donner un coup de peinture ?

– Je le préfère comme cela, répondit Mrs Pincent sans le quitter des yeux et tout en s'asseyant à son bureau, sa place de pouvoir. Le but, c'est d'entretenir un climat de peur. Des murs fraîchement repeints feraient trop... accueillants. »

Stephen eut un geste d'indifférence.

« Alors, cette grande nouvelle, reprit-il, j'imagine que c'est à propos de ces Surplus fugitifs ? »

Mrs Pincent hocha la tête.

« Et tu ne pouvais pas t'adresser directement aux Rabatteurs ? Margaret, je dirige un département important, figure-toi. Je n'ai pas l'habitude de me préoccuper de ce genre de détail.

– Ah non ? fit Mrs Pincent avec sarcasme, ce qui lui valut un regard intrigué de Stephen.

– Tu le sais bien. Je supervise les forces de police, les Rabatteurs, l'immigration, les prisons... Je n'ai pas le temps.

– Vraiment ? » Mrs Pincent plissa les yeux, et le visage de Stephen trahit l'incompréhension la plus totale. « Comme c'est intéressant.

– Margaret, dis-moi seulement ce pour quoi tu m'as fait venir, et je repartirai. Et tu devrais peut-être prendre des vacances – tu as une mine épouvantable. Ils te donnent des congés, ici ? »

Il esquissa un sourire affable, mais Mrs Pincent resta de glace. Lentement, elle se leva.

« Stephen, que sais-tu de ce garçon ? Cet Aspirant qui s'est évadé – Peter ? »

Stephen se raidit aussitôt.

« Rien. Je ne sais rien. Pourquoi ? »

Mrs Pincent le scruta attentivement, puis se dirigea vers la fenêtre derrière son bureau qui, comme toutes les fenêtres de Grange Hall, était recouverte d'un mince store gris. Il lui cachait quelque chose, elle le savait. « Connais-tu son historique ? insista-t-elle.

– Bien sûr que non. Tu crois que j'ai le temps de me soucier de l'historique des Surplus ?

– Non, du sien seulement. Son dossier est classé confidentiel. »

Elle fit volte-face et vit que Stephen la fixait d'un air irrité. Mais elle discernait également une lueur de peur dans son regard – parce qu'elle lui avait posé une question à laquelle il redoutait de répondre.

Il secoua la tête. « Le dossier de ce garçon n'a rien à voir avec moi. Tu m'excuseras, Margaret, mais je dois y aller. Nous pourrions peut-être examiner ça une prochaine fois.

– On l'a trouvé avec une bague en or, semble-t-il,

poursuivit Mrs Pincent en plongeant ses yeux dans ceux de Stephen, qui s'écarquillèrent brusquement. Une chevalière avec une fleur gravée sur le dessus et les initiales "AF" à l'intérieur. Ça ne te rappelle rien, Stephen ? »

Il blêmit.

« Il existe des quantités de chevalières un peu partout, répliqua-t-il avant de se lever. Je crois qu'il est vraiment temps que je parte. »

Mrs Pincent prit une profonde inspiration.

« Stephen, tu n'iras nulle part tant que je ne connaîtrai pas la vérité.

– La vérité ? répéta-t-il, cette fois rougissant de colère. Ne me parle pas sur ce ton. Pourquoi quelqu'un comme toi aurait-il besoin de la vérité ?

– Les initiales de mon grand-père étaient "AF", continua Mrs Pincent d'une voix aigre. Il les a fait graver sur une bague en or sertie d'une fleur. Te souviens-tu de ce bijou, Stephen ? »

Il se tut.

Mrs Pincent se tourna de nouveau vers la vitre et releva légèrement le store, pour entrevoir le paysage grisâtre au-dehors. Voilà le cadre de vie idéal, avait-elle songé en arrivant à Grange Hall la première fois ; le lieu parfait pour y vivre l'existence moribonde qui était la sienne et se venger de ses souffrances sur les créatures qu'elle haïssait plus que tout.

« Stephen, je veux la vérité. »

Il se leva. « Je m'en vais. »

Il se dirigea vers la porte et tourna la poignée, puis la secoua, avant de pivoter vers Margaret avec colère. « Ouvre cette porte, lui ordonna-t-il. Tout de suite. »

Elle l'ignora.

« Assieds-toi, Stephen, dit-elle calmement. Nous n'en avons pas encore terminé.

– Oh que si, répliqua-t-il rageusement en fonçant droit vers elle pour la saisir par les bras. Nous en avons terminé il y a des années. Donne-moi la clé ou bien je me verrai contraint de défoncer cette porte !

– Non ! cracha Margaret. Non. Tu n'auras pas cette clé. Pourquoi devrais-je te donner quoi que ce soit, Stephen ? Pourquoi, alors que tu m'as pris ce que j'avais de plus précieux au monde ? Alors que ta garce, ta sale traîtresse, a tué *mon* enfant ! »

Stephen secoua la tête. « Allons, Margaret. Assez. C'était la loi, tu le sais aussi bien que moi. Je ne pouvais rien faire. Maintenant, donne-moi cette clé, veux-tu ?

– Tu ne pouvais rien faire ? persifla Mrs Pincent en sentant un flot de bile âcre lui remonter dans la gorge. Toi et ta garce avez tué mon fils ! »

Stephen lui lâcha les bras et la gifla en pleine face.

« Je refuse d'entendre de tels propos, vociféra-t-il. Je ne le tolérerai pas ! Donne-moi la clé... sinon...

– Sinon quoi ? riposta Margaret. Tu me tueras comme tu as tué notre fils ? »

Stephen devint livide, et il dut s'appuyer au bureau pour ne pas défaillir.

« Assieds-toi, Stephen, lui ordonna-t-elle. J'ai le droit de savoir. J'exige la vérité. Soit tu m'expliques quelles sont les origines du Surplus Peter, soit je me rends à Londres pour raconter aux Autorités l'histoire de notre enfant. Celui que tu as assassiné. Qu'est-ce que tu préfères ? »

Stephen semblait totalement hagard.

« Du chantage ? s'exclama-t-il d'un ton incrédule. Tu as autant à perdre que moi.

– Je n'ai rien à perdre, répliqua Mrs Pincent d'une voix grave. J'ai déjà tout perdu, il y a des années.

– C'est inutile, et tu le sais, fit Stephen en essuyant son front où commençait à perler la sueur. Pourquoi ne pas faire une croix sur cette histoire ?

– Dis-moi pourquoi ce garçon portait ma chevalière sur lui. Dis-moi comment un misérable Surplus a-t-il pu se retrouver avec l'emblème de la famille des Pincent. A-t-on déterré mon fils ? A-t-on pillé sa tombe ? Dis-moi, Stephen. Qui sont ses parents ? Je veux qu'ils meurent. Je veux qu'on les retrouve, et... Mon enfant, Stephen. Mon... »

Elle se mit à pleurer. « Il savait, Stephen. Il connaissait déjà le sort qui l'attendait avant même sa naissance. Il avait refusé de se retourner, refusé que la sage-femme le mette au monde. Il ne voulait pas naître, Stephen. Et comment l'en blâmer, alors que le monde ne voulait déjà plus de lui ? Alors que toi-même...

– Ressaisis-toi, Margaret, la coupa Stephen avec colère. Ça s'est passé il y a des années. C'est de l'histoire ancienne. »

La poitrine oppressée, le souffle court, Mrs Pincent croisa ses bras contre sa poitrine et fouilla son ex-mari du regard à la recherche de la vérité.

« Si quelqu'un a pillé la tombe de mon fils, je retrouverai sa trace et je le tuerai. Mon fils a été privé de sa légalité, de sa vie, mais il ne sera pas privé de son héritage. » Elle marqua une pause. « Ce Surplus garçon, Stephen, pourquoi avait-il ma chevalière sur lui ? Et où est-elle, à présent ? Que lui est-il arrivé ?

– Margaret, tu nages en plein délire ! s'exclama Stephen, d'une voix qui trahissait nettement la tension. Et je n'ai aucune idée de l'endroit où se trouve ta chevalière. Je ne sais même plus à quoi elle ressemble.

– Le garçon a été trouvé avec une chevalière. La mienne. Et son dossier est confidentiel. Je veux savoir pourquoi, Stephen. »

Mrs Pincent avait maintenant rejoint sa place et se tenait penchée par-dessus son bureau, menaçante.

« Je refuse d'écouter un mot de plus, déclara Stephen

en se relevant précipitamment. Je ne tolère pas ce genre de traitement, et encore moins venant de toi. Tu n'es rien, Margaret. Tu n'as pas à me parler sur ce ton. Ce que j'ai fait de notre fils ou de ta chevalière est un chapitre clos. Et si tu en parles à qui que ce soit, je te ferai boucler dans un asile psychiatrique. Maintenant, ouvre cette porte ou je la défonce moi-même.

– Dis-moi où est ma chevalière, asséna Mrs Pincent d'une voix sourde.

– Je ne te dirai rien du tout, répondit sèchement Stephen en s'avançant vers elle. La clé ! »

Aussitôt, comme dans un geste de réflexe, Margaret ouvrit le tiroir de son bureau et saisit un objet. « Dis-le-moi, Stephen ! hurla-t-elle. Tu vas parler, oui ! »

Les yeux de Stephen s'écarquillèrent, et l'irritation de ses traits céda brusquement la place à quelque chose s'approchant plus de la peur.

« Qu'est-ce qui te prend, Margaret ? demanda-t-il, hébété, le front ruisselant de sueur. Que fais-tu avec cette chose à la main ?

– Dis-moi la vérité. » Un timbre glacial résonnait désormais dans la voix de Mrs Pincent. Entre ses mains, dirigé droit vers le visage de Stephen, venait d'apparaître un revolver. Le revolver qu'elle gardait dans le tiroir de son bureau depuis son tout premier jour à Grange Hall.

Juste au cas où les choses deviendraient trop insupportables.

« Tu es folle, balbutia Stephen en se rasseyant néanmoins sur sa chaise.

– Dis-moi tout ce qui s'est passé, le menaça-t-elle. Ou j'appuie sur la détente. »

Seule dans la cave, Anna échafaudait son plan. Peter avait été appelé en haut pour aider ses parents à rédiger un message codé à l'attention de leurs amis du Réseau, et elle s'était vu confier le Petit – Ben –, pour veiller sur lui jusqu'à ce que l'heure du départ ait sonné.

Elle le tenait contre elle en un geste protecteur et lui adressa un sourire, ressentant une extraordinaire étincelle d'amour et de bonheur quand il lui sourit à son tour. C'était la petite chose la plus parfaite au monde, se dit-elle. Comment pouvait-il être un Surplus ? Pourquoi Mère Nature produirait-elle quelque chose d'aussi beau si elle n'en voulait pas ? Cela n'avait aucun sens.

Elle se sentait mieux, maintenant qu'elle avait un plan. Comme si elle avait repris le contrôle. L'idée d'Anna était de se faire arrêter et ramener à Grange Hall. S'ils la retrouvaient, analysait-elle, les Rabatteurs ne courraient pas après les autres. Les Autorités n'avaient gardé Peter à Grange Hall que pendant quelques semaines ; son absence ne leur ferait ni chaud ni froid. Alors qu'elle était sur le point de devenir un Bon Élément. Si elle y retournait, Peter serait épargné. Et Ben aussi.

Anna préférait mourir plutôt que les laisser emmener son frère. Elle n'avait jamais pensé qu'on pouvait éprouver autre chose que du mépris envers les Petits, mais à présent, elle voulait que Ben grandisse entouré d'amour et d'affection, et non cerné par les murs sordides et la discipline de Grange Hall.

Pendant qu'elle lui caressait tendrement la tête, elle entendit la trappe s'ouvrir et vit le visage de Peter apparaître dans l'ouverture. Il descendit l'échelle pour la rejoindre, suivi de sa mère.

« Tiens, pour toi, dit-il fièrement en lui offrant une fleur jaune. Ça s'appelle un tournesol », lui expliqua-t-il avant de s'avancer pour lui ajouter à l'oreille : « À la campagne, il y aura des fleurs partout. Plein de fleurs pour mon papillon. »

Anna prit le tournesol et le contempla avec émerveillement – c'était si coloré, si parfumé... Puis elle inspira un grand coup.

« En fait, dit-elle, je me disais justement que je préférerais ne pas y aller. À la campagne. »

Peter se rembrunit. « Ne sois pas stupide. Tu dois venir.

– Non, ce n'est pas possible », répliqua Anna avec gravité. Elle se leva pour les regarder tous les deux, Peter et sa mère, d'un air implorant. « Vous devez me laisser ici. Vous pourrez fuir plus facilement, ils vous laisseront tranquilles et vous serez en sécurité. Ils n'auront de cesse de remettre la main sur moi, parce que je suis presque un Bon Élément, et s'ils me retrouvent moi, ils vous trouveront, et Ben...

– Je n'irai nulle part sans toi, l'interrompit vivement Peter. Arrête de dire n'importe quoi. Si quelqu'un doit se sacrifier, ici, c'est moi. C'est ta famille, pas la mienne.

– Je ne raconte pas n'importe quoi, rétorqua Anna. Et c'est ma faute si les Rabatteurs sont en chemin, pas la vôtre. Je suis parfaitement sensée. Je...

– Anna, viens t'asseoir une minute, veux-tu ? » Sa mère, qui les observait tristement depuis un petit moment, s'installa sur le canapé entre eux deux et leur prit chacun une main.

« Laissez-moi vous raconter une histoire, commença-t-elle d'une voix douce. Celle d'un homme et d'une femme qui s'aimaient très fort et rêvaient de fonder une famille, car, contrairement à ce qu'on t'a appris à Grange Hall, Anna, la Nature n'a pas vocation à préserver les vieilles choses, mais à en créer sans cesse de nouvelles. Des vies nouvelles. Des idées nouvelles. Comme ton tournesol. Il mourra, un jour, mais d'autres tournesols viendront prendre sa place. C'est dans l'ordre naturel des choses.

« Bref, cet homme et cette femme sont allés voir les

Autorités pour leur dire qu'ils souhaitaient s'Affranchir de la Longévité et avoir un enfant. Mais les Autorités leur ont répondu que c'était impossible, parce qu'il fallait s'Affranchir quand vous aviez seize ans, sans quoi vous étiez automatiquement considéré comme signataire de la Déclaration. L'homme et la femme ont protesté qu'ils étaient beaucoup trop jeunes, à l'époque, qu'ils ne pouvaient pas savoir qu'ils voudraient s'Affranchir, un jour, mais les Autorités leur ont répondu qu'il était trop tard pour le faire maintenant et qu'ils ne pourraient pas avoir d'enfant.

« Ils ressortirent très abattus, mais commencèrent à rencontrer d'autres couples non autorisés à avoir des enfants. Et ils découvrirent alors que beaucoup de gens n'étaient pas si favorables que ça à la Longévité, mais que les compagnies pharmaceutiques qui la commercialisaient étaient si puissantes que personne n'avait le droit de remettre le traitement en question, et que ceux qui osaient le faire étaient jetés en prison. C'est ainsi qu'ils rejoignirent un mouvement appelé "le Réseau souterrain" et qu'ils décidèrent d'avoir un enfant, malgré l'interdiction, car s'ils renonçaient, cela signifierait que les Autorités auraient gagné, qu'à force de ne plus voir d'enfants nulle part les gens finiraient par oublier leur existence, et que comme tout le monde signait la Déclaration, les enfants disparaîtraient pour toujours.

« Alors ils eurent cet enfant. C'était la plus jolie petite

fille qu'on ait jamais vue et elle les rendait fous de bonheur, bien qu'ils sachent que son existence devait rester secrète. Ils l'aimaient plus que tout au monde, mais ils commirent une erreur. Ils firent la connaissance d'une femme qui prétendait vouloir rejoindre le Réseau souterrain et affirmait qu'elle et son mari souhaitaient avoir un enfant. Ils lui firent confiance et lui parlèrent de leur fille ; une semaine plus tard, les Rabatteurs firent irruption chez eux pour leur arracher leur bébé, et tous deux furent jetés en prison et supplièrent en hurlant qu'on leur rende leur enfant, mais en vain.

« Quelques années plus tard, ils sortirent de prison, changèrent de nom et reprirent contact avec le Réseau souterrain, qui leur procura une nouvelle maison, ici, à Bloomsbury. Et un jour, ils eurent la chance de rencontrer un garçon prénommé Peter, qu'ils aimèrent aussitôt et qui accepta de venir vivre avec eux. Mais au fond d'eux-mêmes, ils avaient toujours autant de chagrin d'être séparés de leur fille. Ils ne l'avaient pas protégée. Et elle en payait désormais le prix, enfermée à Grange Hall.

« Alors Peter, qui était un garçon courageux et formidable, décida de les aider à sauver leur fille. L'homme et la femme refusèrent, trop inquiets pour lui, mais il insista tant et si bien qu'ils finirent par lui dire qu'elle s'appelait Anna et qu'elle portait un papillon sur le ventre, une petite marque héritée de la Nature pour prouver au monde qu'elle devait être libre... »

Anna sentit sa mère lui serrer la main.

« Tu vois, ma chérie, reprit-elle d'une voix légèrement brisée, rien de tout cela n'est ta faute. Et si tu retournes à Grange Hall, tous ces efforts n'auront servi à rien. Toi, Peter et Ben êtes tout ce qui comptez. Vous êtes l'avenir. Vous êtes ce pour quoi tous les membres du Réseau se battent – la jeunesse, le sang nouveau, les idées nouvelles. Voilà ce que devrait signifier le Renouvellement, et non le maintien des vieillards en vie.

« Les Autorités ne veulent pas que les gens s'Affranchissent, ne veulent pas voir naître de nouveaux enfants, car cela risquerait d'ébranler l'équilibre du pouvoir. Ils aiment les choses telles qu'elles sont, immuables, et ils ont peur du changement, alors ils le suppriment. Vous êtes la révolution, Anna, toi, Peter, et maintenant Ben. Et vous devez veiller à votre propre sécurité, car vous avez la responsabilité de vivre, pour notre bien à tous. »

Anna acquiesça gravement et se tourna vers Peter, dont le regard luisait de détermination.

« Tu vois ? dit-il d'une voix étranglée. Tu comprends, maintenant ?

– Je comprends », chuchota Anna avant de se tourner de nouveau vers sa mère. « Tu prends toujours la Longévité ? » voulut-elle savoir.

Sa mère hocha la tête.

« Nous avons poursuivi le traitement pour ne pas attirer l'attention. Et pour ne pas tomber malades pendant que tu étais enfermée à Grange Hall. Mais aujourd'hui... eh bien, tout a changé. Nous n'en avons plus besoin. Pas tant que tu es en sécurité auprès de nous. »

Anna se mordit la lèvre. « Mrs Pincent me disait que mes parents étaient égoïstes, murmura-t-elle avec une grosse boule dans la gorge. Elle disait que je devais vous détester... et je vous détestais. » Elle déglutit péniblement. « Mais aujourd'hui, reprit-elle, je suis fière d'être votre fille. Très, très fière. Et je ne vous décevrai pas. C'est promis. »

Sa mère sourit, et Anna vit des larmes briller dans ses yeux.

« Comment pourrais-tu nous décevoir ? murmura-t-elle. Ni toi ni aucun d'entre vous. Ne vous inquiétez pas, mes chéris. Nous allons partir loin d'ici, et tout va bien se passer. Vous allez voir. »

Chapitre 25

Frank sourit tandis que Bill brandissait un couteau au-dessus des doigts de Mrs Parkinson.

« Alors, Christopher..., lança-t-il au mari de celle-ci, ça t'embête pas que je t'appelle Christopher, dis ? Christopher, on n'a aucune envie de faire du mal à ta femme. On tient pas plus à la voir mutilée elle que nos propres femmes. On a tous besoin de nos doigts, Christopher, on en est bien conscients. C'est juste qu'on a un boulot à faire, comme tout le monde, et qu'on n'est pas sûrs que tu nous dises tout ce qu'on voudrait savoir. Tâche de te mettre à notre place. Nous, on est là pour traquer des Surplus, des Surplus fugitifs, par-dessus le marché, et on sait qu'ils se cachent quelque part chez l'un de tes voisins. Mais toi, tu nous dis que t'es au courant de rien. Alors on a du mal à te croire, Christopher. Tu vois où je veux en venir ? C'est quand même bizarre que t'aies jamais entendu le moindre bruit, ou suspecté quoi que ce soit... »

Lentement, Bill abaissa son couteau sur le petit doigt de Mrs Parkinson, et Mr Parkinson poussa un cri.

« Non ! Par pitié, non ! Je crois qu'ils sont au numéro 53. Ou 55. L'un ou l'autre. C'est tout ce que je sais – des rumeurs qui circulent, pas plus. Je vous en supplie, mon Dieu... qu'avez-vous fait ?

– Là, tu vois, c'était pas si difficile ! fit Frank avec un grand sourire pendant que Bill rangeait son couteau dans une petite trousse en cuir. C'était un plaisir de discuter avec toi, Christopher. Te dérange pas, on connaît le chemin ! »

Mr Parkinson, qui s'était précipité au chevet de sa femme pour endiguer le flot de sang qui coulait de sa main, les vit à peine sortir de chez lui.

« Je n'ai pas pu le tuer. C'était au-dessus de mes forces. »

Mrs Pincent tâtonna d'une main derrière elle à la recherche de son fauteuil tout en continuant à tenir Stephen en joue, le bras résolument ferme malgré les tremblements qui secouaient le reste de son corps.

« Tu ne l'as pas tué ? » lâcha-t-elle d'une voix rauque. C'était comme si elle venait de recevoir un coup en plein ventre. Son fils était vivant. Son fils était...

Mrs Pincent eut un hoquet d'horreur en saisissant toute

l'ampleur de cette révélation. Son fils, vivant. Son fils, le Surplus, ce garçon au regard si perçant et haineux. Celui qu'elle avait... Non. Impossible. C'était impossible !

« Je n'ai jamais approuvé ta décision de le tuer, reprit Stephen. Une vie est une vie, Margaret. Quelle que soit la manière dont elle est vécue. Mais je ne supportais pas l'idée qu'il devienne un Surplus. Alors je l'ai laissé devant la porte d'une maison réputée pour abriter des sympathisants du Réseau souterrain. Et j'ai feint son enterrement. Margaret, je n'ai pas pu tuer cet enfant... »

Il pleurait, à présent ; son gros corps était secoué de sanglots, et son regard cherchait le sien comme pour implorer... quoi, son pardon ? sa compassion ? Il ne lui arracherait ni l'un ni l'autre.

« Avec la chevalière ? » Elle ignorait comment elle parvenait à garder un ton calme et un esprit clair. Mais elle devait le faire, se dit-elle. Pour son fils. Pour toutes les promesses qu'elle n'avait pu tenir.

Stephen la regarda sans rien dire, mais continua à sangloter.

« Lui as-tu laissé la chevalière ? » répéta-t-elle. Elle devait en avoir le cœur net. « Oui ou non ?

– Oui, fit-il d'une voix pathétique. Oui, je la lui ai laissée.

– Et aujourd'hui, où est-elle ?

– Elle a été envoyée à ton père, pour qu'il la garde quand ils ont arrêté le petit.

– Mon père ? Il était au courant ? Vous saviez, tous les deux ? » Margaret crut que sa tête allait exploser, sentit son corps se convulser à demi sous l'effet du choc et de la douleur, mais son esprit, lui, semblait cristallin. Limpide comme il ne l'avait pas été depuis des années.

« Tu as fait de mon fils un Surplus, dit-elle d'une voix blanche en lançant à son ex-mari un regard plein de haine. Puis tu l'as enlevé et confié à des criminels. Mon propre fils...

– Je ne pouvais pas savoir que...

– Silence ! s'écria Mrs Pincent. Tu ne parles que si je te le demande. Tu ne mérites pas de m'adresser la parole. Tu... »

Elle fondit tout doucement en larmes, mais se ressaisit aussitôt. Stephen était fort et rusé. S'il la voyait faiblir, il en profiterait, elle le savait. À l'instant où ce revolver cesserait d'être pointé vers sa tête, tout serait terminé.

« Tu as détruit tous mes espoirs, dit-elle. Tout ce que j'avais au monde passait par cet enfant, notre fils. Depuis quinze ans, je ne vis plus, je ne suis plus qu'un fantôme. Depuis quinze ans, je supplie le sol de s'ouvrir pour m'emmener, mais même cette prière-là m'est refusée. J'ai vécu une existence moribonde, par ta faute. Et aujourd'hui, j'apprends que mon fils est vivant. Qu'il est un Surplus.

Un Surplus transféré à Grange Hall, et que j'étais à deux doigts de faire éliminer moi-même. Stephen, j'ai failli tuer mon propre enfant... »

Elle sentit son estomac se serrer, et se fit violence pour ne pas s'effondrer à terre en gémissant. Elle devait à tout prix rester vaillante. Elle savait qu'il n'existait qu'une seule manière de venger Peter.

« Que prévoit la Déclaration, déjà ? » demanda-t-elle en clignant des paupières pour chasser les larmes qui perlaient de nouveau au coin de ses yeux, ces larmes qu'elle refoulait depuis quinze ans et qui menaçaient, à présent, de déferler, toutes digues rompues.

Stephen, qui suait maintenant à grosses gouttes, secoua la tête.

« La Déclaration ? répéta-t-il, hébété. Je, hum... tu sais...

– Une vie contre une autre. C'est bien ça ? »

Stephen plissa le front. « L'Affranchissement, tu veux dire ? Oui, ça se dit comme ça, je crois.

– Je ne parle pas de l'Affranchissement, répliqua Margaret en le foudroyant du regard. Une vie contre une autre. Un Surplus n'est plus considéré comme tel si l'un de ses parents meurt. C'est bien ça ? »

Il fit oui de la tête et devint livide en voyant Margaret retourner son arme contre elle.

« Tu ne comptes pas te suicider ? bégaya-t-il, stupéfait. Margaret, attends. Pas ici. Non… »

Il pâlit alors un peu plus en la voyant pointer de nouveau son revolver vers lui.

« Cela n'arrive jamais, bien sûr, reprit-elle. Une vie contre une autre, je veux dire. Qui voudrait avoir un enfant pour l'abandonner délibérément ? Mais notre fils n'a besoin de personne, n'est-ce pas, Stephen ? Il s'est déjà montré largement capable de se débrouiller tout seul, tu ne trouves pas ?

– Margaret, repose cette arme, je t'en prie », supplia Stephen. Il n'avait jamais été aussi terrifié de toute sa vie. Cette femme était folle. Dieu sait de quoi elle était capable l'instant d'après.

« Je me tuerais sans hésiter pour sauver mon fils, poursuivit-elle. En un *instant.* Je suis déjà morte depuis des années – ce serait un soulagement d'en finir pour de bon. Mais dans ce cas, comment m'assurer qu'il sera toujours entre de bonnes mains ? Le problème, c'est que je ne peux pas te faire confiance, Stephen. Qui me dit que tu n'enterreras pas son dossier pour te couvrir ? Qui me dit que tu ne trahiras pas notre fils une seconde fois ? »

Elle contourna son bureau.

« Margaret, non, tu ne peux pas faire ça. Margaret, tu iras en prison. Tu ne peux pas… Margaret, je t'en prie. Je t'en supplie, non…

– Ta mort peut offrir à cet enfant tout ce que tu n'as pas su lui apporter de ton vivant, souffla Mrs Pincent. Et la prison ne me fait pas peur. J'y suis déjà. »

Et à ces mots, elle appuya sur la détente, vit la balle percuter le crâne de son ex-mari, le propulsant de plein fouet vers l'arrière et le projetant à terre dans une mare de sang – à l'endroit précis où, un peu plus tôt dans la journée, s'était tenue Surplus Sheila, songea-t-elle.

Elle décrocha son téléphone et composa un numéro.

« Père ? déclara-t-elle d'une voix parfaitement calme. J'ai quelque chose de très important à t'annoncer. J'aimerais que tu m'écoutes attentivement. »

Chapitre 26

« Une petite rasade ? » proposa Frank en tendant sa flasque à Bill, qui refusa d'un signe de tête. Frank haussa les épaules et but lui-même le reste d'un trait.

Il regarda sa montre. Dix-huit heures trente.

« Prêt ? »

Bill acquiesça, sur quoi, ils prirent tous les deux une grande inspiration et, avec une imparable efficacité, défoncèrent la porte d'entrée.

Alarmée, Kate Covey se tourna vers son mari, Alan.

Elle n'osa pas prononcer un mot, n'osa même pas exprimer à voix haute dans une pièce qu'ils étaient pourtant seuls à occuper qu'elle avait sans doute encore plus peur des Rabatteurs que n'importe quel autre couple vivant dans cette rue. Comment étaient-ils arrivés jusqu'ici aussi vite ? se demanda-t-elle, au désespoir. Dire qu'ils s'apprêtaient justement à partir. Dire qu'ils attendaient seulement la tombée de la nuit.

« Vous désirez ? » Alan s'était rué dans le vestibule pour aller à leur rencontre – sans doute pour lui laisser le temps de se préparer, se dit-elle. « Vous ne frappez plus avant d'entrer chez les gens, maintenant ? »

Il s'exprimait avec un léger agacement, mais Kate savait qu'il masquait sa terreur. Les Rabatteurs pouvaient débarquer à l'improviste chez n'importe qui, il n'y avait aucune raison de tout gâcher en trahissant une quelconque inquiétude.

Mais Kate était plus qu'inquiète. C'était peut-être la fin, et elle le savait. Eux deux pouvaient toujours retourner en prison, mais... les enfants ? Elle leur avait promis qu'ils seraient à l'abri. Elle ne pouvait pas briser sa promesse une seconde fois. Non, c'était hors de question.

Elle se mit à réfléchir à toute allure. Alan serait-il capable de retenir les Rabatteurs pendant qu'elle ferait sortir les enfants ? Mais c'était peine perdue – l'un d'eux se dirigeait déjà vers la cuisine. Si elle jetait ne serait-ce qu'un regard furtif sous la table, ils découvriraient la trappe. On lui arracherait à nouveau ses enfants, et elle ne pourrait pas le supporter.

« Mrs Bunting, je présume ? » lui demanda le Rabatteur.

Elle acquiesça.

« C'est donc Bunting au lieu de Covey, n'est-ce pas ? »

Kate blêmit et leva les yeux vers Alan, que le second Rabatteur venait d'escorter de force jusque dans la cuisine.

« C'est juste que nos chefs nous ont dit que vous aviez peut-être changé de nom, poursuivit le Rabatteur. Vrai nom, Covey, qu'ils nous ont dit. Bien sûr, nos chefs, il leur arrive de se tromper. Ils croient avoir tout compris, sous prétexte qu'ils ont des ordinateurs et de jolis bureaux. Alors que Bill et moi, on est en uniforme, MAIS il se trouve que la plupart du temps on s'active beaucoup plus qu'eux. Marrant, non ? Alors il faut vous appeler comment : Bunting ou Covey ? Moi, les deux me vont. »

Kate croisa le regard d'Alan et y lut le signal, le message désespéré. Au moment où il passa devant elle, leurs doigts se frôlèrent et quelque chose passa de la main d'Alan à celle de Kate, quelque chose de rose et de minuscule, quelque chose à faire dissoudre sous sa langue et qui signifierait à la fois la fin et le recommencement. En un éclair, elle comprit ce qu'ils s'apprêtaient à faire et approuva d'un hochement de tête discret, presque imperceptible. Mais Alan l'avait vu. Elle sut qu'il l'avait vu.

« Bunting, répondit Alan calmement. C'est notre nom, Bunting.

– Eh ben voilà ! s'exclama le Rabatteur, un petit sourire aux lèvres. Alors, Mr Bunting, laissez-moi vous expliquer comment ça va se passer, d'accord ? Ce qui va se passer, c'est que vous allez nous dire où se trouvent les Surplus, qu'on va aller les chercher, et hop, terminé. Sauf que pour vous, ce sera la prison, bien sûr. Vous n'allez pas vous en tirer comme ça, hélas ! C'est pas bien joli de cacher des Surplus. Mais vous le saviez déjà, non ? C'est pas la première fois, je me trompe ? »

Kate pouvait à peine respirer, osait à peine penser aux enfants, cachés en bas, dans la cave.

« Bref, voilà le topo, poursuivit le Rabatteur volubile du même ton guilleret et irritant. Maintenant, si vous tenez vraiment à compliquer les choses, mon collègue Bill, que voici, a une mallette magique pleine d'accessoires qu'il adore sortir pour jouer avec. Et si vous ne nous dites pas tout de suite où sont planqués les Surplus, si ça vous est sorti de la tête, par exemple, il se fera une joie de commencer par votre femme et de la découper petit bout par petit bout jusqu'à ce que ça vous revienne. »

À ces mots, le second Rabatteur ouvrit sa mallette en cuir noir et, devant eux, en sortit un couteau.

Juste en dessous, Anna et Peter ne se quittaient pas des yeux. Ils avaient entendu un gigantesque craquement et Anna avait miraculeusement réussi à empêcher Ben de pleurer, mais à présent, ils étaient cloués au sol, trop terrifiés pour oser bouger d'un pouce.

Toute idée d'évasion était désormais exclue. Sortir de cette cave impliquerait de se faufiler à travers une ouverture débouchant sur la rue, où ils seraient aussitôt vus et entendus. Leur seule option était de rester tapis ici, sans un bruit. Rester tapis ici dans un silence de mort et attendre de se faire arrêter d'un instant à l'autre.

Anna serra Ben contre elle et le berça tout doucement. « Tu n'es pas un Surplus, lui murmura-t-elle en lui caressant la tête avant de déposer un baiser sur son front. Tu n'en seras jamais un. Jamais. »

Avec mille précautions, Peter et elle se rassirent sur le canapé où ils étaient installés il y avait encore quelques instants, avant de bondir sur leurs pieds en entendant la porte d'entrée voler en éclats.

« Tu as peur ? » lui demanda Peter tout bas, les traits tendus. Anna secoua la tête, trop effrayée à l'idée de parler.

« Nous nous évaderons encore, s'ils nous prennent », chuchota-t-il en serrant sa main si fort qu'elle faillit lâcher un petit cri de douleur.

« Bien sûr que oui, souffla-t-elle en s'efforçant d'esquisser un sourire confiant. Nous fuirons avec Ben et nous retrouverons nos parents et nous partirons tous ensemble pour la campagne. Et après ça, on ira dans le désert, à la chaleur du soleil, et on aura une belle maison immense avec un grand jardin.

– De sable ? fit Peter, souriant malgré la peur qui se lisait dans son regard.

– Oui, de sable, murmura Anna avec assurance. Et il n'y aura plus de Surplus. Nous serons seulement des gens comme les autres, et nous serons très heureux.

– Et il y aura des fleurs, renchérit Peter. Plein de fleurs partout, et aussi des livres. Et pas de Rabatteurs.

– Ça non, pas de Rabatteurs », confirma Anna.

Elle baissa les yeux vers Ben et ressentit une vague de gratitude immense en songeant qu'il était totalement inconscient de ce qui se tramait au-dessus de leurs têtes.

Pourvu qu'il ne le sache jamais, pria-t-elle en silence. Pourvu qu'il n'ait jamais à le savoir.

Comme elle le contemplait, il ouvrit les yeux et son parfait visage angélique s'illumina d'un petit sourire de bébé sans dents.

Alors tout à coup, sans crier gare, il éclata en sanglots. Non pas des pleurs timides et hésitants, mais un long vagissement, la bouche grande ouverte, ses traits adorables la seconde précédente tordus en une bouillie de détresse cramoisie.

Anna et Peter échangèrent un regard alarmé. C'était fini. Ils allaient être découverts. Ils n'allaient pas être sauvés.

Désespérément, Anna tenta de calmer son frère, de le cajoler, posant son petit doigt contre sa bouche pour qu'il le morde. Mais Ben recracha avec dégoût et continua à hurler. Peter mit son bras autour d'Anna. Tout sembla se dérouler au ralenti. Elle entendit qu'on déplaçait la table de la cuisine, puis qu'on ouvrait la trappe. Un Rabatteur passa la tête à travers l'ouverture, et ses parents se retrouvèrent poussés au bas de l'échelle, sous la menace d'un couteau.

L'un des Rabatteurs tendit les bras pour attraper Ben, Anna s'écria « Non ! » et l'homme brandit son couteau en lui disant qu'il avait le choix entre la méthode douce ou la méthode dure. Anna rétorqua qu'il n'aurait ni l'une ni l'autre, qu'il n'emmènerait jamais Ben loin de chez lui. Mais soudain, son père s'écria « Maintenant ! », et Anna resta interdite parce qu'elle ne comprenait pas de quoi il parlait. Elle vit ses parents porter chacun une main à leur bouche en faisant le geste d'avaler quelque chose, et sa mère rayonnait, riait, presque, comme si elle venait d'accomplir un acte qu'elle avait rêvé de faire toute sa vie.

Se tournant vers le Rabatteur au couteau, elle déclara : « Vous ne pouvez plus rien contre eux, à présent. » L'homme fronça les sourcils, et elle se mit à tituber légèrement avant de s'écrouler à terre, aussitôt imitée par le père d'Anna. Mais tous les deux souriaient, et leurs mains se joignirent à tâtons.

« Anna, lui dit son père, Anna, tu es libre. Toi et Ben êtes libres ! Une vie pour une autre. C'est dans la Déclaration. Voilà longtemps que nous attendions cet instant. Que nous l'espérions. Afin de vous donner la vie à nouveau. Une vraie vie. Un vrai avenir. Pardonne-nous, Anna. Pardon... »

Il se tourna vers Kate, et Anna le vit presser sa main si fort qu'elle en devint blanche. Les yeux de sa mère étaient remplis de larmes, et elle regarda son mari en articulant silencieusement « Je t'aime ». Puis elle se tourna vers Anna, un sourire triste au coin des lèvres, et murmura : « Mon Anna. Ma toute petite Anna... »

La jeune fille contempla sa mère, puis son père et réalisa que la vie s'écoulait lentement hors d'eux, que chaque souffle les emportait un peu plus loin. Les Rabatteurs semblaient furieux, hagards, comme s'ils ne savaient pas quoi faire. Sans comprendre, Anna vit alors son père poser son regard sur Peter et secouer la tête d'un air angoissé. Et elle réalisa, tout à coup. Une vie pour une autre, cela signifiait que Ben et elle étaient libres. Mais pas Peter. Son Peter qui l'avait sauvée, son Peter qui l'avait aidée à fuir de prison allait lui être arraché, et Anna eut soudain l'impression que c'était sa propre vie qui s'étiolait lentement au lieu de celle de ses parents.

Sa mère regardait Peter, elle aussi, et Anna la vit articuler les mots « Va-t'en, va-t'en », mais Peter secouait obstinément la tête. Anna eut envie de hurler, de se jeter sur lui comme un bouclier humain, un rempart, pour le protéger et le garder avec elle. Mais à la place, elle serra Ben entre ses bras et contempla ces êtres qui l'aimaient tant qu'ils étaient prêts à mourir pour elle, ceux-là mêmes qu'elle avait appris à haïr par-dessus tout. Incapable de bouger, elle regarda la vie quitter peu à peu ses parents, comme de l'eau qui s'écoule, jusqu'à ce qu'il n'y ait plus le moindre bruit dans la pièce hormis les sanglots de son frère.

Frank, qui avait suivi la scène, leva les yeux au ciel.

Puis se tourna vers Peter.

« Il n'y a plus que toi pour nous accompagner, on dirait, soupira-t-il. Tu ferais mieux de dire au revoir à ta petite copine. »

Anna se leva d'un bond.

« Non, ne l'emmenez pas, leur intima-t-elle d'une voix sourde. Prenez-moi à la place. Je suis plus Utile. »

Peter l'écarta avec colère. « C'est moi qu'ils veulent, rétorqua-t-il sèchement.

– Mais ils vont te tuer », insista Anna d'un ton suppliant. Les yeux de Peter étaient brillants de larmes. « Je ne les laisserai pas faire. J'ai besoin de toi vivant, Peter. J'ai besoin de toi ! »

L'un des Rabatteurs se mit à ricaner. « Comme c'est touchant, tu trouves pas, Bill ? Mais je crains qu'on soit pas à un jeu télévisé, ici – on choisit pas le candidat à éliminer. Alors, Peter… c'est bien ça ? Je crois qu'on t'appellera juste Surplus, si tu n'y vois pas trop d'inconvénients. Et si tu en vois, on t'appellera Surplus quand même. Ouste, remonte derrière Bill. »

Mais avant que ce dernier ait eu le temps d'empoigner l'échelle, un autre visage surgit à travers la trappe. Un visage inconnu, surmontant un costume à rayures fines.

L'homme descendit dans la cave et écarquilla les yeux en apercevant les corps des parents d'Anna gisant à terre, inanimés.

« Peter ? » demanda-t-il.

Celui-ci hocha prudemment la tête.

« Peter, je suis ton grand-père. »

L'homme se tourna vers les Rabatteurs et leur tendit une feuille de papier.

« Je l'emmène avec moi », déclara-t-il tout en détaillant Peter des pieds à la tête, comme s'il cherchait un indice. « Peter, ton père... est mort, aujourd'hui. Ce qui signifie que tu es un Légal. Je m'appelle Richard Pincent. Je suis... ta famille, Peter, et j'aimerais t'emmener vivre avec moi. »

Sous le regard stupéfait d'Anna, Peter contempla d'abord l'inconnu, puis les Rabatteurs, qui lisaient d'un œil furibond le document qui venait de leur être tendu, et enfin son amie.

« Vous n'êtes pas mon grand-père, dit-il avec méfiance. J'ai été adopté. Je n'ai pas de grand-père. »

L'homme hocha tristement la tête. « J'ai quelque chose qui t'appartient », souffla-t-il. Il tendit le bras et ouvrit la main, révélant la chevalière en or posée au creux de sa paume. Les yeux de Peter lancèrent des étincelles.

Anna observa la chevalière pour tâcher de voir s'il y avait une fleur gravée dessus, priant pour que ce soit celle de Peter tout en redoutant qu'elle ne le lui enlève.

Tu ne peux pas partir, avait-elle envie de s'écrier. Ta place est ici, avec moi. Tu es mon Peter. Mais elle ne prononça pas un mot. Elle était bien trop faible pour engager une nouvelle lutte. Trop terrifiée à l'idée qu'il veuille partir de son plein gré.

Peter l'observa, d'un regard perçant qui la pénétra au plus profond d'elle-même. Il avait peur, réalisa-t-elle avec un choc. Ses yeux trahissaient toute sa peur et son impuissance. Et l'homme était toujours planté là, à l'attendre, la main tendue. Anna serra Ben très fort contre elle et regarda Peter, immobile, regrettant de ne pas savoir quoi dire ni quoi faire.

Alors Peter se tourna vers l'homme au costume rayé, qui lui fit un grand sourire et repartit vers l'échelle. Peter adressa un dernier regard à Anna, aux corps de ses parents et à cette cave qu'il avait occupée pendant si longtemps. Puis il pivota sur ses talons et, sans un mot, monta derrière l'homme.

Chapitre 27

21 avril 2140

Mon nom est Anna. Anna Covey.

Je suis une Légale. Cela signifie que j'ai le droit d'être ici.

Le certificat est là, juste sous mes yeux. Je ne suis plus un fardeau pour mère nature.

J'ai aussi droit à la Longévité, si je le souhaite. Le représentant des Autorités, qui passe nous voir chaque semaine pour voir comment se déroule notre Assimilation, dit que je devrais absolument suivre le traitement. Qu'autrement je tomberai malade et que je subirai la vieillesse et la mort.

Mais je ne veux pas. Je n'ai pas peur de mourir. Plus rien ne me fait peur.

Nous vivons désormais à Bloomsbury, dans une maison – celle où ont vécu mes parents. Elle est constamment baignée par la lumière du soleil, qui entre à flots par les fenêtres de devant le matin et par celles de derrière le soir, puisque c'est le printemps, en ce moment, bien qu'il fasse encore froid. Les murs ont été repeints de couleurs chaleureuses, que j'ai choisies moi-même en souvenir de la maison de Mrs Sharpe. Il y a du rouge, de l'orange, du jaune, et nous avons aussi une moquette épaisse et de gros canapés moelleux avec plein de coussins.

Il y a également une photo de mes parents, au-dessus de la cheminée, pour qu'on ne les oublie pas. Parce qu'ils nous ont sauvés. Parce qu'ils sont morts.

Avant, je croyais que mes parents étaient égoïstes, qu'ils ne m'aimaient pas. Mais ils nous aimaient, au contraire – Ben et moi. Ils nous aimaient tant qu'ils se sont sacrifiés pour faire de nous des Légaux. Ils nous ont laissé une lettre pour nous expliquer qu'ils sont morts parce qu'ils nous devaient chacun une vie, et qu'ils tenaient à nous l'offrir. Qu'ils avaient planifié cela depuis longtemps, qu'ils auraient aimé pouvoir passer un peu plus de temps avec nous, mais qu'on ne peut jamais prévoir comment évoluent les choses et qu'au moins ils avaient la certitude que nous ne courrions plus aucun danger. Et ils nous demandaient de rechercher la trace de Peter et de tout faire pour le sauver. Parce qu'ils auraient aimé pouvoir le sauver, lui aussi. Ils nous expliquaient qu'ils avaient toujours considéré cette petite pilule rose comme le dernier recours possible, lorsqu'ils seraient sûrs de ne plus avoir d'autre choix, sûrs que tout espoir serait perdu.

Si seulement ils avaient été au courant pour le grand-père de Peter... Je crois que ça les aurait rendus beaucoup plus heureux...

« Anna ? Où es-tu ? »

Levant la tête, Anna vit Peter traverser le salon à sa rencontre et lui sourit.

« Alors, cette journée de boulot ? »

Il grimaça. Il travaillait à présent dans un laboratoire local, détail qu'Anna jugeait assez comique, étant donné son flagrant manque d'enthousiasme en séminaire de Science & Nature. Mais la société qui l'employait était la concurrente directe de celle de son grand-père et cela l'avait convaincu d'accepter ce poste, bien que l'idée lui ait été suggérée au départ par le représentant des Autorités. La haine de Peter pour son grand-père était encore plus forte que sa haine des Autorités. Et presque aussi forte que celle qu'il éprouvait envers Mrs Pincent. Après avoir enfin récupéré sa chevalière en or, il avait totalement coupé les ponts avec eux.

« Ça a été. » Il se baissa pour soulever Ben, puis se tourna vers Anna en fronçant les sourcils.

« Qu'est-ce que c'est que ça ? »

Son regard s'était posé sur le carnet en daim rose et

duveteux qu'Anna tenait à la main, et elle s'empourpra. Elle avait toujours un peu l'impression de commettre un acte illicite en couchant ses pensées par écrit, au risque que quelqu'un les lise.

« J'ai récupéré mon journal, expliqua-t-elle, gênée. Ils me l'ont renvoyé. Et il y a une lettre pour toi, aussi. De la part de Mrs Pincent, en prison. Enfin, de la part de ta mère, je veux dire… »

Elle prit une feuille de papier couleur crème et la tendit à Peter, qui la repoussa avec une moue de dégoût.

« Ça ne m'intéresse pas, fit-il avec mépris avant d'observer Anna avec curiosité. Tu continues à écrire là-dedans ? lui demanda-t-il alors, la voyant un stylo à la main.

– Je parlais seulement de notre maison, répliqua-t-elle sur la défensive. Et aussi de Ben, et de notre vie à l'extérieur. »

Peter secoua la tête. « Anna, tu dois *vivre* ta vie à l'extérieur, pas la raconter dans ton journal. Viens, j'ai envie de faire un tour et je veux que vous veniez, Ben et toi. »

Anna hésita. Elle adorait sortir – passer des heures dans leur petit jardin à s'émerveiller de la couleur de l'herbe, de la pousse des fleurs, de la beauté majestueuse de la nature et de la chance qui était la sienne d'admirer pleinement le ciel. Elle avait le sentiment de pouvoir l'inspirer tout entier. Elle adorait aussi montrer des choses à Ben, comme les oiseaux ou les nuages, par exemple, avec la certitude qu'il n'en serait jamais privé. Mais ce jardin était surtout un abri sûr pour elle ; les murs et les palissades la protégeaient. Elle avait beau avoir physiquement quitté Grange Hall, elle avait encore besoin de démarcations pour se sentir à l'abri – même celles qu'elle s'imposait elle-même.

« Les gens nous dévisagent chaque fois, dit-elle tout bas.

– Laisse-les faire, répliqua Peter en haussant les épaules. En fait, ça me plaît assez. J'espère même qu'on leur fait peur. Les vilains jeunes. Les adolescents. »

Il singea une mimique, et Anna ne put s'empêcher d'éclater de rire.

« Tu n'as peur de personne, hein ? fit-elle, admirative. Ça ne te fait rien de savoir que les gens se retournent sur notre passage ? Qu'ils ne nous aiment pas ? »

Peter leva les sourcils. « C'est réciproque, figure-toi. Je n'ai pas de temps à perdre avec des gens qui s'arrogent le droit de vivre éternellement. Et puis, il y a des gens qui nous aiment. Les membres du Réseau, par exemple. »

Anna acquiesça d'un air incertain. Peter avait déjà rejoint le Réseau souterrain. En dépit du danger, il passait l'essentiel de son temps libre à organiser des opérations secrètes et à assister à des meetings clandestins organisés à travers Londres dans des lieux aléatoires annoncés seulement une demi-heure à l'avance. Peter se délectait de l'idée d'une révolution, et chaque fois qu'ils étaient seuls, il lui parlait avec exaltation du grand combat à venir, mais cela mettait toujours Anna mal à l'aise. Les gens mouraient dans les combats, et elle n'avait plus envie de perdre qui que ce soit. Surtout pas Peter.

« Allez, viens », lui lança-t-il impatiemment, les yeux papillonnant dans tous les sens à sa manière habituelle, mais d'excitation, cette fois, et non d'agitation nerveuse. « Sortons ! Allons faire peur aux vieillards ! »

Il l'encouragea d'un sourire et Anna, qui ne pouvait jamais lui résister, reposa son journal en lui souriant à son tour.

« Va chercher le manteau de Ben », lui dit-elle comme il se penchait vers elle pour l'embrasser. Après quoi elle entreprit d'enfiler ses chaussures.

Mais dès que Peter eut quitté la pièce, elle reprit son carnet. Peut-être était-il grand temps de cesser d'écrire, en effet, songea-t-elle en feuilletant les pages. Cesser d'écrire pour commencer enfin à vivre. Mais pas avant d'avoir proprement achevé son journal. La nouvelle fable de Peter et Anna ne faisait que commencer, elle le savait, mais cela ne voulait pas dire que son journal ne méritait pas une conclusion digne de ce nom.

Pensive, elle saisit son stylo et, prenant une page vierge, se remit à écrire.

La vie à l'extérieur est très différente de celle à Grange Hall. Différente en mieux. Différente en merveilleux.

Il n'y a pas de règles, pas d'instructeurs. Il n'y a ni châtiments corporels ni punitions ; j'apprends à faire la cuisine avec des provisions du Maxi-Marché et à faire pousser des légumes dans notre jardin potager.

Nous avons un ordinateur chez nous. Il nous apporte les informations et nous pouvons communiquer avec les autres grâce à lui. Peter m'apprend à taper. D'après lui, je serai d'une aide précieuse et utile aux membres du Réseau souterrain grâce à ma connaissance directe des Foyers de Surplus. Il dit que le Réseau nous juge tous précieux et utiles parce que nous sommes jeunes, et que la jeunesse représente l'avenir.

Cependant, se montrer précieux et utile n'a rien à voir avec être un bon élément. Je n'appartiens plus à personne, m'ont-ils expliqué. Je peux décider ce que je veux faire de ma vie. Moi, nous tous.

Je ne sais pas encore ce que je compte faire. Peter veut se battre pour le Réseau souterrain – il parle sans arrêt de guerres et de révolutions, et il affirme qu'ils finiront pas supprimer la Longévité et qu'il n'y aura plus jamais de Surplus.

Moi, je me fais surtout du souci pour ceux qui sont encore des Surplus aujourd'hui. Je pense à Sheila, à Tania, à Charlotte

– et même à Charlie. Ils sont toujours à Grange Hall, dans cette prison grise et froide, à travailler comme des esclaves pour effacer la faute de leurs parents et apprendre à devenir utiles, au seul prétexte que les Légaux étaient là avant eux.

J'ignore ce qui va leur arriver. Et chaque fois que j'en parle à Peter, il fronce les sourcils en me répondant qu'il faut savoir garder une vision globale et se concentrer sur la Cause tout entière, non sur ses effets.

Je ne sais pas trop. Mais ce que je sais, c'est que le monde est le plus bel endroit où vivre et que nous avons beaucoup de chance d'être ici. Je sais que nous devons profiter de chaque instant parce que nous ne serons pas là éternellement, et ça me va comme ça, d'ailleurs, car c'est en prenant conscience que les choses sont éphémères qu'on les apprécie à leur juste valeur et qu'on a envie d'en savourer chaque minute.

Et je sais aussi que je ne signerai pas la Déclaration, même si cela me rend différente, voire suspecte aux yeux des autres. Personne n'a besoin de vivre toujours. Je pense qu'on ne devrait jamais imposer sa présence.

Je sais que je ne suis plus « Surplus Anna », désormais.
Je suis Anna Covey : affranchie.

Cet ouvrage a été composé par
IGS-CP à L'Isle-d'Espagnac (16)
Imprimé par Hérissey à Évreux - France - N° 105583